De: ______________________________

Para: ______________________________

Pão Diário
Mulheres

Publicações
Pão Diário

Autores:
Anne M. Cetas • Cindy Hess Kasper • Jeff Olson
Jennifer Benson Schuldt • Julie Ackerman Link
K. T. Sim • Keila Ochoa Harris • Marion Stroud
Marvin Williams • Mike Wittmer • Monica Brands
Poh Fang Chia • Regina Franklin
Roxanne Robbins • Sheridan Voysey
Tim Gustafson • Tom Felten • Winn Collier

Coordenação editorial: Dayse Fontoura
Tradução: editores do *Pão Diário* e *Nosso Andar Diário*
Revisão: Dayse Fontoura, Rita Rosário, Thaís Soler, Lozane Winter
Adaptação e edição: Rita Rosário
Projeto gráfico e capa: Audrey Novac Ribeiro
Foto da capa: © Seqoya, por Shutterstock
Diagramação: Lucila Lis

Referências Bíblicas:
Exceto se indicado o contrário, as citações bíblicas são extraídas da Nova tradução na linguagem de hoje © 2000, Sociedade Bíblica do Brasil.

Publicações Pão Diário
Caixa Postal 9740, 82620-981 Curitiba/PR, Brasil
publicacoes@paodiario.org
www.publicacoespaodiario.com.br
Telefone: (41) 3257-4028

Código: NZ305
ISBN: 978-1-68043-434-7

1.ª edição: 2019 • 4.ª impressão: 2025

Impresso na China

Introdução

...as flores aparecem nos campos. É tempo de cantar...
—Cântico dos Cânticos 2:12

A Bíblia nos ensina sobre tempos demarcados, estações e ocasiões apropriadas para ações práticas e renovação, a exemplo do ciclo da própria natureza. Assim, o tempo que, por vezes, parece de inércia, na verdade, é de preparação, à espera apenas da ocasião oportuna para manifestar a maravilhosa graça de Deus.

Por isso, a vida quando pautada pela Palavra do Senhor entende que há o tempo de semear antes de a alma usufruir de uma colheita próspera. Investir tempo com o Senhor para que Ele regue as sementes que Ele mesmo semeia em nossa vida, à medida que nos relacionamos com Ele, garante-nos um florescer que romperá em cânticos de alegria que glorificarão ao Senhor.

Neste volume de *Pão Diário — Mulheres*, os autores compartilham sobre como a presença de Deus lhes propicia conforto, direção e esperança em meios às circunstâncias da vida, e de como a leitura de Sua Palavra fortalecem seus corações.

Esperamos que cada uma das meditações a seguir, ao longo deste ano, sejam sementes que floresçam no solo de seu coração e lhe oportunize diariamente um "tempo de cantar".

—Dos editores do *Pão Diário*

A Bíblia em um ano

Janeiro

- ❐ 1 Gênesis 1–3; Mateus 1
- ❐ 2 Gênesis 4–6; Mateus 2
- ❐ 3 Gênesis 7–9; Mateus 3
- ❐ 4 Gênesis 10–12; Mateus 4
- ❐ 5 Gênesis 13–15; Mateus 5:1-26
- ❐ 6 Gênesis 16–17; Mateus 5:27-48
- ❐ 7 Gênesis 18–19; Mateus 6:1-18
- ❐ 8 Gênesis 20–22; Mateus 6:19-34
- ❐ 9 Gênesis 23–24; Mateus 7
- ❐ 10 Gênesis 25–26; Mateus 8:1-17
- ❐ 11 Gênesis 27–28; Mateus 8:18-34
- ❐ 12 Gênesis 29–30; Mateus 9:1-17
- ❐ 13 Gênesis 31–32; Mateus 9:18-38
- ❐ 14 Gênesis 33–35; Mateus 10:1-20
- ❐ 15 Gênesis 36–38; Mateus 10:21-42
- ❐ 16 Gênesis 39–40; Mateus 11
- ❐ 17 Gênesis 41–42; Mateus 12:1-23
- ❐ 18 Gênesis 43–45; Mateus 12:24-50
- ❐ 19 Gênesis 46–48; Mateus 13:1-30
- ❐ 20 Gênesis 49–50; Mateus 13:31-58
- ❐ 21 Êxodo 1–3; Mateus 14:1-21
- ❐ 22 Êxodo 4–6; Mateus 14:22-36
- ❐ 23 Êxodo 7–8; Mateus 15:1-20
- ❐ 24 Êxodo 9–11; Mateus 15:21-39
- ❐ 25 Êxodo 12–13; Mateus 16
- ❐ 26 Êxodo 14–15; Mateus 17
- ❐ 27 Êxodo 16–18; Mateus 18:1-20
- ❐ 28 Êxodo 19–20; Mateus 18:21-35
- ❐ 29 Êxodo 21–22; Mateus 19
- ❐ 30 Êxodo 23–24; Mateus 20:1-16
- ❐ 31 Êxodo 25–26; Mateus 20:17-34

Fevereiro

- ❐ 1 Êxodo 27–28; Mateus 21:1-22
- ❐ 2 Êxodo 29–30; Mateus 21:23-46
- ❐ 3 Êxodo 31–33; Mateus 22:1-22
- ❐ 4 Êxodo 34–35; Mateus 22:23-46
- ❐ 5 Êxodo 36–38; Mateus 23:1-22
- ❐ 6 Êxodo 39–40; Mateus 23:23-39
- ❐ 7 Levítico 1–3; Mateus 24:1-28
- ❐ 8 Levítico 4–5; Mateus 24:29-51
- ❐ 9 Levítico 6–7; Mateus 25:1-30
- ❐ 10 Levítico 8–10; Mateus 25:31-46
- ❐ 11 Levítico 11–12; Mateus 26:1-25
- ❐ 12 Levítico 13; Mateus 26:26-50
- ❐ 13 Levítico 14; Mateus 26:51-75
- ❐ 14 Levítico 15–16; Mateus 27:1-26
- ❐ 15 Levítico 17–18; Mateus 27:27-50
- ❐ 16 Levítico 19–20; Mateus 27:51-66
- ❐ 17 Levítico 21–22; Mateus 28
- ❐ 18 Levítico 23–24; Marcos 1:1-22
- ❐ 19 Levítico 25; Marcos 1:23-45
- ❐ 20 Levítico 26–27; Marcos 2
- ❐ 21 Números 1–3; Marcos 3
- ❐ 22 Números 4–6; Marcos 4:1-20
- ❐ 23 Números 7–8; Marcos 4:21-41
- ❐ 24 Números 9–11; Marcos 5:1-20
- ❐ 25 Números 12–14; Marcos 5:21-43
- ❐ 26 Números 15–16; Marcos 6:1-29
- ❐ 27 Números 17–19; Marcos 6:30-56
- ❐ 28 Números 20–22; Marcos 7:1-13

Março

- ❐ 1 Números 23–25; Marcos 7:14-37
- ❐ 2 Números 26–27; Marcos 8:1-21
- ❐ 3 Números 28–30; Marcos 8:22-38
- ❐ 4 Números 31–33; Marcos 9:1-29
- ❐ 5 Números 34–36; Marcos 9:30-50
- ❐ 6 Deuteronômio 1–2; Marcos 10:1-31
- ❐ 7 Deuteronômio 3–4; Marcos 10:32-52
- ❐ 8 Deuteronômio 5–7; Marcos 11:1-18
- ❐ 9 Deuteronômio 8–10; Marcos 11:19-33
- ❐ 10 Deuteronômio 11–13; Marcos 12:1-27
- ❐ 11 Deuteronômio 14–16; Marcos 12:28-44
- ❐ 12 Deuteronômio 17–19; Marcos 13:1-20
- ❐ 13 Deuteronômio 20–22; Marcos 13:21-37
- ❐ 14 Deuteronômio 23–25; Marcos 14:1-26
- ❐ 15 Deuteronômio 26–27; Marcos 14:27-53
- ❐ 16 Deuteronômio 28–29; Marcos 14:54-72
- ❐ 17 Deuteronômio 30–31; Marcos 15:1-25
- ❐ 18 Deuteronômio 32–34; Marcos 15:26-47
- ❐ 19 Josué 1–3; Marcos 16
- ❐ 20 Josué 4–6; Lucas 1:1-20
- ❐ 21 Josué 7–9; Lucas 1:21-38
- ❐ 22 Josué 10–12; Lucas 1:39-56
- ❐ 23 Josué 13–15; Lucas 1:57-80
- ❐ 24 Josué 16–18; Lucas 2:1-24
- ❐ 25 Josué 19–21; Lucas 2:25-52
- ❐ 26 Josué 22–24; Lucas 3
- ❐ 27 Juízes 1–3; Lucas 4:1-30
- ❐ 28 Juízes 4–6; Lucas 4:31-44
- ❐ 29 Juízes 7–8; Lucas 5:1-16
- ❐ 30 Juízes 9–10; Lucas 5:17-39
- ❐ 31 Juízes 11–12; Lucas 6:1-26

A Bíblia em um ano

Abril

- ❒ 1 Juízes 13–15; Lucas 6:27-49
- ❒ 2 Juízes 16–18; Lucas 7:1-30
- ❒ 3 Juízes 19–21; Lucas 7:31-50
- ❒ 4 Rute 1–4; Lucas 8:1-25
- ❒ 5 1 Samuel 1–3; Lucas 8:26-56
- ❒ 6 1 Samuel 4–6; Lucas 9:1-17
- ❒ 7 1 Samuel 7–9; Lucas 9:18-36
- ❒ 8 1 Samuel 10–12; Lucas 9:37-62
- ❒ 9 1 Samuel 13–14; Lucas 10:1-24
- ❒ 10 1 Samuel 15–16; Lucas 10:25-42
- ❒ 11 1 Samuel 17–18; Lucas 11:1-28
- ❒ 12 1 Samuel 19–21; Lucas 11:29-54
- ❒ 13 1 Samuel 22–24; Lucas 12:1-31
- ❒ 14 1 Samuel 25–26; Lucas 12:32-59
- ❒ 15 1 Samuel 27–29; Lucas 13:1-22
- ❒ 16 1 Samuel 30–31; Lucas 13:23-35
- ❒ 17 2 Samuel 1–2; Lucas 14:1-24
- ❒ 18 2 Samuel 3–5; Lucas 14:25-35
- ❒ 19 2 Samuel 6–8; Lucas 15:1-10
- ❒ 20 2 Samuel 9–11; Lucas 15:11-32
- ❒ 21 2 Samuel 12–13; Lucas 16
- ❒ 22 2 Samuel 14–15; Lucas 17:1-19
- ❒ 23 2 Samuel 16–18; Lucas 17:20-37
- ❒ 24 2 Samuel 19–20; Lucas 18:1-23
- ❒ 25 2 Samuel 21–22; Lucas 18:24-43
- ❒ 26 2 Samuel 23–24; Lucas 19:1-27
- ❒ 27 1 Reis 1–2; Lucas 19:28-48
- ❒ 28 1 Reis 3–5; Lucas 20:1-26
- ❒ 29 1 Reis 6–7; Lucas 20:27-47
- ❒ 30 1 Reis 8–9; Lucas 21:1-19

Maio

- ❒ 1 1 Reis 10–11; Lucas 21:20-38
- ❒ 2 1 Reis 12–13; Lucas 22:1-20
- ❒ 3 1 Reis 14–15; Lucas 22:21-46
- ❒ 4 1 Reis 16–18; Lucas 22:47-71
- ❒ 5 1 Reis 19–20; Lucas 23:1-25
- ❒ 6 1 Reis 21–22; Lucas 23:26-56
- ❒ 7 2 Reis 1–3; Lucas 24:1-35
- ❒ 8 2 Reis 4–6; Lucas 24:36-53
- ❒ 9 2 Reis 7–9; João 1:1-28
- ❒ 10 2 Reis 10–12; João 1:29-51
- ❒ 11 2 Reis 13–14; João 2
- ❒ 12 2 Reis 15–16; João 3:1-18
- ❒ 13 2 Reis 17–18; João 3:19-36
- ❒ 14 2 Reis 19–21; João 4:1-30
- ❒ 15 2 Reis 22–23; João 4:31-54
- ❒ 16 2 Reis 24–25; João 5:1-24
- ❒ 17 1 Crônicas 1–3; João 5:25-47
- ❒ 18 1 Crônicas 4–6; João 6:1-21
- ❒ 19 1 Crônicas 7–9; João 6:22-44
- ❒ 20 1 Crônicas 10–12; João 6:45-71
- ❒ 21 1 Crônicas 13–15; João 7:1-27
- ❒ 22 1 Crônicas 16–18; João 7:28-53
- ❒ 23 1 Crônicas 19–21; João 8:1-27
- ❒ 24 1 Crônicas 22–24; João 8:28-59
- ❒ 25 1 Crônicas 25–27; João 9:1-23
- ❒ 26 1 Crônicas 28–29; João 9:24-41
- ❒ 27 2 Crônicas 1–3; João 10:1-23
- ❒ 28 2 Crônicas 4–6; João 10:24-42
- ❒ 29 2 Crônicas 7–9; João 11:1-29
- ❒ 30 2 Crônicas 10–12; João 11:30-57
- ❒ 31 2 Crônicas 13–14; João 12:1-26

Junho

- ❒ 1 2 Crônicas 15–16; João 12:27-50
- ❒ 2 2 Crônicas 17–18; João 13:1-20
- ❒ 3 2 Crônicas 19–20; João 13:21-38
- ❒ 4 2 Crônicas 21–22; João 14
- ❒ 5 2 Crônicas 23–24; João 15
- ❒ 6 2 Crônicas 25–27; João 16
- ❒ 7 2 Crônicas 28–29; João 17
- ❒ 8 2 Crônicas 30–31; João 18:1-18
- ❒ 9 2 Crônicas 32–33; João 18:19-40
- ❒ 10 2 Crônicas 34–36; João 19:1-22
- ❒ 11 Esdras 1–2; João 19:23-42
- ❒ 12 Esdras 3–5; João 20
- ❒ 13 Esdras 6–8; João 21
- ❒ 14 Esdras 9–10; Atos 1
- ❒ 15 Neemias 1–3; Atos 2:1-21
- ❒ 16 Neemias 4–6; Atos 2:22-47
- ❒ 17 Neemias 7–9; Atos 3
- ❒ 18 Neemias 10–11; Atos 4:1-22
- ❒ 19 Neemias 12–13; Atos 4:23-37
- ❒ 20 Ester 1–2; Atos 5:1-21
- ❒ 21 Ester 3–5; Atos 5:22-42
- ❒ 22 Ester 6–8; Atos 6
- ❒ 23 Ester 9–10; Atos 7:1-21
- ❒ 24 Jó 1–2; Atos 7:22-43
- ❒ 25 Jó 3–4; Atos 7:44-60
- ❒ 26 Jó 5–7; Atos 8:1-25
- ❒ 27 Jó 8–10; Atos 8:26-40
- ❒ 28 Jó 11–13; Atos 9:1-21
- ❒ 29 Jó 14–16; Atos 9:22-43
- ❒ 30 Jó 17–19; Atos 10:1-23

A Bíblia em um ano

Julho

- ❒ 1 Jó 20–21; Atos 10:24-48
- ❒ 2 Jó 22–24; Atos 11
- ❒ 3 Jó 25–27; Atos 12
- ❒ 4 Jó 28–29; Atos 13:1-25
- ❒ 5 Jó 30–31; Atos 13:26-52
- ❒ 6 Jó 32–33; Atos 14
- ❒ 7 Jó 34–35; Atos 15:1-21
- ❒ 8 Jó 36–37; Atos 15:22-41
- ❒ 9 Jó 38–40; Atos 16:1-21
- ❒ 10 Jó 41–42; Atos 16:22-40
- ❒ 11 Salmos 1–3; Atos 17:1-15
- ❒ 12 Salmos 4–6; Atos 17:16-34
- ❒ 13 Salmos 7–9; Atos 18
- ❒ 14 Salmos 10–12; Atos 19:1-20
- ❒ 15 Salmos 13–15; Atos 19:21-41
- ❒ 16 Salmos 16–17; Atos 20:1-16
- ❒ 17 Salmos 18–19; Atos 20:17-38
- ❒ 18 Salmos 20–22; Atos 21:1-17
- ❒ 19 Salmos 23–25; Atos 21:18-40
- ❒ 20 Salmos 26–28; Atos 22
- ❒ 21 Salmos 29–30; Atos 23:1-15
- ❒ 22 Salmos 31–32; Atos 23:16-35
- ❒ 23 Salmos 33–34; Atos 24
- ❒ 24 Salmos 35–36; Atos 25
- ❒ 25 Salmos 37–39; Atos 26
- ❒ 26 Salmos 40–42; Atos 27:1-26
- ❒ 27 Salmos 43–45; Atos 27:27-44
- ❒ 28 Salmos 46–48; Atos 28
- ❒ 29 Salmos 49–50; Romanos 1
- ❒ 30 Salmos 51–53; Romanos 2
- ❒ 31 Salmos 54–56; Romanos 3

Agosto

- ❒ 1 Salmos 57–59; Romanos 4
- ❒ 2 Salmos 60–62; Romanos 5
- ❒ 3 Salmos 63–65; Romanos 6
- ❒ 4 Salmos 66–67; Romanos 7
- ❒ 5 Salmos 68–69; Romanos 8:1-21
- ❒ 6 Salmos 70–71; Romanos 8:22-39
- ❒ 7 Salmos 72–73; Romanos 9:1-15
- ❒ 8 Salmos 74–76; Romanos 9:16-33
- ❒ 9 Salmos 77–78; Romanos 10
- ❒ 10 Salmos 79–80; Romanos 11:1-18
- ❒ 11 Salmos 81–83; Romanos 11:19-36
- ❒ 12 Salmos 84–86; Romanos 12
- ❒ 13 Salmos 87–88; Romanos 13
- ❒ 14 Salmos 89–90; Romanos 14
- ❒ 15 Salmos 91–93; Romanos 15:1-13
- ❒ 16 Salmos 94–96; Romanos 15:14-33
- ❒ 17 Salmos 97–99; Romanos 16
- ❒ 18 Salmos 100–102; 1 Coríntios 1
- ❒ 19 Salmos 103–104; 1 Coríntios 2
- ❒ 20 Salmos 105–106; 1 Coríntios 3
- ❒ 21 Salmos 107–109; 1 Coríntios 4
- ❒ 22 Salmos 110–112; 1 Coríntios 5
- ❒ 23 Salmos 113–115; 1 Coríntios 6
- ❒ 24 Salmos 116–118; 1 Coríntios 7:1-19
- ❒ 25 Salmos 119:1-88; 1 Coríntios 7:20-40
- ❒ 26 Salmos 119:89-176; 1 Coríntios 8
- ❒ 27 Salmos 120–122; 1 Coríntios 9
- ❒ 28 Salmos 123–125; 1 Coríntios 10:1-18
- ❒ 29 Salmos 126–128; 1 Coríntios 10:19-33
- ❒ 30 Salmos 129–131; 1 Coríntios 11:1-16
- ❒ 31 Salmos 132–134; 1 Coríntios 11:17-34

Setembro

- ❒ 1 Salmos 135–136; 1 Coríntios 12
- ❒ 2 Salmos 137–139; 1 Coríntios 13
- ❒ 3 Salmos 140–142; 1 Coríntios 14:1-20
- ❒ 4 Salmos 143–145; 1 Coríntios 14:21-40
- ❒ 5 Salmos 146–147; 1 Coríntios 15:1-28
- ❒ 6 Salmos 148–150; 1 Coríntios 15:29-58
- ❒ 7 Provérbios 1–2; 1 Coríntios 16
- ❒ 8 Provérbios 3–5; 2 Coríntios 1
- ❒ 9 Provérbios 6–7; 2 Coríntios 2
- ❒ 10 Provérbios 8–9; 2 Coríntios 3
- ❒ 11 Provérbios 10–12; 2 Coríntios 4
- ❒ 12 Provérbios 13–15; 2 Coríntios 5
- ❒ 13 Provérbios 16–18; 2 Coríntios 6
- ❒ 14 Provérbios 19–21; 2 Coríntios 7
- ❒ 15 Provérbios 22–24; 2 Coríntios 8
- ❒ 16 Provérbios 25–26; 2 Coríntios 9
- ❒ 17 Provérbios 27–29; 2 Coríntios 10
- ❒ 18 Provérbios 30–31; 2 Coríntios 11:1-15
- ❒ 19 Eclesiastes 1–3; 2 Coríntios 11:16-33
- ❒ 20 Eclesiastes 4–6; 2 Coríntios 12
- ❒ 21 Eclesiastes 7–9; 2 Coríntios 13
- ❒ 22 Eclesiastes 10–12; Gálatas 1
- ❒ 23 Cânticos 1–3; Gálatas 2
- ❒ 24 Cânticos 4–5; Gálatas 3
- ❒ 25 Cânticos 6–8; Gálatas 4
- ❒ 26 Isaías 1–2; Gálatas 5
- ❒ 27 Isaías 3–4; Gálatas 6
- ❒ 28 Isaías 5–6; Efésios 1
- ❒ 29 Isaías 7–8; Efésios 2
- ❒ 30 Isaías 9–10; Efésios 3

A Bíblia em um ano

Outubro

- ❒ 1 Isaías 11–13; Efésios 4
- ❒ 2 Isaías 14–16; Efésios 5:1-16
- ❒ 3 Isaías 17–19; Efésios 5:17-33
- ❒ 4 Isaías 20–22; Efésios 6
- ❒ 5 Isaías 23–25; Filipenses 1
- ❒ 6 Isaías 26–27; Filipenses 2
- ❒ 7 Isaías 28–29; Filipenses 3
- ❒ 8 Isaías 30–31; Filipenses 4
- ❒ 9 Isaías 32–33; Colossenses 1
- ❒ 10 Isaías 34–36; Colossenses 2
- ❒ 11 Isaías 37–38; Colossenses 3
- ❒ 12 Isaías 39–40; Colossenses 4
- ❒ 13 Isaías 41–42; 1 Tessalonicenses 1
- ❒ 14 Isaías 43–44; 1 Tessalonicenses 2
- ❒ 15 Isaías 45–46; 1 Tessalonicenses 3
- ❒ 16 Isaías 47–49; 1 Tessalonicenses 4
- ❒ 17 Isaías 50–52; 1 Tessalonicenses 5
- ❒ 18 Isaías 53–55; 2 Tessalonicenses 1
- ❒ 19 Isaías 56–58; 2 Tessalonicenses 2
- ❒ 20 Isaías 59–61; 2 Tessalonicenses 3
- ❒ 21 Isaías 62–64; 1 Timóteo 1
- ❒ 22 Isaías 65–66; 1 Timóteo 2
- ❒ 23 Jeremias 1–2; 1 Timóteo 3
- ❒ 24 Jeremias 3–5; 1 Timóteo 4
- ❒ 25 Jeremias 6–8; 1 Timóteo 5
- ❒ 26 Jeremias 9–11; 1 Timóteo 6
- ❒ 27 Jeremias 12–14; 2 Timóteo 1
- ❒ 28 Jeremias 15–17; 2 Timóteo 2
- ❒ 29 Jeremias 18–19; 2 Timóteo 3
- ❒ 30 Jeremias 20–21; 2 Timóteo 4
- ❒ 31 Jeremias 22–23; Tito 1

Novembro

- ❒ 1 Jeremias 24–26; Tito 2
- ❒ 2 Jeremias 27–29; Tito 3
- ❒ 3 Jeremias 30–31; Filemon
- ❒ 4 Jeremias 32–33; Hebreus 1
- ❒ 5 Jeremias 34–36; Hebreus 2
- ❒ 6 Jeremias 37–39; Hebreus 3
- ❒ 7 Jeremias 40–42; Hebreus 4
- ❒ 8 Jeremias 43–45; Hebreus 5
- ❒ 9 Jeremias 46–47; Hebreus 6
- ❒ 10 Jeremias 48–49; Hebreus 7
- ❒ 11 Jeremias 50; Hebreus 8
- ❒ 12 Jeremias 51–52; Hebreus 9
- ❒ 13 Lamentações 1–2; Hebreus 10:1-18
- ❒ 14 Lamentações 3–5; Hebreus 10:19-39
- ❒ 15 Ezequiel 1–2; Hebreus 11:1-19
- ❒ 16 Ezequiel 3–4; Hebreus 11:20-40
- ❒ 17 Ezequiel 5–7; Hebreus 12
- ❒ 18 Ezequiel 8–10; Hebreus 13
- ❒ 19 Ezequiel 11–13; Tiago 1
- ❒ 20 Ezequiel 14–15; Tiago 2
- ❒ 21 Ezequiel 16–17; Tiago 3
- ❒ 22 Ezequiel 18–19; Tiago 4
- ❒ 23 Ezequiel 20–21; Tiago 5
- ❒ 24 Ezequiel 22–23; 1 Pedro 1
- ❒ 25 Ezequiel 24–26; 1 Pedro 2
- ❒ 26 Ezequiel 27–29; 1 Pedro 3
- ❒ 27 Ezequiel 30–32; 1 Pedro 4
- ❒ 28 Ezequiel 33–34; 1 Pedro 5
- ❒ 29 Ezequiel 35–36; 2 Pedro 1
- ❒ 30 Ezequiel 37–39; 2 Pedro 2

Dezembro

- ❒ 1 Ezequiel 40–41; 2 Pedro 3
- ❒ 2 Ezequiel 42–44; 1 João 1
- ❒ 3 Ezequiel 45–46; 1 João 2
- ❒ 4 Ezequiel 47–48; 1 João 3
- ❒ 5 Daniel 1–2; 1 João 4
- ❒ 6 Daniel 3–4; 1 João 5
- ❒ 7 Daniel 5–7; 2 João
- ❒ 8 Daniel 8–10; 3 João
- ❒ 9 Daniel 11–12; Judas
- ❒ 10 Oseias 1–4; Apocalipse 1
- ❒ 11 Oseias 5–8; Apocalipse 2
- ❒ 12 Oseias 9–11; Apocalipse 3
- ❒ 13 Oseias 12–14; Apocalipse 4
- ❒ 14 Joel 1–3; Apocalipse 5
- ❒ 15 Amós 1–3; Apocalipse 6
- ❒ 16 Amós 4–6; Apocalipse 7
- ❒ 17 Amós 7–9; Apocalipse 8
- ❒ 18 Obadias 1; Apocalipse 9
- ❒ 19 Jonas 1–4; Apocalipse 10
- ❒ 20 Miqueias 1–3; Apocalipse 11
- ❒ 21 Miqueias 4–5; Apocalipse 12
- ❒ 22 Miqueias 6–7; Apocalipse 13
- ❒ 23 Naum 1–3; Apocalipse 14
- ❒ 24 Habacuque 1–3; Apocalipse 15
- ❒ 25 Sofonias 1–3; Apocalipse 16
- ❒ 26 Ageu 1–2; Apocalipse 17
- ❒ 27 Zacarias 1–4; Apocalipse 18
- ❒ 28 Zacarias 5–8; Apocalipse 19
- ❒ 29 Zacarias 9–12; Apocalipse 20
- ❒ 30 Zacarias 13–14; Apocalipse 21
- ❒ 31 Malaquias 1–4; Apocalipse 22

1.º de janeiro

Um longo caminho

Leitura:
Colossenses 3:1-17

E tudo o que vocês fizerem ou disserem, façam em nome do Senhor Jesus e por meio dele agradeçam a Deus, o Pai. —Colossenses 3:17

Ao tentarmos vender nossa casa sem intermediários, meu marido assegurou-se de pedir permissão a todos os vizinhos para colocar placas de sinalização no cruzamento perto de nossa casa. Um dos proprietários surpreendeu-se com o nosso pedido. Ao nos dar sua permissão, admitiu que retiraria qualquer placa deixada por outros que não tivessem pedido permissão. Assim, não nos surpreendemos ao passar por ali, e ver que nossa placa ficara, enquanto outra de venda fora removida e jogada ao canto. A lição foi clara: o respeito nos leva longe.

Ser cristão não tem a ver com ideias filosóficas, mas incorporamos uma cultura diferente da sociedade secular que nos cerca; não só nos vícios que evitamos, mas na atmosfera de honra que criamos por onde passamos (vv.12-14).

Seguindo o Salvador que se fez "nada" por nós (Filipenses 2:7,8), destravamos o segredo da vida transformada quando entendemos que todo nosso valor está envolvido nele (Colossenses 2:6,7). É preciso pouco esforço para fazer o que nos beneficia, mas o reino dos Céus nos chama a fazer algo bem diferente. Estava implícito no sacrifício de Jesus a Sua decisão de colocar nossas necessidades acima do Seu próprio bem-estar (Isaías 53:6-10).

Jesus tornou Seus princípios mais simples explicando que assim como amamos a Deus com todo nosso ser, o próximo cumprimento óbvio de Sua Palavra é amar aos outros como desejamos ser amados (Lucas 10:27). *—Regina Franklin*

Nossa missão não é proteger os nossos interesses, mas respeitar as preocupações dos outros.

2 de janeiro

O presente perfeito

Leitura:
Romanos 12:1-8

Deem ao SENHOR a honra que ele merece; tragam uma oferta e entrem nos pátios do seu Templo. —SALMO 96:8

Todos os anos, o Jardim Botânico de nossa cidade sedia uma celebração do Natal homenageando os países ao redor do mundo. Minha exibição favorita é o presépio francês. Não mostra os pastores e magos ofertando presentes de ouro, incenso e mirra em torno da manjedoura, mas aldeões franceses levando os seus presentes ao bebê Jesus. Eles levam pão, vinho, queijo, flores e outros itens que Deus lhes deu a capacidade de produzir. Faz-me lembrar do mandamento do Antigo Testamento de levarmos as primícias do nosso trabalho à Casa do Senhor (Êxodo 23:16-19). Esta representação do presépio ilustra que tudo o que temos vem de Deus, então só precisamos dar-lhe algo daquilo que Ele próprio nos concedeu.

Quando Paulo instruiu os romanos a apresentarem-se a si mesmos como sacrifício vivo, na verdade, estava lhes dizendo para devolverem ao Senhor o que Deus lhes havia dado — a própria vida (Romanos 12:1). Isto inclui os dons que Ele lhes dera, até mesmo a capacidade deles de ganharem o seu sustento. Sabemos que o Senhor concede capacidades especiais às pessoas. Alguns, como Davi, eram hábeis na música (1 Samuel 16:18). Outros, como Bezalel e Aoliabe, eram habilidosos em obras artísticas (Êxodo 35:30-35). E outros ainda são habilidosos em escrever, ensinar, praticar a jardinagem e muitas outras coisas.

Quando devolvemos a Deus o que Ele, primeiramente, nos deu, lhe entregamos o presente perfeito — nós mesmos. —*Julie Ackerman Link*

Entregue-se completamente a Cristo, que se entregou a si mesmo por você.

3 de janeiro

Orações poderosas

Leitura:
Salmo 108:1-13

Salva-nos com o teu poder; responde à nossa oração para que o povo que tu amas seja salvo. —SALMO 108:6

Há alguns anos, os líderes da igreja cristã da Coreia do Norte pediram que os irmãos em todo o mundo orassem por seu país e pelos cristãos que viviam lá. O governo estava conduzindo exercícios militares. O líder de uma das igrejas, na época declarou: "Gostaria de agradecer aos irmãos ao redor do mundo, por seu contínuo amor e apoio. Sabemos que a jornada será difícil… Por favor, orem por nós."

O poder das orações por outros cristãos não pode ser subestimado (Tiago 5:16). Davi menciona isso ao escrever: "Salva-nos com o teu poder; responde à nossa oração para que o povo que tu amas seja salvo" (v.6). O rei-poeta sabia que a força e os recursos humanos não poderiam se comparar aos recursos infinitos que Deus possui. Davi clamou: "Ajuda-nos a combater o inimigo, pois o auxílio de seres humanos não vale nada" (v.12). Davi havia derrotado um guerreiro gigante e reconhecia que Deus, sua Rocha, era Aquele que tornara realidade aquele acontecimento miraculoso, e que apenas Ele poderia salvar o Seu povo (1 Samuel 17:40-50).

O Salmo 108 capta a mensagem do salmista: "Em Deus faremos proezas…" (108:13 ARA). Era por isto que Davi estava seguro, mesmo frente aos inimigos (v.1), ele podia louvar a Deus "com todo [o seu] coração". E por isso ele orava fervorosamente para que Deus ajudasse o Seu amado povo (v.6).

Ore pelos cristãos que você já conhece e por outros ao redor do mundo. —*Tom Felten*

Deus ainda faz proezas quando clamamos por Ele!

4 de janeiro

Fofoca

Leitura:
Salmo 41:1-11

Ó SENHOR Deus, pequei contra ti.
Tem compaixão de mim e cura-me. —SALMO 41:4

Recentemente, li a respeito da luta de uma mulher com a fofoca. Sendo mãe de uma criança no berçário, ela confessou mexericar sobre outros pais e até mesmo sobre os colegas de seu filho. Sabia que estava errada e tentou parar, tentou realçar os aspectos positivos de outras pessoas.

Davi escreveu sobre essa experiência, dizendo: "Os meus inimigos falam mal de mim [...] e ainda junta[m] más notícias a meu respeito, para sair espalhando por aí afora" (Salmo 41:5,6). Como abutres, eles rondavam sua cama e o caluniavam quando estava doente e fraco (vv.7,8).

Davi entendeu o que estava acontecendo e orou, "...me dá saúde novamente para que eu dê aos meus inimigos o que merecem" (v.10)! Ele foi enganado e foi alvo de mentiras. Seus visitantes fingiam-se de amigos, mas o traíram (vv.6,7). Não admira que o livro de Provérbios registre: "...os mexericos trazem ódio" (25:23).

A fofoca causa raiva e medo. Após outro episódio de fofoca, Davi disse a Deus: "...são muitos os que lutam contra mim. Quando estou com medo, eu confio em ti, ó Deus Todo-Poderoso" (Salmo 56:2,3). Quando as fofocas se espalham, o atingido pode temer: Quem sabe da história agora? Quem a espalhou?

A fofoca requer o conhecimento do que está acontecendo na vida de alguém. Deus se agrada quando usamos essa informação apenas para abastecer nossas orações (Efésios 1:15,16; Colossenses 1:3,4), e não os rumores. —*Jennifer Benson Schuldt*

Lembrar-se dos outros em orações agrada ao Senhor. A fofoca o entristece.

5 de janeiro

O projeto Babel

Leitura:
Gênesis 11:1-9

Se o Senhor *não edificar a casa, não adianta nada trabalhar para construí-la...* —Salmo 127:1

Perguntaram a dois pedreiros o que estavam construindo juntos. Um disse estar construindo uma garagem. O outro disse que estava edificando uma catedral. No dia seguinte, só um assentava os tijolos. Perguntado acerca do segundo homem, o primeiro respondeu: "Foi despedido. Ele insistia em construir uma catedral em vez de uma garagem."

Algo semelhante aconteceu no antigo canteiro de obras de Babel. Um grupo de pessoas decidiu construir uma cidade e uma torre que chegaria aos céus e uniria o seu mundo (Gênesis 11:4). Mas Deus não queria que elas trabalhassem em um grandioso plano egocêntrico baseado na ideia de que conseguiriam chegar às alturas de Deus e resolver todos os seus próprios problemas. Então, o Senhor desceu, interrompeu o projeto, dispersou o povo por toda a Terra e lhes deu diferentes línguas (vv.8,9).

Deus queria que o povo o visse como a solução para os seus problemas e revelou o Seu plano para eles por meio de Abraão (12:1-3). Pela fé de Abraão e de seus descendentes, Ele mostraria ao mundo como procurar pela cidade onde Deus é o arquiteto e edificador (Hebreus 11:8-10).

Nossa fé não provém de nossos próprios sonhos e soluções. O fundamento da fé está somente em Deus e no que Ele pode fazer em nós e por meio de nós. *—Mart DeHaan*

Deus quer fazer o que só Ele é capaz de fazer em nós e por nós.

6 de janeiro

Quem é você?

Leitura:
Efésios 4:1-6

...o Espírito é a marca de propriedade de Deus [...] a garantia de que chegará o dia em que Deus os libertará. —Efésios 4:30

"Quem é você?", bradou o vocalista da banda *The Who*. A canção foi ícone em 1978, talvez por repercutir em tantos de nós. De fato, não nos importamos com o que somos, mas sim com quem somos. Paulo relembrou seus leitores em Éfeso quem eles eram — filhos e filhas adotadas em Jesus Cristo, que tinham...

- Redenção e perdão (1:7)
- Herança garantida por meio de Jesus (1:11-14)
- Vida eterna pela graça de Deus (2:1-10)
- Intimidade, paz, reconciliação e unidade com Deus (2:11-18)
- Cidadania na habitação de Deus (2:19-22)

Por causa de quem somos, Paulo escreveu em Efésios 4–6 para nos instruir: "...peço a vocês que vivam de uma maneira que esteja de acordo com o que Deus quis quando chamou vocês" (4:1). "Façam tudo para conservar, por meio da paz que une vocês, a união que o Espírito dá" (4:3). "Vocês são filhos queridos de Deus e por isso devem ser como ele" (5:1). "...Orem sempre, guiados pelo Espírito de Deus..." (6:18).

"Você pode ver o meu eu verdadeiro?", questionava o mesmo vocalista noutra canção de busca desesperada. Se fizéssemos essa pergunta ao mundo, a resposta deveria ser "sim". Nossa vida deve ser um livro aberto, pois somos pessoas da "luz" e não precisamos das sombras (5:8).

Outros podem não nos entender. Mas deveriam imaginar o plano misterioso que é a Igreja do Senhor (3:3) e investigá-la. Então, quem é você? —*Tim Gustafson*

Somos perdoadas e aceitas por Deus como Suas filhas porque Jesus entregou Sua vida por nós.

7 de janeiro

Corrigindo pontos cegos

Leitura:
Tiago 1:2-12

Pois vocês sabem que, quando a sua fé vence essas provações, ela produz perseverança. —TIAGO 1:3

No livro *Chamados para dor e alegria* (Vida Nova, 2008), Ajith Fernando, um líder cristão de Sri Lanka, escreveu: "A igreja de cada cultura tem seus próprios desafios especiais — pontos cegos teológicos que impedem os cristãos de crescerem até a plena maturidade em Cristo. Penso que um dos pontos cegos teológicos mais sérios da igreja ocidental [atual] é a compreensão defeituosa do sofrimento. O conforto, a conveniência e a ausência de dores se tornaram necessidades que as pessoas veem como direitos básicos. Se elas não os têm, pensam que há algo errado. Um dos resultados dessa atitude é a restrição do crescimento espiritual, pois Deus pretende que cresçamos em meio às provações."

Tiago começa sua carta com a ordem: "sintam-se felizes quando passarem por todo tipo de aflições" (v.2). Ele os incentivou a verem as dificuldades como oportunidades de regozijo. Não os incentivou a gostarem das provações, a fingirem felicidade em meio às dificuldades ou a tentarem fugir delas, mas a se alegrarem nas provações devido a sua confiança em Deus e aos potenciais resultados, que incluíam persistência, amadurecimento, a correção de deficiências e pontos cegos.

O crescimento espiritual não ocorre pelo conforto, conveniência e vida sem dores, mas com provações. Vamos acolhê-las, e nos alegrar mesmo nas dificuldades, sabendo que o resultado será crescimento, persistência e justiça. *—Marvin Williams*

As provações revelam o nível de nossa maturidade espiritual e os pontos em que devemos crescer.

8 de janeiro

Partindo o pão

Leitura:
João 21:1-14

Então Jesus veio, pegou o pão e deu a eles.
E fez a mesma coisa com os peixes. —João 21:13

Tempos atrás, um amigo e eu jantávamos na varanda de um restaurante, e percebemos um homem nos observando da calçada. Suas roupas estavam sujas e o rosto abatido. Ele se aproximou e, com a voz rouca, nos disse: "Quando terminarem, se sobrar algo, se incomodam que eu coma?" Nós o convidamos a sentar e pedimos à garçonete que trouxesse frango grelhado e massa. Nos momentos seguintes, ele nos contou partes de sua história.

Poderíamos ter compartilhado muitas verdades com ele, ter dito palavras sábias e bíblicas. Mas ficou claro que ele precisava de uma refeição e boa conversa com quem se importasse em ouvi-lo e estivesse interessado em conhecer os sofrimentos que o levaram à sua condição.

Depois da ressurreição de Jesus, muitos discípulos voltaram a pescar, sem, contudo, pegar nenhum peixe. Porém, Jesus os chamou da margem e os instruiu a lançar suas redes no outro lado do barco. Eles o fizeram e "já não conseguiam puxá-la para dentro do barco, por causa da grande quantidade de peixes que havia nela" (v.6). No desembarque, uma pequena fogueira com peixes em cima das brasas os aguardava. "Então Jesus veio, pegou o pão e deu a eles. E fez a mesma coisa com os peixes" (v.13).

Imagino as muitas coisas que Jesus poderia ter oferecido. Talvez repreendê-los por sua falta de fé nos dias seguintes à Sua crucificação. Entretanto, o "Filho bendito se revelou aos Seus discípulos no partir do pão". —*Winn Collier*

Que aprendamos com Jesus
a receber as pessoas calorosamente.

9 de janeiro

Contando o custo

Leitura:
João 11:53–12:3

Assim nenhum de vocês pode ser meu discípulo se não deixar tudo o que tem. —Lucas 14:33

Lázaro, um bom amigo de Jesus, havia morrido. E assim Jesus realizou um milagre ao ressuscitá-lo, levando muitos que vieram ao funeral a crer nele. Mas os fariseus e os sacerdotes responderam de outra forma. Dali para frente, começaram a planejar a morte de Jesus (vv.14,17,43-45,53).

As notícias do milagre espetacular se espalharam entre os judeus peregrinos que chegavam em Jerusalém para a festa da Páscoa. Eles desejavam ardentemente conhecer o operador de milagres, mas os líderes religiosos tinham emitido uma ordem para prendê-lo (vv.55,56).

Jesus, o procurado (v.57), saiu de Betânia, a 3,5 km de Jerusalém, onde estivera na casa de Lázaro (João 12:1). Um parente dele, chamado Simão (Marcos 14:3), também vivia no mesmo endereço. Simão fora afligido pela lepra por certo tempo (v.3) — essa doença isolava suas vítimas fora dos portões da cidade para prevenir a disseminação da infecção (Levítico 13:45,46). Jesus o curara e em gratidão Simão ofereceu um jantar para honrá-lo (João 12:2).

Lázaro fora ressuscitado da morte e Simão curado da lepra. Eles queriam honrar a Jesus por sua nova vida. Mas, devido à conspiração para matá-lo, era uma hora perigosa para fazê-lo. Arriscariam ser presos e até mortos (v.10). Mas o perigo não os afetou nem os deteve. Eles calcularam o custo e estavam preparados para pagar o preço de honrar Àquele que os curara.

Para nós, também nos custará seguirmos a Jesus (Lucas 14:28). *—K. T. Sim*

Preparemo-nos para pagar o que quer que nos for cobrado para mostrar nosso amor e honra a Jesus.

10 de janeiro

Não há app para isso

Leitura:
Efésios 5:15-20

Não vivam como os ignorantes, mas como os sábios [...] procurem entender o que o Senhor quer que vocês façam.
—Efésios 5:15-17

Quando criança, conheci pessoas que assistiam televisão o tempo todo. O televisor ficava ligado até durante as refeições. Elas achavam divertido. Os noticiários, dramas e novelas pareciam mais interessantes do que a sua vida. Mas, quanto mais assistiam, mais entediadas ficavam. A mesma televisão que as conectava ao mundo exterior também as encolhia. Tornavam-se zumbis, incapazes de manter uma conversação porque não tinham o que falar.

Hoje, conheço pessoas sempre conectadas que vivem on-line, surfando na internet, verificando e-mails e lendo mensagens. Raramente conversam, absorvidas em notícias ou vídeos exibidos em seu dispositivo móvel. Seu celular está sempre ligado — até durante as refeições.

Essa tecnologia exige mais do que assistir à televisão, mas não nos esgota menos. Entramos on-line porque nos estimula; contudo, quanto mais tempo surfamos, menos interessantes ficamos. Tente conversar com alguém ocupado ao celular. Não há muito a dizer e, de qualquer modo, você será interrompido.

A tecnologia atual está produzindo pessoas superficiais, e isso é um problema para o ensino do evangelho (Efésios 5:15). Jesus disse que veio para que tenhamos vida completa (João 10:10). Mas o que isso significa para pessoas que raramente pensam além de sua próxima mensagem?

As soluções são difíceis. Não queremos eliminar a tecnologia, mas precisamos usá-la com equilíbrio (Efésios 5:16,17). *—Mike Wittmer*

Jesus nos deu a vida para vivermos com sabedoria – não sem juízo.

11 de janeiro

Seu sorriso de presente

Leitura:
1 João 4:7-12

Nunca ninguém viu Deus. Se nos amamos uns aos outros, Deus vive unido conosco. —1 João 4:12

Ao entrevistar atores, o diretor de cinema Krzysztof Kieslowski encontrou uma jovem atriz que lhe contou que saía pelas ruas de Paris quando estava triste. Conforme conversavam, Kieslowski descobriu que 6 anos antes a atriz estivera perto de um colapso nervoso. Um dia ao sair para a rua, encontrou o famoso mímico francês Marcel Marceau. A atriz passou por ele, então parou e se virou para olhá-lo novamente e recebeu dele um enorme sorriso durante alguns segundos. "Naquela hora ele me salvou", disse a atriz. Kieslowski e a atriz se perguntaram se todas as performances dele poderiam se comparar ao fato de o seu sorriso ter ajudado a salvar a jovem.

Como aquela atriz, milhões em nossa sociedade se perguntam se são importantes para alguém. Você pode assegurá-los disso. O apóstolo João nos diz para praticar o nosso amor (1 João 3:18). O que é mais simples do que sorrir para alguém que passa por você? Enquanto muitos evitam o contato visual demonstrando indiferença, você pode imitar o Deus que é amor (4:7,8). O Seu amor é revelado por meio de nossos atos amorosos (vv.9-12). O seu sorriso demonstra que você se importa o suficiente para reconhecer a existência e o valor do outro.

Lanchonetes *drive-thru* e *self-service* parecem ser contra a cordialidade e facilitam o não olhar nos olhos de ninguém. Como uma ação de discipulado, vamos sair para encontrar pessoas e sorrir para elas. *—Sheridan Voysey*

Alguém triste pode experimentar a graça e o amor de Deus por meio do seu sorriso.

12 de janeiro

Tantas parábolas

Leitura:
Mateus 13:34,35,53-58

Jesus usava parábolas para dizer tudo isso ao povo. Ele não dizia nada a eles sem ser por meio de parábolas.

—Mateus 13:34

Jesus contou muitas parábolas: o semeador (Mateus 13:3-23), a semente de mostarda (vv.31,32), o tesouro escondido (13:44-46), os trabalhadores da vinha (20:1-16), o bom samaritano (Lucas 10:30-37), a ovelha perdida (15:4-7), o filho pródigo (vv.11-32).

Mateus nos diz que as parábolas eram o principal método utilizado pelo Mestre para explicar às massas sobre o Seu reino (13:34). Nele, a generosidade de Deus trata a todos igualmente (20:1-16). A mordomia é elogiada (25:14-30). Pessoas de todo o mundo têm lugar em Seu reino (Lucas 13:29). Os humildes são exaltados (18:14). Eram também pistas de como o reino do Céu pode se manifestar na Terra. O Seu reino pode vir à Terra a partir das menores coisas (a semente de mostarda), ao demonstrar compaixão (o bom samaritano), perdão e restauração (o filho pródigo).

Os que refletiram sobre o que Jesus disse foram capazes de ver segredos antigos do reino "desconhecidos desde a criação do mundo" (Mateus 13:35), e compreenderam que Ele estabeleceu um modo de vida revolucionário do qual poderiam participar como beneficiários e embaixadores.

Mas nem todos lhe deram ouvido. A cúpula religiosa dominante dispensou as pistas porque não se encaixavam em seus planos. Mas muitos lhe deram ouvidos e isso os transformou. *—Jeff Olson*

As parábolas de Jesus nos ensinam o segredo para a verdadeira vida no Seu reino.

13 de janeiro

Lembre-se

Leitura:
Ester 9:20-32

...toda família judaica [...] comemoraria a Festa de Purim, para que os judeus lembrassem sempre do que havia acontecido.

—ESTER 9:28

Minha esposa e eu fomos à exposição *Titanic* e enquanto víamos vídeos, fotos e objetos, os eventos de 15 de abril de 1912 tornaram-se reais para nós. Uma história comovente envolvia um casal. Quando pediram que Ida Straus embarcasse no bote salva-vidas com as outras mulheres, deixando o marido para trás, ela se recusou. "Como vivemos, morreremos: juntos", ela disse. Eles foram vistos pela última vez no convés do navio, de braços dados, esperando o navio descer ao mar.

A coragem dela será lembrada assim como a lição do que Deus fez por Seu povo no livro de Ester. Hamã tramou a morte de todo o povo judeu, porém, quando a verdade foi revelada sobre esse homem perverso (Ester 7:3-10), Mordecai e a rainha Ester, sua jovem prima, foram honrados pelo rei Xerxes. E os judeus, o povo de Mordecai e Ester, foram poupados da morte iminente quando o rei interveio com um decreto (8:11).

Neste incrível relato, o poder soberano de Deus pôde ser visto claramente. Deus concedeu ao povo judeu a vitória sobre seus inimigos durante um período de dois dias, e eles responderam instituindo a Festa de Purim, celebrada anualmente (9:16,17,26): "os judeus se livraram dos seus inimigos, e foi neste mês que a tristeza e o luto se transformaram em alegria e festa. Portanto, [Mordecai ordenou] que dessem banquetes e festas, mandassem comida uns aos outros e distribuíssem presentes aos pobres" (v.22). *—Tom Felten*

Lembrar do que Deus tem feito aprofunda a nossa fé e nos ajuda a passar por águas tenebrosas.

14 de janeiro

Vendo a nós mesmos

Leitura:
1 Coríntios 11:23,34

Portanto, que cada um examine a sua consciência e então coma do pão e beba do cálice. —1 CORÍNTIOS 11:28

Antes da invenção dos espelhos, as pessoas não se viam a si mesmas. As poças de água, riachos e rios eram algumas das poucas maneiras que podiam ver seu próprio reflexo. Mas os espelhos mudaram isso. A invenção das câmeras levou o fascínio pela aparência a um nível totalmente novo. Agora temos imagens duradouras de nós mesmas, de qualquer momento de nossa vida. Isso é bom para fazer álbuns e preservar histórias de família, mas pode ser prejudicial ao nosso bem-estar espiritual. A diversão de nos vermos na câmera pode manter-nos focadas na aparência exterior e pouco interessadas em examinar o nosso interior.

O autoexame é crucial para a vida espiritual saudável. Deus quer que nos vejamos, para que possamos ser poupadas das consequências de escolhas pecaminosas. Isto é tão importante que as Escrituras dizem que não devemos participar da Ceia do Senhor sem antes nos examinarmos a nós mesmas (1 Coríntios 11:28). O objetivo desse autoexame não é apenas acertar-se com Deus, mas também certificar-se de estarmos acertados entre nós. A Ceia do Senhor é uma lembrança do Corpo de Cristo, e não podemos celebrá-la adequadamente se não estivermos vivendo em harmonia com outros cristãos.

Reconhecer e confessar o nosso pecado promove a unidade com os outros e o relacionamento saudável com Deus. —*Julie Ackerman Link*

Quando nos olhamos no espelho da Palavra de Deus, enxergamo-nos com maior clareza.

15 de janeiro

Amar e saber

Leitura:
Romanos 5:6-11

Mas Deus nos mostrou o quanto nos ama: Cristo morreu por nós quando ainda vivíamos no pecado. —Romanos 5:8

Em um romance de Jonathan Safran Foer, um dos personagens, falando do edifício Empire State de Nova Iorque, disse: "Eu conheço esta construção, porque a amo."

Essa declaração me fez pensar sobre o relacionamento entre amor e conhecimento. Sempre queremos saber tudo sobre algo que amamos. Quando amamos um lugar, queremos explorar cada centímetro dele. Quando amamos uma pessoa, queremos saber todos os detalhes de sua vida. Queremos saber do que ela gosta, o que faz no tempo de lazer, onde cresceu, quem são os seus amigos, no que acredita. A lista é interminável. Mas algumas de nós queremos ser amadas sem permitir que nos conheçam. Temos medo de não sermos amadas se formos verdadeiramente conhecidas.

Não devemos nos preocupar com isso quando se trata de Deus. Seu amor é muito superior ao nosso: "Mas Deus nos mostrou o quanto nos ama: Cristo morreu por nós quando ainda vivíamos no pecado" (Romanos 5:8). Além disso, Ele se faz conhecido para nós. Através da criação, das Escrituras e de Cristo, Deus revela Seu caráter e amor. Porque Deus nos ama, apesar das nossas imperfeições. Podemos seguramente confessar os nossos pecados a Ele. Com Deus, não precisamos temer sermos conhecidas. É por isso que conhecer a Deus é amá-lo. —*Julie Ackerman Link*

Não há satisfação maior do que saber que o Pai nos ama nem alegria maior do que poder relacionar-se com o Senhor.

16 de janeiro

Um alongamento

Leitura:
1 João 2:24–3:3

Vejam como é grande o amor do Pai por nós! O seu amor é tão grande, que somos chamados de filhos de Deus… —1 JOÃO 3:1

Por muitos anos, Sara sentiu dores na coluna lombar que pioravam cada vez mais. O seu médico a encaminhou para a fisioterapia e ela fazia 25 alongamentos diariamente. A dor diminuiu, mas não totalmente. Assim, o médico pediu um raio-X e a enviou para outro terapeuta, que a instruiu a interromper os alongamentos do outro profissional e fazer apenas um alongamento por dia conforme o necessário. Surpreendentemente, aquele simples alongamento funcionou melhor.

Algumas vezes as verdades mais simples são as melhores. Quando pediram a Karl Barth para resumir em uma frase todo o trabalho teológico de sua vida, ele respondeu: "Jesus me ama!" Alguns dizem que ele acrescentou, "Isto eu sei, pois a Bíblia assim me diz."

O amor de Deus por nós é evidente. Ele enviou o Seu Filho para nos resgatar de nós mesmos. Cristo morreu na cruz, levando o fardo de nosso pecado, e em seguida, Ele ressuscitou, dando-nos nova vida nele. Amor maravilhoso! Como João nos diz: "Vejam como é grande o amor do Pai por nós! O seu amor é tão grande, que somos chamados de filhos de Deus e somos, de fato, seus filhos…" (1 João 3:1).

Naturalmente, o amor de Jesus por nós não é um curativo ou um "elixir" para todos os problemas da vida. No entanto, é a única verdade em que podemos sempre nos amparar para adquirir um propósito na vida e ter paz com Deus. —*Anne Cetas*

*Crer que Jesus me ama
é uma verdade maravilhosa que dá sentido à vida.*

17 de janeiro

Mais do que suficiente

Leitura:
Salmo 103:1-11

...[o SENHOR] ele me salva da morte e me abençoa com amor e bondade. —SALMO 103:4

Quando recebi um grande grupo em minha casa, temi que o cardápio planejado não fosse suficiente para servir todos os convidados. No entanto, eu não deveria ter me preocupado. Muitos amigos trouxeram algo a mais e todos puderam desfrutar das surpresas excedentes. Tínhamos mais do que o suficiente e pudemos compartilhar da abundância.

Servimos a um Deus de abundância que é constantemente "mais do que o suficiente". Podemos ver a natureza generosa de Deus na forma como Ele ama os Seus filhos.

No Salmo 103, Davi lista muitos benefícios que o nosso Pai nos concede. O versículo 4 afirma que Ele nos salva da morte e nos abençoa com amor e bondade.

O apóstolo Paulo nos lembra de que Deus nos tem abençoado com "...todos os dons espirituais do mundo celestial" e que Ele "...pode fazer muito mais do que nós pedimos ou até pensamos..." (Efésios 1:3; 3:20).

Por Seu grande amor, somos chamados filhos de Deus (1 João 3:1), e Sua graça nos dá "...muito mais do que [precisamos]" e ainda mais do que o necessário para que façamos "...todo tipo de boas obras" (2 Coríntios 9:8).

O amor e a graça de Deus derramados sobre a nossa vida nos capacita a compartilhá-lo com os outros. O Deus de poder e provisão é sempre o Deus que é "mais do que suficiente"! —*Cindy Hess Kasper*

Temos sempre mais do que o suficiente quando Deus é a nossa provisão.

18 de janeiro

Para isto tenho Jesus

Leitura:
Isaías 49:13-20

...o SENHOR consolou o seu povo;
ele teve pena dos que estavam sofrendo.
—ISAÍAS 49:13

Raramente há um período sem problemas em nossa vida, mas, às vezes, o ataque é aterrorizante.

Rose viu toda a sua família, exceto suas duas filhas pequenas, morrer no genocídio de Ruanda, em 1994. Hoje, ela é uma das muitas viúvas com pouco dinheiro. Mas ela se recusa a sentir-se derrotada, adotou dois órfãos e simplesmente confia em Deus para prover os custos de alimentação e escola para sua família de cinco pessoas. Ela traduz literatura cristã para o idioma local e organiza uma conferência anual para outras viúvas. Rose chorou ao me contar sua história. Mas para todo problema em sua vida ela tem um remédio simples. "Para isto", diz ela, "eu tenho Jesus".

Deus sabe exatamente o que você está enfrentando hoje. Isaías nos lembra de que o Senhor Deus nos conhece tão bem, que é como se os nossos nomes estivessem escritos nas palmas de Suas mãos (Isaías 49:16). Às vezes, podemos negligenciar as necessidades dos outros, mesmo dos mais próximos a nós, mas Deus está ciente de cada detalhe de nossa vida. E Ele nos concedeu o Seu Espírito para nos guiar, confortar e fortalecer.

Pense, e liste os desafios que você enfrenta neste momento e, em seguida, escreva estas palavras "Para isto, eu tenho Jesus" ao lado de cada um deles, como lembrete de Sua fidelidade e cuidado. —*Marion Stroud*

A vida adquire propósito à luz de Cristo.

19 de janeiro

Um servo fiel

Leitura:
Josué 14:6-15

...quem serve sirva com a força que Deus dá. Façam assim para que em tudo Deus seja louvado por meio de Jesus Cristo...
—1 PEDRO 4:11

Matias é pedreiro. De segunda a quinta-feira ele constrói paredes e repara telhados. Ele é calmo, confiável e trabalhador. De sexta a domingo, ele sobe as montanhas para ensinar a Palavra de Deus. Matias fala Nahuatl (um dialeto do México) e, por isso, pode comunicar facilmente as boas-novas de Jesus ao povo daquela região. Aos 70 anos, ele ainda constrói casas, mas também trabalha para edificar a família de Deus.

Sua vida foi ameaçada várias vezes. Ele dormiu sob as estrelas e enfrentou a morte por acidentes de automóvel e quedas. Foi expulso de cidades. Mas ele acredita que Deus o chamou para fazer o que faz, e o serve com alegria. Ele confia em Deus para a força que necessita, crendo que as pessoas precisam conhecer o Senhor.

A fidelidade de Matias me lembra da fidelidade de Calebe e Josué, dois dos homens que Moisés enviou para explorar a Terra Prometida e depois relatar aos israelitas (Números 13; Josué 14:6-13). Seus companheiros tiveram medo do povo que vivia lá, mas Calebe e Josué confiaram em Deus e creram que Ele os ajudaria a conquistar a terra.

O trabalho que nos foi confiado pode ser diferente do que Deus confiou a Matias, Calebe ou Josué, mas a nossa confiança nele pode ser a mesma. Para alcançar os outros, não confiamos em nós mesmos, mas na força do nosso Deus. *—Keila Ochoa*

O Senhor nos fortalece à medida que o obedecemos e o servimos.

20 de janeiro

O mundo e eu

Leitura:
Lamentações 5:1-21

*Mas tu, ó SENHOR, reinas para sempre,
tu dominas as gentes de todos os tempos.* —LAMENTAÇÕES 5:19

Eu não conseguia perceber como estava longe da realidade até ler *Jogos Vorazes* (Rocco, 2010). Isso me fez descobrir que de acordo com a Organização das Nações Unidas para Agricultura e Alimentação, estima-se que em 2010 havia 925 milhões de pessoas famintas no mundo. Isso significa 13,6% da população mundial. Ou quase 1 em cada 7 pessoas experimenta fome regulamente.

Acalmei-me ao pensar que o mundo onde vivo é o mesmo onde todos vivem. Infelizmente, isso não é verdade. A fome, a opressão e a injustiça afligem muitas partes de nosso planeta atualmente.

Ler o livro de Lamentações pode nos ajudar a compreender a experiência daqueles que sofreram a morte de uma nação e o desespero total. Jeremias descreve em detalhes o estado de Jerusalém depois da destruição. Os israelitas perderam sua terra, seus lares e heranças (5:2). Em cada casa parecia que havia um membro faltando (v.3). Frio, sede e exaustão eram as novas normas (v.4). A esperança tinha se apagado. O medo afligia a todos (vv.11-13). A vida não era mais a mesma (v.14).

Em meio ao desespero, Jeremias clamou: "Mas tu, ó SENHOR, reinas para sempre, tu dominas as gentes de todos os tempos" (v.19).

Somos relembrados de que embora o sofrimento do presente pareça mais real do que a possibilidade de redenção no futuro, o amor e a fidelidade de Deus permanecem. Vamos orar e ir até os que sofrem hoje, para que eles descubram essa verdade que aquece o coração. —*Poh Fang Chia*

*O melhor fruto do lamento de uma pessoa
é sua oração a Deus.*

21 de janeiro

O que conta

Leitura:
1 Samuel 16:1-13

Ó Senhor *Deus, tu me examinas e me conheces.*
—Salmo 139:1

Outro dia brinquei com um colega sobre a aparência da marmita dele com listras e flores. Enquanto seguíamos para o refeitório, eu lhe disse: "Você precisa arranjar uma marmita mais masculina". Sem perder o humor, ele me mostrou o seu conteúdo: pão e sopa de frango com massa, frescos e feitos em casa. (Eu tinha só sanduíche de manteiga e geleia, e palitos de cenoura.) Foi a vez dele de brincar comigo...

Isso me lembra da realidade do reino de Deus: O que está no interior é o que mais conta.

Nosso instinto natural é pensar no exterior. Tendemos a ver as aparências: altura, peso, cor dos cabelos, forma do corpo, idade, roupas que vestimos e carros que dirigimos. É só escolher.

O profeta Samuel cometeu o mesmo erro quando Deus o enviou para ungir um dos filhos de Jessé como substituto do rei Saul (1 Samuel 16:1). Assim que Samuel avistou Eliabe, pensou que ele era o destinado a ser o próximo rei de Israel (v.6). Mas Deus o corrigiu dizendo: "Não se impressione com a aparência nem com a altura deste homem. Eu o rejeitei porque não julgo como as pessoas julgam. Elas olham para a aparência, mas eu vejo o coração" (v.7).

Finalmente Deus disse a Samuel para ungir o filho mais novo de Jessé, Davi, como rei. Embora Davi não tivesse aparência para tal, Deus tinha os Seus olhos no coração do jovem. E foi isso o que contou.

Lembremo-nos disso, enquanto vivemos para Deus e ministramos a outros. *—Jeff Olson*

O Criador do Céu e da Terra mede a importância de uma pessoa pelo que vê em seu interior.

22 de janeiro

Quando seu sonho morre

Leitura:
2 Reis 4:8-37

Então a mulher disse a Eliseu: —Senhor, por acaso, eu lhe pedi um filho? Não lhe pedi que não me enganasse? —2 Reis 4:28

No livro *Me, Myself, & Bob* (Eu, eu mesmo e Bob), Phil Vischer mostra como criou os populares personagens Bob, o Tomate e Larry, o Pepino. Os vídeos cristãos de Vischer venderam milhões de cópias e se tornaram best-sellers. Mas Vischer não era um empresário talentoso, e sua empresa tomou empréstimos demais e faliu. Os direitos autorais foram então vendidos a terceiros.

Vischer ficou arrasado, mas se deparou com a história da mulher de Suném (2 Reis 4:8). Essa senhora rica, hospedava Eliseu sempre que ele vinha à cidade, e o profeta retribuiu-lhe o favor prometendo que ela teria um filho. A mulher estéril e o seu marido já haviam desistido desse sonho, e assim, ela implorou: "Por favor, não minta para mim! O senhor é um homem de Deus!" (v.16).

Eliseu manteve sua palavra e um ano depois a mulher cuidava de seu recém-nascido (v.17). Anos depois, o menino morreu nos braços de sua mãe (vv.18-20). Ela o deitou na cama de Eliseu e procurou o profeta, para saber por que ele realizara seu sonho, era apenas para deixá-lo morrer (v.28)?

Vischer descobriu que Deus quer que saibamos se Ele é mais importante do que o nosso sonho. O Senhor é suficiente, ou queremos algo mais de Deus? Se Ele é tudo que precisamos, então podemos ficar contentes se o nosso sonho se mantém vivo ou não. O Deus que levantou o filho dessa mulher pode nos devolver nosso sonho quando o tivermos entregado completamente a Ele. —*Mike Wittmer*

*Por estarmos com Deus,
nossos sonhos nunca se desfarão de fato.*

23 de janeiro

Longe de casa

Leitura:
Êxodo 3:1-15

...Um dia Moisés levou o rebanho para o outro lado do deserto e foi até o monte Sinai, o monte sagrado. —Êxodo 3:1

No dia em que me formei na universidade, minha irmã estava em viagem na mesma cidade com sua turma da escola. Ela queria comemorar comigo, e, felizmente alguém a levou até o local onde eu estava. Entretanto, quando eles saíram do hotel, seguiram a direção errada. O tempo passou e apesar das paisagens bonitas, logo viram que algo estava errado.

Moisés, certa vez, estava num deserto muito longe de sua casa. No deserto é fácil você perder o senso de orientação, e andar em círculos, sem direção. Lá também não se sabe onde está nem para onde se deve ir.

As Escrituras dizem que Moisés foi "para o outro lado do deserto" (v.1). A versão ARC diz que ele estava "atrás do deserto". Qualquer pessoa que já viajou a negócios para longe de casa pode dizer, não é fácil estar distante de onde você gostaria de estar.

O interessante é que Moisés parecia bastante satisfeito com a situação. Ele procurava grama fresca para o rebanho; mas não procurava Deus. Entretanto, o Senhor o procurava. O Senhor está à procura de todos nós.

No meio do deserto, Moisés encontrou o monte Sinai — o monte onde, anos mais tarde, Deus passaria por ele com Sua glória reluzente. Esta era a montanha onde o Senhor apresentaria as palavras da Lei. Contudo, neste dia, Ele chegou a um pastor que estava sozinho com o seu rebanho, no deserto e o chamou pelo nome: "Moisés! Moisés" (v.4)! —*Winn Collier*

O Senhor a encontrará. Ouça-o quando Ele a chamar pelo nome.

24 de janeiro

Mantenha-se alerta

Leitura:
Deuteronômio 4:1-9

Portanto, tenham cuidado e sejam fiéis para que nunca esqueçam as coisas que viram. E contem aos seus filhos e netos.
—Deuteronômio 4:9

Um jovem e diversos amigos foram escalar uma montanha. Na entrada do parque viram os alertas sobre a condição escorregadia das trilhas. Subiram tranquilos, mas na descida, alguém gritou: "deslizamentos". Um dos jovens foi atingido por pedras e não sobreviveu. Foi criticado por ser um novato, mas, na verdade, ele era um "montanhista certificado", mas perdeu a vida porque foi induzido a baixar a guarda.

Israel estava se preparando para ir à Terra Prometida e o Senhor queria que Seu povo se mantivesse alerta. Portanto, ordenou que ouvissem e obedecessem a todas as Suas palavras (vv.1,2). E no caso de terem problemas em obedecer, Moisés os lembrava sobre como Deus julgava os desobedientes e abençoava os fiéis (vv.3,4). A lembrança dessa história os motivaria e seria a base para sua obediência incondicional. A cada desvio, precisavam examinar-se a si mesmos e vigiar suas atitudes interiores (v.9). Isso os ajudaria a evitar perigos espirituais exteriores e a apatia espiritual interior. Mas não apenas eles; as gerações futuras também. A obediência aos padrões de Deus seria a chave para o sucesso futuro.

É fácil baixarmos a guarda e sermos induzidos ao esquecimento, apatia e autoengano. Por isso é essencial que ofereçamos a Deus um novo compromisso de obediência a toda a Sua Palavra. Renovemos o nosso conhecimento e o compromisso com as Escrituras. *—Marvin Williams*

Somos responsáveis por buscar sabiamente as oportunidades de repassar as Escrituras às próximas gerações.

25 de janeiro

Amor verdadeiro

Leitura:
1 Coríntios 13:1-8

Quem ama nunca desiste, porém suporta tudo com fé, esperança e paciência. O amor é eterno. —1 CORÍNTIOS 13:7,8

Há alguns anos, a mãe de minha amiga foi diagnosticada com o mal de Alzheimer. Desde então, Bete foi forçada a tomar decisões difíceis sobre o cuidado de sua mãe, e o seu coração muitas vezes fica abatido enquanto observa a sua mãe ora vibrante e divertida lentamente desaparecer. No processo, minha amiga vem aprendendo que o verdadeiro amor nem sempre é fácil ou conveniente.

Depois que a mãe dela foi hospitalizada por alguns dias no ano passado, Bete escreveu estas palavras a alguns de seus amigos: "Ao contrário do que possa parecer, estou muito grata pela jornada que estou tendo com a minha mãe. Por trás do desamparo da perda de memória, confusão e absoluto desamparo, há uma pessoa bonita que ama a vida e está em completa paz. Estou aprendendo muito sobre o que o amor verdadeiro é, ainda que eu provavelmente não tenha pedido por esta viagem, pelas lágrimas e os sofrimentos que a acompanham, não trocaria isso por nada."

A Bíblia nos lembra de que o amor é paciente e bondoso. Não é egoísta ou se irrita facilmente. Ele "...suporta tudo com fé, esperança e paciência..." (1 Coríntios 13:4-7).

O amor verdadeiro se originou em nosso Pai, que nos deu a dádiva de Seu Filho. Conforme procuramos demonstrar o Seu amor aos outros, podemos seguir o exemplo de Cristo, que deu a Sua vida por nós (1 João 3:16-18). *—Cindy Hess Kasper*

O verdadeiro amor é ajudar os outros por amor a Jesus, mesmo que eles jamais possam nos devolver o favor.

26 de janeiro

Fogo e chuva

Leitura:
Isaías 16:5

...Ele governará com fidelidade, procurará julgar com justiça e se esforçará para fazer o que é direito. —ISAÍAS 16:5

Um incêndio se alastrou pelos belos cânions no Colorado, EUA, e destruiu o habitat de todos os tipos de vida selvagem e de milhares de lares. Muitas pessoas ao redor do país clamaram a Deus, pedindo a Ele que enviasse chuva para apagar as chamas, dar fim à destruição e descanso aos bombeiros. As orações de algumas pessoas tinham uma condição interessante. Elas pediram a Deus para demonstrar misericórdia e enviar chuvas sem raios, que poderiam causar ainda mais incêndios.

Isto me lembra do quanto vivemos em tensão entre as coisas que nos salvam e nos matam. Com o fogo, cozinhamos o nosso alimento e nos mantemos aquecidos, mas ele também pode nos consumir. Com a água, podemos nos manter hidratados e o nosso planeta resfriado, mas ela também pode nos derrubar. Ter muito ou pouco de cada um desses elementos é uma ameaça à vida.

Vemos o mesmo princípio na vida espiritual. Para prosperar, as civilizações precisam das qualidades aparentemente opostas da misericórdia e justiça (Zacarias 7:9). Jesus repreendeu os fariseus por defenderem a Lei, mas "...não obedecem aos mandamentos mais importantes da Lei..." (Mateus 23:23).

Nós podemos tender à justiça ou à misericórdia, mas Jesus as mantém em perfeito equilíbrio (Isaías 16:5; 42:1-4). A Sua morte satisfez a necessidade de Deus por justiça e a nossa necessidade por misericórdia. *—Julie Ackerman Link*

A justiça e a misericórdia de Deus se encontram na cruz.

27 de janeiro

Rochedo que abriga

Leitura:
Salmo 94:3-23

Mas o SENHOR me defende; ele é a minha rocha e o meu abrigo.
—SALMO 94:22

Certa vez, durante minhas férias, andei por todo o contorno da margem de um grande lago. Conforme me aproximava de uma pilha de cascalhos, percebi um pequeno refúgio entre as rochas e observei que uma pequena planta havia criado raízes ali. A planta parecia estar absorvendo a quantidade certa de luz solar e água e estava recebendo também algo mais: proteção. Nenhum aguaceiro ou tempestade de vento prejudicaria suas delicadas folhas.

O habitat seguro da planta me fez lembrar estes versos de um hino: "Rocha eterna, fendida por mim, quero me esconder em Ti." Estas palavras expressam o que muitos de nós queremos quando nos deparamos com pessoas mal-intencionadas — pessoas conhecidas por seu orgulho, crueldade e falta de consideração com Deus (Salmo 94:4-7). Quando somos alvo do mau procedimento de alguém, podemos nos lembrar do testemunho do salmista: "Mas o SENHOR me defende; ele é a minha rocha e o meu abrigo" (v.22).

Como nossa rocha, Deus é fidedigno e forte. Como nosso abrigo, Ele pode prover segurança até que os problemas passem. O salmista lembra que: debaixo de suas asas "...você estará seguro..." (91:4). Tendo Deus como nosso defensor, não precisamos temer o que os outros farão. Podemos confiar que Deus nos auxiliará quando a provação surgir. *—Jennifer Benson Schuldt*

Podemos encontrar refúgio em nossa Rocha Eterna.

28 de janeiro

O fruto do sofrimento

Leitura:
Lucas 23:32-49

Jesus respondeu: —Eu afirmo a você que isto é verdade: hoje você estará comigo no paraíso. —Lucas 23:43

"Como vocês estão?", meu amigo perguntou. Da última vez que Adriano e eu conversamos, tinha lhe contado que minha esposa e eu não podíamos ter filhos e sobre a dor que isso nos trouxe.

"No geral, estamos melhor. Concentrando-nos no lado bom de não ter filhos e nas oportunidades que isso traz. Sabe, como ter liberdade para viajar", eu disse. "Sim," Adriano respondeu, "embora isso só o leve até certo ponto." E explicou-se melhor.

"Não há lado bom no sofrimento de Jesus. Sua crucificação foi sombria e bárbara. E Ele nunca tentou encontrar um lado positivo nela. Ao contrário, Ele fez algo completamente diferente." "Prossiga", falei. "Você notou a quantos Jesus ministrou enquanto estava no madeiro?" E disse, "A Sua mãe..." "Você quer dizer, ao colocá-la sob o cuidado de João?", perguntei (João 19:26,27). "Exatamente. E ao ladrão crucificado ao Seu lado, e ao povo que o crucificou (Lucas 23:33,34,39-43). Sua morte ministrou ao centurião romano que creu nele (v.47), e a nós, perdoando nossos pecados através de Seu sacrifício. Isso ocorreu em meio ao sofrimento de Jesus, antes da Sua ressurreição."

"Sim, pode haver benefícios em não ter filhos, mas pode ser também difícil e solitário. Entretanto, se seguirem o exemplo de Jesus, de Seu sofrimento, terão oportunidades de ministrar a pessoas de formas que não poderiam. Para Jesus, a crucificação foi um campo missionário." *—Sheridan Voysey*

Estando com Cristo, o fruto de nosso sofrimento pode servir também para outros.

29 de janeiro

Em nosso coração

Leitura:
Gálatas 5:1-22

Mas o Espírito de Deus produz o amor.
—GÁLATAS 5:22

Ao observar os cristãos, o incrédulo escritor grego, Luciano de Samósata, 120–200 d.C., disse: "É inacreditável ver o fervor com que se ajudam uns aos outros em suas necessidades. Não lhes falta nada. Jesus, Seu primeiro governante colocou na cabeça deles que são irmãos". Quase na mesma época, Tertuliano afirmou: "É o nosso cuidado com os indefesos, nossa prática da bondade, que nos identifica aos olhos de nossos adversários. 'Basta olhar!', eles dizem. 'Veja como amam uns aos outros! Veja como estão prontos a morrer uns pelos outros.'"

Para Paulo, este amor não provém do esforço humano. O Espírito Santo o produz, desenvolve e o encoraja de forma sobrenatural. Paulo listou primeiro o amor, porque era a característica mais importante da qual todos os outros atributos deveriam fluir (v.22).

Não podemos amar uns aos outros como Jesus nos amou por mero esforço humano (João 13:34). Precisamos que o Espírito Santo nos dê poder e nos capacite (14:15-17). Quando andamos no Espírito, Ele nos habilita a servir uns aos outros (Gálatas 5:13), a cumprir a lei do amor e a demonstrá-lo de maneiras tangíveis e a tornar os outros nossa prioridade (vv.14-16).

Estando nele, o Espírito Santo coloca o amor de Deus em nosso coração e somos compelidos a cuidar dos indefesos, suprir as necessidades práticas de nosso próximo, e a sermos um em coração e mente com outros cristãos (Atos 4:31-35). *—Marvin Williams*

Quando o Espírito Santo age em nós, Ele nos capacita a discernir mais e mais a nossa fraternidade em Cristo.

30 de janeiro

Melodia fixa da história

Leitura:
Salmo 82

...Venha comigo!
—João 1:43

A música era uma forma de os escravos recontarem suas histórias, e foi também o principal caminho de o Movimento dos Direitos Civis expor a sua visão. Se você quer conhecer uma cultura ou seu povo, precisa conhecer a música usada para transmitir suas histórias. Foi assim que o antigo povo de Israel usou os Salmos: suas histórias e orações os ajudavam a lembrar-se de Deus, em particular, nos longos anos em que Ele se manteve em silêncio.

O Salmo 82 é uma canção para um desses silêncios, quando a esperança do povo não correspondeu à sua experiência com o Senhor. Os judeus acreditavam que Deus é bom e justo e defendia os direitos "...dos pobres e dos órfãos..." (v.3). Porém, a experiência ferira sua persistente fé. Ao invés de protegidos, os fracos e necessitados estavam em "...poder dos maus" (v.4). Em nosso mundo, muitas vezes o ganancioso também ganha poder e riqueza, enquanto o fraco, o faminto e os órfãos são jogados na pobreza. Se Deus é tão bom e poderoso, por que não vemos mais de Seu poder?

Nervoso e com sua própria fé desgastada, o povo de Deus orou. Suas canções tinham palavras de ousadia, desespero e esperança. "Vem, ó Deus, e governa o mundo, pois todas as nações são tuas" (v.8)! A aparente inatividade de Deus os deixava perplexos, mas acreditavam nele como sua única esperança. Apenas Deus poderia julgar e consertar as coisas. A história vem entoando essa melodia. *—Winn Collier*

Nossa fé nos compele a cantar juntos. Deus é a canção que o Seu povo canta.

31 de janeiro

Exige-se honestidade

Leitura:
Atos 4:32–5:11

Pedro disse a Ananias: —Por que você deixou Satanás dominar o seu coração? Por que mentiu para o Espírito Santo?... —ATOS 5:3

O pecado desse casal arruinou aquele momento. A nova igreja tinha sido uma emocionante comunidade de amor. "Todos os que creram pensavam e sentiam do mesmo modo" e eles "repartiam uns com os outros tudo o que tinham. [...] Todos os que tinham terras ou casas as vendiam, traziam o dinheiro e o entregavam aos apóstolos. E cada pessoa recebia uma parte, de acordo com a sua necessidade" (Atos 4:32-35).

Ananias e Safira queriam ser parte dessa comunidade, e demonstraram isso vendendo uma de suas propriedades. Mas também queriam guardar parte do dinheiro para si, então mentiram e declararam ter entregado a quantia toda. E morreram pelo poder de Deus. O castigo deles pode parecer severo, até você lembrar que eles:

1. *Mentiram a Deus.* Eles eram livres para dar o quanto quisessem, mas tentaram enganar a Deus (5:4). Estar na presença do Senhor é algo incrível. Veja como Deus liquidou Uzá (2 Samuel 6:7), Nabade e Abiú (Levítico 10:1,2), pois Ele não tolera fraude e desobediência.

2. *Mentiram aos outros.* A nova igreja cria na ressurreição de Jesus (Atos 4:33), e isso exigia o compromisso absoluto de seus mensageiros. Se os primeiros cristãos não pudessem ser confiáveis sobre o dinheiro, quem acreditaria neles quando falassem que o seu Senhor estava vivo?

Somos incumbidos dessa boa-nova espetacular. Falamos "...em nome de Cristo" e rogamos aos outros "...que deixem que Deus os transforme..." (2 Coríntios 5:20). —*Mike Wittmer*

*Você quer que os seus amigos sigam a Jesus?
Então seja absolutamente honesta em tudo.*

1.º de fevereiro

Bagunça de quem?

Leitura:
Mateus 15:7-21

*Porque é do coração que vêm os maus pensamentos [...]
São essas coisas que fazem com que alguém fique impuro...*
—Mateus 15:19,20

"Mas ninguém podia carregar seu próprio lixo até aqui?", reclamei para o meu marido, enquanto juntava as garrafas vazias da praia e as jogava na lata de lixo a menos de seis metros de distância. "Deixar a praia naquela bagunça para quem viria depois os fazia sentir-se melhor consigo mesmos? Eu realmente espero que estas pessoas tenham sido os turistas. Não consigo acreditar que algum morador trataria a nossa praia com tal desrespeito."

No dia imediatamente seguinte àquele, encontrei uma oração que eu tinha escrito anos antes sobre julgar os outros. Minhas próprias palavras me lembraram de como eu estava errada ao me orgulhar de limpar a sujeira de outras pessoas. A verdade é a seguinte: Tenho muita sujeira que simplesmente ignoro — principalmente no sentido espiritual.

Sou rápida em afirmar que a razão para eu não conseguir organizar minha vida é porque os outros a bagunçam. E sou rápida em concluir que o odor e a sujeira do "lixo" em meu derredor pertencem a outra pessoa. Mas nada disso é verdade. Nada além de mim pode me condenar ou me contaminar — apenas o que está em meu interior (Mateus 15:19,20). O verdadeiro lixo é a atitude que me faz empinar o nariz para um pequeno indício do pecado de alguém, enquanto ignoro o odor do meu próprio pecado. *—Julie Ackerman Link*

Muitas de nós temos hipermetropia para o pecado – vemos o do outro, mas não o nosso.

2 de fevereiro

Despojar, revestir

Leitura:
Colossenses 3:1-15

...Essa natureza é a nova pessoa que Deus, o seu criador, está sempre renovando para que ela se torne parecida com ele...
—Colossenses 3:10

"Embora eu seja ator, minha vida pertence a Deus. Estou firme nesse propósito, mas devo participar de um programa de TV. É a comédia número um em audiência, apesar de ser inapropriada e ter temas inadequados. Devo agir como alguém que não sou."

Quando certo ator disse estas palavras, ele provocou opiniões divergentes. Mas tenho certeza de que muitos cristãos se identificaram com ele. Afinal, também podemos nos sentir compelidos a atuar de maneira que não reflete a nossa fé.

Quando Paulo escreveu à jovem igreja de Colossos, implorou-lhes que buscassem uma nova vida em Cristo. Em vez de agir como o mundo, deveriam colocar "o seu interesse nas coisas que são do céu" (3:1). E para esclarecer melhor isso, Paulo contrastou dois verbos.

• "...matem os desejos deste mundo que agem em vocês" (v.5). E listou a imoralidade sexual, impureza, paixão, desejos maus, ganância, idolatria, ira, indignação, maldade, maledicência, linguagem indecente no falar, mentiras (vv.5-9), como coisas que refletem "a natureza velha com os seus costumes" (v.9).

• "e se [vistam] com uma nova natureza [...] que Deus, o seu criador, está sempre renovando para que ela se torne parecida com ele..." (v.10). Ensinou-lhes que os verdadeiros cristãos devem refletir misericórdia, bondade, humildade, delicadeza, paciência, perdão, amor, paz e gratidão (vv.12-15). Estas são as marcas daqueles que se entregaram a Deus. *—Tom Felten*

Vivenciamos a fé genuína ao nos revestirmos da "nova natureza", que coloca Cristo em primeiro lugar.

3 de fevereiro

Tema para lendas

Leitura:
Atos 1:6-11

...vocês receberão poder e serão minhas testemunhas em Jerusalém, em toda a Judeia e Samaria e até nos lugares mais distantes da terra. —Atos 1:8

O livro de J. R. R. Tolkien, *O Hobbit*, conta a história de anões que buscam reconquistar seu reino perdido na montanha dominada por um dragão cruel. Enquanto Thorin, o rei anão, expõe seu plano para reclamar o reino perdido, um anão mais velho chamado Balin o desencoraja dizendo: "O que somos nós? Mercadores, mineiros, ferreiros, artífices, nem assunto para lendas."

Algumas vezes, cristãos desanimados pensam igual. O que somos? Vendedores, garçons, mecânicos, estudantes? É assim que devemos nos ver? Deus nos vê assim?

Somos Suas "testemunhas", encarregados de uma tarefa muito importante. Jesus disse aos discípulos: "...vocês receberão poder e serão minhas testemunhas em Jerusalém [...] e nos lugares mais distantes da terra" (v.8). O que anunciaremos? Que Jesus é o verdadeiro Rei do mundo (v.6)! Ele está vivo, agindo e estabelecendo o Seu governo.

O que significa o governo de Jesus na Terra hoje? Jesus quer reinar por meio de pessoas como Deus planejou originalmente. Ele pretende governar o mundo por meio de pessoas semelhantes a Ele (Gênesis 1:26-30). E Jesus veio para resgatar e restaurar este chamado e vocação originais.

Thorin ajudou seus amigos anões a compreenderem que eram mais do que mercadores etc., pois trabalhavam com o rei. E nós, como cristãos, saudamos a Jesus como Rei. Como pecadores perdoados e restaurados à Sua imagem, anunciemos que Jesus voltará (Atos 1:11). *—Jeff Olson*

Encontramos a nossa significância em Cristo e no serviço a Ele.

4 de fevereiro

Nas sombras

Leitura:
João 20:1-11

Maria Madalena tinha ficado perto da entrada do túmulo, chorando... —JOÃO 20:11

Um casal de amigos que já sofreu com três abortos, segurou um pequeno corpo sem vida, perfeitamente formado, em suas mãos. Há muita luz neste mundo: beleza, bondade, alegria, mas também sombras de tristeza, maldade e sofrimento. Onde está Deus em meio ao nosso sofrimento?

Testemunhar a crucificação do Mestre inocente a quem amava ficou pior com o aparente roubo de Seu corpo (v.2). Mas Jesus apareceu a Maria Madalena, fraca pelo sofrimento, quando ela visitou o túmulo no domingo de Páscoa após a Sua ressurreição (João 20:11).

Ele apareceu a Cleopas e seu amigo, decepcionados e confusos, no caminho para Emaús (Lucas 24:13-32). Eles criam que Aquele que os libertaria de seus inimigos estava para sempre morto.

E a Pedro, que pescava, desnorteado e humilhado pelo que acontecera desde a Sua crucificação (João 21:1-3). Ele havia declarado que seguiria Jesus a qualquer lugar, mas o negara três vezes (18:17,25-27). E a Tomé que duvidava se Jesus viveria novamente (20:24,25).

Maria, Cleopas, Pedro, Tomé — todos nas sombras. Foi assim que Jesus os encontrou. Maria e Cleopas viram Jesus e sua dor e decepção desapareceram (Lucas 24:30-32; João 20:12-16). Pedro viu Jesus e sua vergonha foi removida (21:17,15-19). Tomé viu Cristo e suas dúvidas se dissiparam (20:26-28).

Os "momentos sombrios" podem nos causar dúvidas sobre a bondade ou existência de Deus, ou podem nos levar para mais perto dele.

—Sheridan Voysey

Que os momentos "sombrios" nos aproximem do Senhor.

5 de fevereiro

Quando os deuses morrem

Leitura:
Ezequiel 28:1-19

—Você quer ser um deus, porém é mortal e não divino.
—Ezequiel 28:2

A manchete de um jornal afirmou após a morte de Stalin: "O coração dele parou de bater. Mas o stalinismo vive e é imortal. Por Stalin, permaneceremos fiéis para sempre. Os comunistas de todos os lugares se esforçarão para merecer, por sua dedicação incansável à causa sagrada da classe trabalhadora, o título honorário de stalinistas. Glória eterna ao grande Stalin".

Isso demonstra que até os comunistas adoram algo. Se não servirem a Deus, criarão um deus com o que estiver à mão. Porém, o deus deles tinha morrido, e, assim, a situação parecia não ter esperança.

A história está cheia de pessoas que deixaram o sucesso subir rapidamente à cabeça. O rei de Tiro era tão rico e sábio que declarou: "Sou deus, assento-me no trono divino, cercado pelo mar!" (Ezequiel 28:2). Deus replicou dizendo que o trono dele seria o lugar de seu fim. Um exército estrangeiro viria: "Eles o matarão e o mandarão para um túmulo de água. Quando eles chegarem para matá-lo, será que você ainda vai dizer que é um deus?..." (vv.8,9).

Da mesma forma, quando o rei da Babilônia se gabou de seu poder militar, Deus declarou que o exército babilônio seria completamente destruído (Jeremias 51:3). O Senhor derrubará todo deus até as pessoas perceberem que "ídolos não valem nada", e que o "Deus de Jacó não é assim. [...] O seu nome é Senhor, o Todo-Poderoso" (vv.18,19). *—Mike Wittmer*

*Existe apenas um Deus Criador verdadeiro.
Ele é o único digno de sua adoração.*

6 de *fevereiro*

Morrer por Jesus?

Leitura:
Romanos 12:1,2

...peço que vocês se ofereçam completamente a Deus como um sacrifício vivo, dedicado ao seu serviço e agradável a ele.

—ROMANOS 12:1

O dirigente de uma conferência de missões desafiou os participantes a considerarem o trabalho missionário em tempo integral, convocando os que estivessem dispostos a morrer por Jesus a ficarem em pé para receber uma oração. Ninguém o fez. Desanimado, reclamou ao pastor-titular, que lhe respondeu: "Não se aflija se ninguém estiver disposto a morrer por Jesus. Preocupe-se caso ninguém queira viver para Ele!"

Em Romanos 12:1, Paulo diz para sermos como um sacrifício vivo, dedicado ao Seu serviço e agradável a Ele. Esta é a verdadeira adoração.

Lemos em Levítico sobre os sacrifícios propiciatórios (1:4,5) expiatórios; tornando a pessoa justa perante o Senhor (7.7); sacrifícios dedicados (2–3) e por gratidão a Deus (7:12-14).

Jesus se ofereceu como sacrifício expiatório (2 Coríntios 5:21; 1 João 2:2). Seu corpo foi martirizado por nós (Romanos 8:3; Colossenses 1:22). Hoje, somos exortados a oferecer-lhe o nosso coração. Paulo pede que ofereçamos nosso corpo como oferta de ações de graças a Deus. Se você é grata, oferecerá seu corpo a Deus "...por causa da grande misericórdia divina..." (Romanos 6:2,4,10,11; 8:12,13; 12:1; Colossenses 3:5; 1 Pedro 2:24).

Jesus morreu para nos dar nova vida (2 Coríntios 5:17). "...os que vivem não vivam mais para si mesmos, mas vivam para aquele que morreu e foi ressuscitado para a salvação deles" (2 Coríntios 5:15). *—K. T. Sim*

A exigência do discipulado não significa morrer para Jesus, mas para o pecado e para si mesma!

7 de fevereiro

Amor em ação

Leitura:
João 1:43-51

...Venha comigo!
—João 1:43

Na luta americana pelos direitos civis não era suficiente que os brancos derrubassem os letreiros de "Apenas brancos", ou que permitissem que os negros votassem. Era preciso acolhida e relacionamento por parte dos brancos, e que os negros corressem o risco de fazer amizades em ambientes onde, antes, haviam sido injustiçados e excluídos. Era preciso que o amor entrasse em ação.

Jesus é o amor de Deus em ação, a personificação da misericórdia de Deus. Ele anunciou a chegada do Reino de Deus, onde todos: judeus e gregos, ricos e pobres, poderosos e oprimidos, amados e odiados seriam bem-vindos. Deus não nos oferece um relacionamento à distância, ao contrário, Ele se aproximou e nos buscou.

A bondade de Deus transpareceu ao mundo, mas também aos indivíduos. Jesus reuniu os discípulos, chamando as pessoas pelo nome: "resolveu Jesus partir para a Galileia" onde "...foi procurar Filipe..." (v.43). Temos a sensação de que Jesus estava procurando por Filipe, que havia um olhar divino sobre ele. Depois do seu encontro com Jesus, Filipe procurou Natanael, assim como o Senhor o havia procurado. "Venha ver!", Filipe disse ao amigo (v.46).

É assim que a bondade funciona. Ela nos inunda e na sequência transborda para os outros. Primeiro é preciso receber, saber que é bem-vinda. Deus a tirou do frio, da solidão, do lugar onde foi silenciada? Deus já a recebeu em casa. —*Winn Collier*

Você é livre para convidar outros para virem e verem o que Deus faz.

8 de fevereiro

Toda a nossa vida

Leitura:
2 Coríntios 1:12-21

A nossa maneira de viver no mundo [...] tem sido dirigida pela franqueza e sinceridade que Deus nos dá... —2 CORÍNTIOS 1:12

Em 1517, Martinho Lutero declarou que a fé em Jesus nos justifica, e que ela deveria permear todas as áreas de nossa vida, incluindo os negócios. O jovem John Woolman, 250 anos mais tarde, reconheceu isto em seu coração ao abrir uma loja de roupas. O seu compromisso com o amor cristão, o fez não comprar algodão ou tinturas produzidas por escravos. Com a consciência limpa, ele vivia de acordo com a graça e sinceridade em todos as suas negociações (v.12).

Paulo defendeu a sua integridade entre os coríntios que tentavam enfraquecer sua autoridade acusando-o de ser insincero, enganador e explorador no seu trato com eles. O apóstolo foi forçado a defender seu caráter, destacando diversos pontos de sua conduta: (1) Relacionava-se com os coríntios com santidade e sinceridade de coração; (2) Sua conduta era sincera, suas palavras e ações passavam pelo mais minucioso exame; (3) Sua conduta não estava de acordo com a sabedoria do mundo, não era egoísta (v.12). Relacionava-se com os coríntios de acordo com a graça de Deus, demonstrando sua dependência do poder do Senhor para ser eficaz (v.21). Não se motivava pela popularidade ou ganho, mas por amor genuíno a eles. Sua fé permeava todas as suas abordagens.

Que as boas-novas permeiem a nossa vida e influenciem o que fazemos. Isto pode significar estar só e pôr lucros sob risco para viver de acordo com a fé cristã. *—Marvin Williams*

Quando agimos acima da crítica, chamamos a atenção para a verdade e o poder da mensagem de Deus.

9 de fevereiro

Tempo para falar

Leitura:
Salmo 143

...Não te escondas de mim para que eu não seja como aqueles que descem ao mundo dos mortos. —Salmo 143:7

"Não sei o que você quer", ele disse. "Se não sabe ainda, acho que nunca saberá!", ela respondeu. "Se faço algo, você questiona meus motivos", ele se defendeu. "Se não faço, você quer que eu tente." "Prefiro que faça algo, mesmo errado, do que nada", ela respondeu.

Esse casal tem problemas, mas ainda conversam. Muitos preferem não falar. É melhor sermos mal compreendidos do que ficar nas sombras, paralisados por medo e ansiedade. Isso não é amor.

Davi entendeu que a falta de comunicação com Deus sufocaria sua única chance de ajuda verdadeira. No Salmo 143, ele derramou seu coração. Repare em suas orações — louvor: "...pois és fiel e bom" (v.1); reconhecimento da culpa: "...pois ninguém é inocente diante de ti" (v.2); vulnerabilidade: "...o desespero despedaça o meu coração..." (v.4). Davi mistura medo e trauma emocional com a fé em Deus. Ele escreveu: "...Penso em tudo o que tens feito [...] como terra seca, eu tenho sede de ti" (vv.5,6). Sua angústia não diminuiu imediatamente: "...já perdi todas as esperanças!..." (v.7), mas a canção ainda ressoa com esperança e prontidão.

Ele continua: "...mostra-me o caminho que devo seguir [...] pois em ti eu tenho posto a minha confiança" (v.8). "...acaba com todos os que me perseguem, pois eu sou teu servo" (v.12). Há momentos para silenciar. Mas nada é tão inútil quanto se recusar a dizer a Deus como realmente nos sentimos. Ele consegue lidar com tudo isso. *—Tim Gustafson*

Deus anseia por ouvir a verdade nua e crua de nosso coração.

10 de fevereiro

Herói sobre o pecado

Leitura:
1 João 1

Ó Deus, cria em mim um coração puro e dá-me uma vontade nova e firme! —SALMO 51:10

Há pouco tempo, alguém me fez uma pergunta muito difícil: "Quanto tempo você já ficou sem pecar? Uma semana, um dia, uma hora?" Como podemos responder a uma pergunta como essa? Se formos verdadeiros, poderemos dizer: "Eu não posso viver um dia sem pecar". Ou, se pensarmos na semana passada, poderemos perceber que não confessamos a Deus nem mesmo um só pecado. Mas estaríamos nos enganando se disséssemos que não temos pecado em nossos pensamentos ou ações por uma semana.

Deus conhece o nosso coração e sabe se somos sensíveis ao poder de convencimento do Espírito Santo. Se realmente conhecemos a nós mesmos, nos apropriamos do versículo de 1 João 1:8: "Se dizemos que não temos pecados, estamos nos enganando, e não há verdade em nós." Certamente, não queremos que o versículo 10 seja verdade para nós: "Se dizemos que não temos cometido pecados, [...] a sua mensagem não está em nós".

Uma pergunta mais encorajadora a fazer seria: "Qual é a resposta de Deus para a nossa admissão do pecado e da necessidade de perdão"? A resposta: "se confessarmos os nossos pecados a Deus, [...] ele perdoará os nossos pecados" (v.9). Jesus levou o nosso problema de pecado sobre si ao morrer em nosso lugar e ressurgir. É por isso que Ele pode criar em nós "um coração puro" (Salmo 51:10). Tenho um amigo, jovem, que está certo quando diz: "Jesus é o herói sobre os nossos pecados." —*Anne Cetas*

O perdão de Cristo é a porta para um novo começo.

11 de fevereiro

Ciente da imagem

Leitura:
2 Coríntios 3:1-3,17,18

...todos nós, [...] refletimos a glória que vem do Senhor. [...] tornando cada vez mais parecidos com o Senhor...
—2 Coríntios 3:18

Ao rever antigas fotos familiares, meus primos e eu brincamos sobre quais características físicas cada um herdou. Percebemos primeiramente as negativas: pernas curtas, dentes tortos, topetes rebeldes. Todos nós podemos identificar facilmente em nossos ancestrais as nossas partes do corpo menos preferidas. Além dos atributos físicos, herdamos traços de caráter — alguns bons, outros nem tanto. Mas nem sempre prestamos tanta atenção a estes.

De acordo com minhas observações não científicas, as pessoas tentam todos os tipos de métodos para superar imperfeições físicas — séries de exercícios, programas de perda de peso, maquiagem, tingimento de cabelos, cirurgia estética. Mas em vez de tentarmos superar as nossas falhas de caráter, tendemos a usá-las como pretexto para um mau comportamento. Suponho que isso ocorra porque mudar a nossa aparência é mais fácil do que mudar o nosso caráter. Mas imagine como estaríamos melhores se aplicássemos a nossa energia no desenvolvimento do caráter.

Como filhas de Deus, não estamos limitadas à nossa composição genética. Podemos entregar nossas falhas a Ele e permitir que o Senhor cumpra o potencial que tinha em mente quando nos criou como expressões únicas do Seu amor. O poder do Espírito de Deus e a vida do Seu Filho estão agindo em nós, nos conformando à Sua imagem (2 Coríntios 3:18). *—Julie Ackerman Link*

O Espírito Santo desenvolve em nós a imagem nítida de Cristo.

12 de fevereiro

Vivendo ao contrário

Leitura:
Mateus 16:21-28

...mas quem esquece a si mesmo por minha causa terá a vida verdadeira. —Mateus 16:25

O rio Chicago, EUA, é incomum porque flui ao contrário. Engenheiros reverteram sua direção há mais de um século porque os habitantes da cidade o utilizavam como despejo. Lavaduras, detritos e lixo industrial, tudo convergia para o rio que desemboca no Lago Michigan. Como o lago era fonte de água potável para a cidade, milhares ficaram doentes e morreram antes que as autoridades decidissem redirecionar o rio para fluir ao contrário e não desembocar no lago.

Quando olhamos para a vida terrena de Jesus, pode parecer algo contrário ao que esperaríamos. O Rei da glória veio à Terra como infante vulnerável. Como o Deus encarnado, suportou acusações de blasfêmia. Como o único homem sem pecado, Ele foi crucificado como criminoso. Mas Jesus viveu na Terra de acordo com a vontade de Deus (João 6:38).

Como seguidores de Cristo, revestirmo-nos das atitudes e ações de Jesus pode parecer algo "contrário". Abençoar os nossos inimigos (Romanos 12:14), valorizar a santidade em detrimento das riquezas (1 Timóteo 6:6-9) e alegrar-se na dificuldade (Tiago 1:2) parecem opor-se à sabedoria do mundo. No entanto, Jesus disse: "Pois quem põe os seus próprios interesses em primeiro lugar nunca terá a vida verdadeira; mas quem esquece a si mesmo por minha causa terá a vida verdadeira" (Mateus 16:25).

Não se preocupe se algumas vezes parecer que a sua vinda está indo em direção contrária. Deus lhe dará força para honrá-lo e a impulsionará a seguir em frente. —*Jennifer Benson Schuldt*

Quando nos revestimos com as atitudes e ações de Jesus demonstramos a presença dele em nossa vida.

13 de fevereiro

A Rocha

Leitura:
Mateus 7:24-27; Efésios 2:18-22

...E a pedra fundamental desse edifício é o próprio Cristo Jesus. —Efésios 2:20

Em uma viagem às cidades históricas em meu país, meu marido e eu fomos ver o local onde um grande número de pessoas desembarcou. É tradicionalmente considerado como o lugar onde os primeiros colonizadores desembarcaram, quando chegaram à América. Embora tenhamos gostado de aprender sobre o significado desse local, ficamos surpresos e decepcionados em ver que era tão pequeno e simples. Soubemos que, devido à ação do tempo e às pessoas muita coisa original já se perdeu.

A Bíblia se refere a Jesus como uma Rocha (1 Coríntios 10:4) que nunca muda (Hebreus 13:8). Ele é a Rocha sólida sobre a qual podemos construir nossa vida. A Igreja (o corpo de cristãos) é construída sobre uma base sendo "...E a pedra fundamental desse edifício é o próprio Cristo Jesus". Nele, todos os cristãos estão unidos (Efésios 2:20-22).

Jesus é a Rocha sólida na qual podemos nos amparar quando as tempestades da vida batem e sopram contra nós (Mateus 7:25). A escritora Madeleine L'Engle disse: "Às vezes é bom termos os suportes puxados debaixo de nós. Isso nos faz saber o que é rocha e o que é areia sob os nossos pés."

Jesus é uma preciosa pedra angular, e aqueles que confiam nele terão sempre uma rocha sólida para se amparar. *—Cindy Hess Kasper*

Cristo, a Rocha, é a nossa segura esperança.

14 de fevereiro

Conosco e em nós

Leitura:
João 14:15-21

E eu rogarei ao Pai, e ele vos dará outro Consolador, a fim de que esteja para sempre convosco. —João 14:16

Meu filho havia apenas começado na pré-escola. No primeiro dia, ele chorou e declarou: "Não gosto de escola." Meu marido e eu conversamos com ele sobre isso. "Podemos não estar fisicamente lá, mas estamos orando por você. Além disso, Jesus está sempre com você."

"Mas eu não posso vê-lo!", argumentou ele. Meu marido o abraçou e disse: "Ele mora em você, e não vai deixá-lo sozinho." Meu filho tocou seu coração e disse: "Sim, Jesus mora em mim".

As crianças não são as únicas que ficam ansiosas com a separação. Em todas as fases da vida, enfrentamos momentos de separação daqueles que amamos — às vezes, por distância geográfica e, outras, por morte. Todavia, precisamos nos lembrar de que, mesmo que nos sintamos abandonados pelos outros, Deus não nos abandonou. Ele prometeu estar sempre conosco, e nos enviou o Espírito da verdade — nosso Advogado e Ajudador — para habitar conosco e em nós para sempre (João 14:15-18). Somos os Seus filhos amados.

Meu filho está aprendendo a confiar, mas eu também. Como meu filho, não posso ver o Espírito, mas sinto o Seu poder, pois a cada dia Ele me encoraja e me guia quando leio a Palavra de Deus. Agradeçamos a Deus por Sua maravilhosa provisão, o Espírito de Cristo que está conosco e em nós. Certamente, não estamos sozinhos! *—Keila Ochoa*

Nunca estamos sozinhas,
quando o Senhor está conosco e habita em nós.

15 de fevereiro

O caminho do aprendizado

Leitura:
Lucas 9:10-17

Mas Jesus respondeu: — Deem vocês mesmos comida a eles…
—Lucas 9:13

A viagem missionária foi revigorante. Jesus enviou os discípulos aos vilarejos para proclamarem o reino de Deus e curar (vv.1-6). Eles não levaram pão ou dinheiro, Deus porém, proveu-lhes tudo e agiu por intermédio deles.

Ao retornarem, Jesus os levou consigo para um retiro (v.10), mas a grande multidão os seguiu e o Senhor os acolheu. Ensinou-lhes sobre o reino de Deus e curou os enfermos. Os discípulos, cansados, devem ter apreciado assentar-se entre a multidão para ouvir o Mestre. Entretanto, a luz do sol começava a declinar e, os estômagos a roncar.

Nisso os discípulos lembraram o Senhor de que estavam num lugar remoto. Pedro, André e Filipe conheciam os desafios daquela região (João 1:44), e sugeriram a Jesus que despedisse a multidão para que pudessem encontrar comida e hospedagem em locais próximos. Mas Jesus disse: "…Deem vocês mesmos comida a eles…" (v.13). Os discípulos já tinham feito seus cálculos ao lembrarem o Mestre que eles tinham apenas cinco pães e dois peixes para alimentar 5.000 pessoas!

Jesus instruiu os Seus discípulos a assentar a multidão em grupos de 50. Embora isso tomasse tempo, eles o obedeceram. Somente quando todos estavam sentados Jesus fez o milagre: todos comeram até se satisfazer e ainda sobrou comida!

Assim como aqueles discípulos, estamos caminhando com Cristo. Ele tem muito a nos mostrar sobre si mesmo e o que pode fazer em nós e por nosso meio. *—Poh Fang Chia*

Jesus nos pede que simplesmente confiemos nele e o obedeçamos.

16 de fevereiro

Oportunidades difíceis

Leitura:
Filipenses 4:10-23

...Não quero dizer que vocês tivessem deixado de cuidar de mim; é que não tiveram oportunidade de mostrar esse cuidado.
—FILIPENSES 4:10

Eu estava indo para o culto fúnebre quando houve um acidente alguns quilômetros adiante e fiquei parado no acostamento por 20 minutos. Já estava atrasado e pensei em retornar para casa. Mas me ocorreu que persistir seria a melhor forma de homenagear meu amigo, e cada minuto de espera expressava minha devoção a ele.

Esta é a questão que Paulo quis transmitir aos filipenses. Eles tinham ouvido falar das "aflições" dele (v.14), as quais pareciam ser financeiras. Aquela necessidade os animou, porque assim poderiam expressar o amor que sentiam pelo apóstolo. Paulo sabia que eles o amavam, mas só então tinham tido a "oportunidade de mostrar" (v.10).

Toda dificuldade apresenta uma oportunidade. Você já leu a Bíblia cedo e não foi recompensado? Você não fazia ideia do que ler ou de como aplicar o conteúdo da leitura à sua vida? É claro que você quer muito mais do seu tempo com a Palavra de Deus. Se você acertar o despertador e acordar cedo na manhã seguinte, estará demonstrando ao Senhor que você o ama e quer conhecê-lo melhor.

Ou talvez você esteja sobrecarregada pelas preocupações. Seu trabalho, sua saúde ou algum relacionamento está desmoronando, e precisa que Deus aja em seu favor. Ninguém gosta destas situações. Mas esta é uma bela oportunidade de manifestar sua devoção! Confie em Deus, quando o medo lhe diz para lutar ou fugir, demonstre-lhe um compromisso firme. *—Mike Wittmer*

As dificuldades podem ser oportunidades para demonstrar o quanto Deus significa para você.

17 de fevereiro

Um escape

Leitura:
1 Coríntios 10:12,13; Mateus 4:1-11

...Deus cumpre a sua promessa e não deixará que vocês sofram tentações que vocês não têm forças para suportar.
—1 CORÍNTIOS 10:13

Viajei por uma rodovia, que passa por muitas montanhas e declives. Felizmente, ela tinha muitas rotas de escape para os caminhões que estivessem fora de controle. Estas saídas semipavimentadas apareciam em uma área da rodovia em que a altitude cai quase 396 metros num percurso de 9,65 km em média. Este declive combinado com o caminho sinuoso da rodovia pode criar problemas para os motoristas — especialmente para os caminhoneiros.

Assim como um caminhão descontrolado precisa da rota de escape numa rodovia desse tipo, nós também precisamos de "um escape" quando os desejos fora de controle ameaçam o nosso bem-estar espiritual. Quando enfrentarmos a tentação, Paulo diz que Deus: "...não deixará que vocês sofram tentações que vocês não têm forças para suportar" (1 Coríntios 10:13). Deus nos capacita a dizer "não" à sedução por meio do poder de Sua Palavra. Jesus venceu a tentação de Satanás em relação à comida, à autoridade e à confiança, citando versículos do livro de Deuteronômio (Mateus 4:4-10). As Escrituras o ajudaram a resistir ao diabo apesar dos efeitos de um jejum de 40 dias no deserto.

Quando somos tentadas, podemos sentir como se um desastre está prestes a acontecer. As memórias de fracassos anteriores e o isolamento de outros podem intensificar este sentimento. No entanto, podemos confiar em Deus nos momentos de tentação, Ele é fiel. O Senhor proverá um caminho para resistirmos à fascinação do pecado. *—Jennifer Benson Schuldt*

A melhor maneira de escapar da tentação é recorrer a Deus.

18 de fevereiro

Sem preconceito

Leitura:
Tiago 2:1-13

Meus irmãos, vocês que creem no nosso glorioso Senhor Jesus Cristo, nunca tratem as pessoas de modo diferente por causa da aparência delas. —TIAGO 2:1

Muitos anos atrás, acreditava-se que as mulheres não podiam tocar trompa melhor do que os homens. Entretanto, Julie Landsman fez uma audição para a posição de primeira trompa na renomada *Metropolitan Opera*. Em seu teste, ela tocou lindamente, mas atrás de uma tela. Depois de ser declarada vencedora do concurso, ela saiu de trás da tela, e os jurados perderam o fôlego! Não esperavam ver uma mulher.

Há dois milênios, Tiago teve de lembrar um grupo de cristãos de que não deveriam permitir que as aparências e o preconceito desvirtuassem a maneira como viam uns aos outros. Ele delicadamente os repreendeu: "Meus irmãos [...] nunca tratem as pessoas de modo diferente por causa da aparência delas" (vv.2-4). Ele os chamou de irmãos porque eram membros da mesma igreja e tinham o mesmo Pai por meio de Jesus. Com base nesta união e no caráter de Deus, eles precisavam parar de avaliar e discriminar pela aparência, etnia, cultura, idade, educação e condição socioeconômica (Levítico 19:15; Deuteronômio 10.17). Esse tratamento era pecaminoso, inconsistente com a fé em Jesus, traía a graça de Deus e infringia a lei do amor. Para Tiago, a resposta ao preconceito era seguir o exemplo de Jesus: amar seu próximo como a si mesmo.

Permaneçamos juntos e combatamos o pecado do preconceito ao permitir que o amor pelo nosso Deus encontre plena expressão no amor pelo próximo (Levítico 19:15; Atos 10:34; Romanos 2:11). —*Marvin Williams*

Nosso Pai celestial não mostra favoritismo ou parcialidade e condena o preconceito entre os Seus filhos.

19 de fevereiro

O leão forte

Leitura:
Isaías 31:1-5

...eu, o Senhor *Todo-Poderoso, protegerei Jerusalém; eu salvarei a cidade e livrarei o meu povo* —Isaías 31:5

Na Etiópia, as estimativas indicam que 70% dos casamentos acontecem por meio de sequestro. Em 2012, sete homens raptaram uma garota de 12 anos, a espancaram e queriam forçá-la a casar-se com um deles. Ela escapou e foi perseguida. Porém, eles enfrentaram um problema, pois diversos leões a cercaram, ameaçando os agressores e a protegeram pelo resto do dia. A polícia disse: "Os leões a guardaram até a encontrarmos e então, simplesmente a deixaram como um presente e voltaram para a floresta."

Deus descreve-se como um leão corajoso e tenaz, cuidando de Seu povo. Leões corajosos não se assustam com gritos e barulhos, ou qualquer força que se levante contra eles. Assim como um leão, Deus diz: "...eu, o Senhor Todo-Poderoso, protegerei Jerusalém; eu salvarei a cidade e livrarei o meu povo" (Isaías 31:4,5).

Em contraste com nossa certeza de proteção sob os cuidados de Deus, Isaías lembra ao povo: "Ai dos que vão para o Egito procurando ajuda! [...] mas não confiam no Santo Deus de Israel, não pedem ajuda ao Senhor" (v.1).

Enquanto confiarmos às autoridades e poderes deste mundo o nosso bem-estar, viveremos em vulnerabilidade precária. Entretanto, Deus nos assegura de que Ele nos cuida e protege. Isto não quer dizer que nunca enfrentaremos o mal. Mas significa que o Deus do Universo nos mantém sob Seu cuidado e não permitirá que força ou criatura alguma nos destrua. —*Winn Collier*

Deus é nosso leão forte, e estamos sob Sua poderosa, atenta e amorosa proteção.

20 de fevereiro

Esmola ou bênção?

Leitura:
Atos 3:1-8

E agora, que a glória seja dada a Deus, o qual, por meio do seu poder que age em nós, pode fazer muito mais do que nós pedimos ou até pensamos. —EFÉSIOS 3:20

Em alguns locais, você pode encontrar muitos pedintes nos mercados e saídas de shopping centers. Certa vez, ao visitar um país vizinho, meus anfitriões me contaram que, para meu próprio bem, eu tinha de ignorá-los. Se eu demonstrasse o mais leve interesse por um deles, seria importunado até lhe dar algum dinheiro. E, assim que o fizesse, outros viriam ao meu encontro.

Em Atos 3, lemos acerca de um paralítico de nascença. Ele tinha de ser carregado e colocado fora dos portões do Templo, onde pedia esmolas. Clamava a qualquer pessoa que se importasse em ajudá-lo, e era apenas um dos pedintes que dependia da bondade do povo para sobreviver. Fez isso durante muitos anos e estava acostumado a ser enxotado, ignorado e rejeitado (Atos 4:22).

Quando Pedro e João foram ao Templo para orar, o pedinte clamou a eles, dificilmente esperando que o percebessem. Em vez disso, eles exigiram a atenção do pedinte, certificando-se de que ele sabia ter sido intencionalmente escolhido (3:4). O homem só queria dinheiro (v.5), mas eles lhe deram muito mais. Deram-lhe um milagre: a mobilidade e uma nova vida (vv.6-9).

Nós clamamos a Deus para atender as nossas necessidades. Mas o que pensamos necessitar nem sempre é o que precisamos. Felizmente, o Senhor conhece as nossas verdadeiras necessidades. Em Sua graça, Deus não nos dá apenas o que pedimos, nos dá algo muito melhor (Efésios 3:20; 1 Timóteo 1:14). —*K. T. Sim*

Deus nem sempre nos concede o que queremos, mas nos dá em abundância o que precisamos.

21 de fevereiro

Sem filtro

Leitura:
Jó 4:7–5:1

...Estou muito irado com você e com os seus dois amigos, pois vocês não falaram a verdade a meu respeito... —Jó 42:7

Alguém muito próximo a mim estava angustiado por causa das palavras de um amigo. Este contou-lhe experiências difíceis do passado na tentativa de ajudá-lo a ter uma visão melhor do problema que enfrentava. Mas, infelizmente, o amigo não filtrou suas palavras! Falou mais do que deveria e fez esse membro da minha família sentir medo e angústia.

Os amigos de Jó também não cuidaram com suas palavras. Até começaram bem, sofrendo em silêncio com ele pelas perdas horríveis que enfrentara (Jó 1:13–2:13). Porém, Elifaz, Bildade e Zofar começaram a emitir opiniões sobre o porquê de Jó estar sofrendo tanto. Dos capítulos 4 a 37, os três (e mais tarde Eliú também) lançaram palavras condenatórias e receberam respostas amargas. Falaram com sabedoria, mas não souberam quando parar. Disseram coisas que apenas Deus poderia saber. Tentaram falar por Ele. Acusaram Jó de haver pecado e estar sofrendo o castigo de Deus (4:7; 5:17).

Finalmente, o Senhor os confrontou: "...Estou muito irado com você e com os seus dois amigos, pois vocês não falaram a verdade a meu respeito..." (42:7). Eles não deveriam ter falado por Deus. Porém, uma oferta queimada e uma oração de intercessão de Jó por seus amigos os salvaram da ira de Deus (vv.8,9).

Quando não utilizamos filtros, magoamos os outros. É bom falar a verdade em amor (Efésios 4:15), e não dizer mais do que Deus revela nas Escrituras ou do que sabemos. *—Tom Felten*

Filtre o que você disser hoje.

22 de fevereiro

Reflexos em janelas

Leitura:
Salmo 34:1-10

Desvenda os meus olhos, para que eu contemple as maravilhas da tua lei. —Salmo 119:18

Vimos muitas paisagens lindas durante nossas férias no inverno pelas janelas dos veículos que utilizamos. Fiquei grata pelo vidro que me permitia ver a beleza, mas, ao mesmo tempo, permanecer aquecida e seca em seu interior. No entanto, as janelas também apresentavam o seu desafio. Quando chovia, as gotas de água do lado de fora turvavam a visão. Quando a temperatura mudava, a condensação criava uma neblina no lado de dentro.

Tais desafios me ajudam a compreender porque é difícil vermos a vida da maneira que Deus planejou que a víssemos. O pecado turva a beleza da vida que Deus quer que desfrutemos. Algumas vezes o pecado está do lado de dentro — nosso egoísmo cria uma neblina que nos faz nos vermos mais importantes do que somos e nos faz esquecer os interesses de outros. Algumas vezes o pecado está do lado de fora. A injustiça de outros faz nossas lágrimas rolarem como chuva, nos impedindo de ver a bondade de Deus. Qualquer tipo de pecado nos impede de ver a maravilha e a glória da vida, da forma que Deus planejou.

Por enquanto, mesmo que vejamos "...como uma imagem imperfeita num espelho embaçado..." (1 Coríntios 13:12), ainda assim vemos o suficiente para saber que Deus é bom (Salmo 34:8). As muitas coisas maravilhosas que Deus revelou nos ajudarão a abandonar o pecado e a trabalhar para minimizar suas consequências no mundo. *—Julie Ackerman Link*

A única maneira de ver a vida claramente é focar em Cristo.

23 de fevereiro

Deus ciente

Leitura:
Salmo 139:1-10

Ó profundidade da riqueza, tanto da sabedoria como do conhecimento de Deus!... —ROMANOS 11:33

Kátia verificou no site de rastreio de voos *FlightAware* (Voo ciente), o avanço do pequeno avião que seu marido Carlos pilotava para Chicago, nos EUA. Com poucos cliques, ela poderia rastrear a sua decolagem, onde o avião estaria em qualquer momento e quando ele aterrissaria. Algumas décadas antes, quando Carlos era piloto na África Ocidental, o único contato dela com o marido era por meio de um rádio de alta frequência. Ela se lembra de uma situação quando ficou três dias sem conseguir encontrá-lo, e não tinha como saber que ele estava a salvo, mas sem condições de voar porque o avião estava danificado.

Mas Deus sempre esteve ciente do exato local onde Carlos se encontrava e do que ele estava fazendo, assim como Ele sabe o que acontece conosco (Jó 34:21). Nada está oculto aos Seus olhos (Hebreus 4:13). Ele conhece os nossos pensamentos e as nossas palavras (1 Crônicas 28:9; Salmo 139:4). E Ele sabe o que acontecerá no futuro (Isaías 46:10).

Deus conhece todas as coisas (1 João 3:20), e conhece você e eu intimamente (Salmo 139:1-10). Ele está ciente de cada tentação, cada coração partido, cada doença, cada preocupação e cada sofrimento que enfrentamos.

Que conforto é experimentar o cuidado do Único sobre quem é dito: "Ó profundidade da riqueza, tanto da sabedoria como do conhecimento de Deus..."! —*Cindy Hess Kasper*

Podemos confiar em nosso Deus onisciente.

24 de fevereiro

O próximo capítulo

Leitura:
Hebreus 12:1-11

...deixemos de lado tudo o que nos atrapalha [...] e continuemos a correr, sem desanimar, a corrida marcada para nós.
—HEBREUS 12:1,2

Estêvão tinha quase 5 anos quando seu pai, o piloto missionário Nate Saint, e mais quatro homens foram assassinados em 1956, pela tribo Waodani, no Equador. Como resultado do amor e perdão demonstrado pelas famílias dos homens mártires cresce, atualmente, uma comunidade de cristãos entre os Waodani.

Já adulto, Estêvão mudou-se novamente para o Equador e se tornou amigo de Mincaye, um dos homens que mataram seu pai. O lema de Estêvão é: "Permita que Deus escreva a sua história." Ele diz: "Há muitas pessoas [...] que querem escrever sua própria história e deixar Deus editá-la quando algo dá errado. Há muito tempo decidi permitir que Deus escrevesse a minha história." Quando Estêvão sofreu um acidente grave em 2012, ele tranquilizou sua família: "Vamos permitir que Deus escreva este capítulo também". Sua fé continua a sustentá-lo rumo à recuperação.

A história continua a desenrolar-se para todos os seguidores de Jesus Cristo. Nenhum de nós sabe como será o próximo capítulo de nossa vida. Mas ao olharmos para Jesus e corrermos "...sem desanimar, a corrida marcada para nós", podemos confiar nele — o autor e consumador da nossa fé (Hebreus 12:1,2). Jesus escreveu o início da nossa história, e escreverá o próximo capítulo assim como o fim. *—Cindy Hess Kasper*

Permita que a sua vida conte a história do amor e da misericórdia de Cristo ao mundo ao seu redor.

25 de fevereiro

A campanha

Leitura:
Romanos 15:1-7

Por isso procuremos sempre as coisas que trazem a paz e que nos ajudam a fortalecer uns aos outros na fé. —ROMANOS 14:19

Todos os anos, as pessoas jovens em nossa comunidade participam de uma campanha chamada "Seja Agradável", liderada por uma organização de saúde mental. Em um desses eventos, seis mil alunos soletraram as palavras "seja agradável" com seus corpos, nas quadras esportivas de suas escolas. Um diretor disse: "Queremos que os alunos venham para a escola e aprendam sem sentir medo, tristeza ou mal-estar entre seus pares. Estamos trabalhando muito para garantir que os alunos encorajem forças uns aos outros em vez de colocarem os colegas para baixo".

Paulo queria que as pessoas na igreja de Roma tivessem um padrão de amor ainda maior. Os fortes e os fracos na fé julgavam e mostravam menosprezo uns pelos outros (Romanos 14:1-12). Eles se desprezavam quando discutiam sobre quais alimentos lhes era permitido comer (vv.2,3) e quais dias santos deveriam observar (vv.5,6). Paulo os desafia: "...procuremos sempre as coisas que trazem a paz e que nos ajudam a fortalecer uns aos outros na fé" (v.19). Ele lembrou-lhes que seus corações deveriam estar preocupados em agradar aos outros, e não a si mesmos. Ele disse: "Pois nem o próprio Cristo procurou agradar a si mesmo..." (15:3); Ele serviu.

Junte-se ao movimento dos que amam os outros, apesar das diferenças — você trará louvores a Deus (v.7). *—Anne Cetas*

Bondade é simplesmente o amor fluindo em pequenos gestos.

26 de fevereiro

"Ele se foi"

Leitura:
2 Coríntios 5:1-10

...Deus nos dará, para morarmos nela, uma casa no céu. Essa casa não foi feita por mãos humanas... —2 Coríntios 5:1

Tive a dolorosa e amarga experiência de perder o meu pai no dia de seu aniversário. Nossa perda foi seu verdadeiro ganho! Ele lutava com sua saúde, até que Deus bondosamente o levou para casa.

Uma coisa misteriosa aconteceu na hora de sua morte. Enquanto meu pai ainda estava respirando, minha mãe — que segurava a sua mão e o beijava com ternura — virou-se e disse: "Ele se foi, ele se foi... eu sei. Posso voltar para casa agora." Ela então saiu lentamente do quarto e começou a andar pelo corredor. Minha irmã, que continuava a olhar papai, percebeu de repente que seu peito subiu e baixou pela última vez. Mamãe soube que ele se fora, porque somos seres espirituais; e ela conhecia a presença dele.

Paulo disse que nossos corpos são a "barraca em que vivemos" (v.1) e que, quando morrermos, iremos "...viver com o Senhor" (v.8). Ele reconheceu a fragilidade de sua habitação terrena quando passou por dificuldades em Éfeso (1:8-11). Paulo tinha a certeza da esperança no futuro glorioso com seu Salvador ressurreto, de estar com Jesus (1 Co 15:51-58; Fp 3:20,21).

Por que Paulo tinha essa esperança? Ele escreveu: "...sabemos que Deus, que ressuscitou o Senhor Jesus, também nos ressuscitará com ele e nos levará, [...] até a presença dele" (2 Coríntios 4:14). Sabia que, no devido tempo, nós, que cremos em Jesus, teremos "...uma casa no céu. Essa casa não foi feita por mãos humanas..." (5:1) —*Tom Felten*

Mas agradeçamos a Deus, que nos dá a vitória por meio do nosso Senhor Jesus Cristo! —1 Coríntios 15:57

27 de fevereiro

Terminando bem

Leitura:
2 Timóteo 4:1-8

Fiz o melhor que pude na corrida,
cheguei até o fim, conservei a fé. —2 Timóteo 4:7

A ideia que reservamos para os que envelhecem é: terminar bem. Mas, como um homem sábio e mais velho, que já está com Jesus, certa vez me disse: "Terminar bem não se refere só aos idosos". Na verdade, são as escolhas que fazemos agora, anos antes do último adeus, que determinarão como completaremos nosso tempo aqui.

Paulo em seus últimos dias, foi preso e condenado à morte por proclamar as boas-novas de Jesus. Sabendo que o fim se aproximava, ele escreveu ao jovem Timóteo: "Quanto a mim, a hora já chegou de eu ser sacrificado, e já é tempo de deixar esta vida. Fiz o melhor que pude na corrida, cheguei até o fim, conservei a fé. E agora está me esperando o prêmio da vitória, que é dado para quem vive uma vida correta, o prêmio que o Senhor, o justo Juiz, me dará naquele dia, e não somente a mim, mas a todos os que esperam, com amor, a Sua vinda" (vv.6-8).

Para ele, o terminar bem começou mais de 30 anos antes, após seu encontro pessoal com Jesus, na estrada para Damasco (Atos 9:1-9).

Os anos após a dramática conversão foram difíceis. Houve naufrágios, espancamentos, prisão, oposição religiosa e conflitos pessoais. Pelo poder e força de Deus, ele terminou a tarefa que começou enquanto viajava pelo Império Romano (Atos 20:22-24), dizendo: "...não dou valor à minha própria vida. O importante é que eu complete a minha missão e termine o trabalho que o Senhor Jesus me deu para fazer". —*Jeff Olson*

Aprenda com o apóstolo Paulo: O tempo de terminar bem não se inicia no final. Começa agora!

28 de fevereiro

Ajude sem magoar

Leitura:
2 Tessalonicenses 3:6-15

...Quem não quer trabalhar que não coma.
—2 Tessalonicenses 3:10

No verão, as tartarugas-marinhas fêmeas saem do mar em direção à praia para incubar seus ovos. Os filhotes que saem dos ovos seguem a luz da lua e correm para o mar. Para os turistas é tentador levá-las até a margem, mas isso apenas garante que as tartaruguinhas não sobreviverão. A árdua jornada até o oceano é essencial para desenvolverem os músculos ainda inexperientes para poderem nadar nas correntes marinhas. Encurte este processo, e elas morrerão.

Lembre-se disso quando estender a mão para ajudar alguém. Devemos fazer o melhor para protegê-lo de ameaças externas, assim como algumas cidades apagam as luzes dos postes para que os filhotes não a confundam com a luz da lua e se percam. Porém, não devemos fazer pelos outros o que podem e devem fazer por si mesmos.

Paulo ouviu falar que alguns cristãos viviam "...como os preguiçosos: não fazem nada e se metem na vida dos outros" (2 Tessalonicenses 3:11). Para ele a caridade, neste caso, apenas os estimularia a sugar a bondade alheia. Paulo disse aos diligentes tessalonicenses que ao invés de suprir suas necessidades, praticassem o amor firme: "...se afastem de todos os irmãos que vivem sem trabalhar e que não seguem os ensinamentos que demos a eles..." (vv.6,10).

Seremos misericordiosos e mais úteis se olharmos além das necessidades imediatas e ajudarmos o próximo a desenvolver os músculos para longas distâncias. *—Mike Wittmer*

Pode ser difícil ver o próximo lutar, mas é a única maneira de aprender a sobreviver.

1.º de março

O impasse

Leitura:
1 João 4:1-6

E agora os pagãos ficam admirados quando vocês não se juntam com eles nessa vida louca e imoral e por isso os insultam.

—1 João 4:4

Quando uma livraria local reorganizou suas prateleiras, percebi um aumento no número de títulos relacionados à feitiçaria e bruxaria. Na verdade, a seção de religião havia se tornado um "impasse" virtual entre a luz e as trevas. Os títulos cristãos ladeavam um lado do corredor enquanto que aproximadamente o mesmo número de livros sobre ocultismo alinhava-se do outro lado.

Às vezes podemos pensar em Deus e Satanás da mesma forma como eu pensei sobre os livros na livraria. Vemos ambos como oponentes, mas iguais em força e com o mesmo poder ilimitado. No entanto, Deus é Deus e Satanás não o é. Deus é mais forte do que qualquer força das trevas. Ele faz o que lhe agrada (Salmo 135:6), enquanto o poder de Satanás é limitado àquilo que Deus permite. Quando Satanás presumiu que o infortúnio faria Jó amaldiçoar Deus, o Senhor disse a Satanás, "...Faça o que quiser com tudo o que Jó tem, mas não faça nenhum mal a ele mesmo..." (Jó 1:12). Satanás teve que jogar conforme as regras de Deus.

Pelo fato de Deus estar no controle de tudo, nós como cristãos não precisamos nos sentir paralisados por medo do poder de Satanás sobre a nossa vida ou sobre a vida dos cristãos ao nosso redor. Ele nos prova e tenta nos influenciar, mas a Bíblia nos garante, "...Porque o Espírito que está em vocês é mais forte do que o espírito que está naqueles que pertencem ao mundo" (1 João 4:4). *—Jennifer Benson Schuldt*

Os poderes do mal ao seu redor não são páreo para o poder de Jesus em você.

2 de março

Orar com os outros

Leitura:
Mateus 6:7-13

Portanto, orem assim... —MATEUS 6:9

No início de Seu ministério, Jesus fez um de Seus mais memoráveis e agitados sermões (Mateus 5:3–7:27). Ele abordou vários assuntos naquele dia, incluindo a oração.

Cristo ensinou a grande multidão que se reunira, que não orassem de modo a chamar a atenção para si mesmos (6:5) e a não tentar manipular seu Pai Celestial a responder orações, usando repetições longas e sem sentido (v.7). Acrescentou que é melhor usar menos palavras, pois Deus sabe o que é necessário antes mesmo que o peçam (v.8).

Jesus ensinou-lhes um modelo de oração que muitos denominaram a: "oração do Pai nosso" (vv.9-13). Não se trata de algo mágico, mas sim de uma orientação que destaca os elementos básicos da oração. É um modo respeitoso e pessoal de orar: "Pai nosso, que estás no céu..." (v.9). Ele demonstrou a importância de orar para o avanço do Reino de Deus, por necessidades diárias e relacionamentos pessoais, além de livramento do mal (vv.10-13).

É interessante notar que Cristo ora no plural. Jesus dirigiu-se a Deus como "Pai nosso", e orou: "Dá-nos hoje o alimento que precisamos. Perdoa as nossas ofensas como também nós perdoamos as pessoas que nos ofenderam. E não deixes que sejamos tentados, mas livra-nos do mal..." (vv.11-13). Em outras palavras, Jesus ensinou-nos a orar em conjunto com outros cristãos.

Sim, Ele nos demonstrou a importância de orarmos sozinhos (14:23), e também nos mostrou que, às vezes, é importante orar com os outros. *—Jeff Olson*

Pai nosso, que estás no céu, que todos reconheçam que o teu nome é santo. —Mateus 6:1

3 de março

Checkup espiritual

Leitura:
Colossenses 3:1-14

Ame o Senhor, seu Deus, com todo o coração, com toda a alma, com toda a mente e com todas as forças. —MARCOS 12:30

Para detectar problemas de saúde antes que se tornem graves, os médicos recomendam exames de rotina. Podemos fazer o mesmo por nossa saúde espiritual com algumas perguntas baseadas no grande mandamento a que Jesus se referiu (Marcos 12:30).

Amo a Deus com todo o meu coração porque Ele me amou primeiro? Qual é o mais forte: o meu desejo de ganhos terrenos ou os tesouros que são meus em Cristo? (Colossenses 3:1). Ele deseja que a Sua paz reine em nosso coração.

Amo a Deus com toda a minha alma? Escuto Deus dizer-me quem sou? Afasto-me de desejos egocêntricos? (v.5). Procuro ser mais compassivo, bondoso, humilde, gentil e paciente? (v.12).

Amo a Deus com todo o meu entendimento? Dedico-me em meu relacionamento com o Seu Filho ou deixo minha mente vagar por onde quiser? (v.2). Meus pensamentos levam a problemas ou soluções? À unidade ou à divisão? Ao perdão ou à vingança? (v.13).

Amo a Deus com toda a minha força? Estou disposto a ser visto como fraco para que Deus possa mostrar a Sua força em meu favor? (vv.16,17). Estou dependendo da Sua graça para ser forte em Seu Espírito?

Que a mensagem de Cristo, com toda a sua riqueza, viva em nosso coração! Que Suas Palavras nos instruam com toda a sabedoria. Que cantemos salmos, hinos e canções espirituais, e louvemos a Deus, com gratidão no coração à medida que nos tornarmos espiritualmente aptos e úteis a Ele. —*Julie Ackerman Link*

Para ser espiritualmente apto, alimente-se da Palavra de Deus e exercite sua fé.

4 de março

Chamas sagradas

Leitura:
1 Pedro 1:3-9

...vocês receberão aprovação, glória e honra, no dia em que Jesus Cristo for revelado. —1 Pedro 1:7

Em novembro de 2011, Mike e Nancy Rogers iam se casar, quando o hotel em que fariam a cerimônia foi destruído por um incêndio. A festa de casamento foi transferida para outro prédio, os presentes e flores foram destruídos, mas Nancy disse: "Perdemos todas as coisas, mas sobrou-nos o mais importante."

É verdade, enquanto as chamas subiram, uma nova vida, um relacionamento sagrado, de aliança (Gênesis 2:24) era estabelecido. Seja antes, durante ou após a cerimônia de casamento, todos os casais serão tentados pelas chamas que provam a fé. "Essas provações são para mostrar que a fé que vocês têm é verdadeira..." (1 Pedro 1:7). Se você, ou alguém que conheça, está experimentando um tempo de testes em seu casamento, há três coisas para lembrar:

• As provações podem incendiar as coisas deste mundo, mas não consumir a verdadeira fé e amor. "Alegrem-se por isso..." (v.6), persistam na fé e no amor por seu cônjuge, mesmo quando bens materiais ou preciosos são perdidos.

• As provações podem refinar a fé e o relacionamento conjugal. Quando vocês escolhem amar a Deus "...mesmo sem o terem visto, e creem nele [Jesus]..." (v.8), ainda que tudo desmorone ao redor, a sua preciosa fé e seu casamento estão sendo fortalecidos (v.7).

• As provações são temporais, mas as promessas de Deus são eternas. As chamas são apenas labaredas sagradas que podem purificar sua fé e casamento. —*Tom Felten*

Mantenha seus olhos em Jesus e em Sua grande recompensa da salvação.

5 de março

Maravilhas e sussurros

Leitura:
1 Reis 18:36-39; 19:9-13

Depois do terremoto veio um fogo, mas o SENHOR não estava no fogo. E depois do fogo veio um sussurro calmo e suave. —1 REIS 19:12

Cena 1: Elias propõe um teste no monte Carmelo (1 Reis 18:16-39). Ele e os profetas de Baal levantarão um altar para seus respectivos deuses. O deus que colocar fogo no altar será considerado o único Deus verdadeiro (v.24).

Os profetas de Baal gritam o dia inteiro, e cortam-se para chamar a atenção de seu deus. Mas o altar permanece intocado (vv.28,29). Elias encharca de água o altar, que erigiu e clama ao Senhor, e o fogo cai do Céu e consome o altar ensopado. As pessoas caem prostradas em espanto (vv.38,39).

Cena 2: Elias está no monte Sinai, sozinho, e prepara-se para a aparição de Deus. O vento sopra, estilhaçando rochas e estremecendo o monte. Certamente é Deus! Mas não é. Surge um terremoto e depois o fogo, mas Deus também não está neles. Quando as coisas se aquietam, Elias ouve um sussurro suave, e cobre o rosto com temor (19:1-13).

Um homem, Deus e duas experiências espirituais diferentes. Nós buscamos a Deus em coisas maravilhosas e impressionantes. Gostamos de grandes reuniões com adoração ruidosa e clamamos para que o Senhor sempre realize milagres. Muitos "fãs das maravilhas" se não virem milagres questionarão por que Deus não "apareceu".

Outros gostam de ordem e sua espiritualidade enfatiza o ouvir o sussurro suave de Deus. Quando surgem maravilhas, os "fãs dos sussurros" desconfiam ou rejeitam o aspecto miraculoso.

Deus está nas maravilhas e nos sussurros. *—Sheridan Voysey*

A espiritualidade equilibrada significa estar aberto ao comum e ao extraordinário.

6 de março

Mais

Leitura:
Eclesiastes 2:1-17

...quando pensei em todas as coisas que havia feito [...]. Era como se eu estivesse correndo atrás do vento. —ECLESIASTES 2:11

Tom Brady tem aparência de modelo, é casado com a top model Gisele Bundchen e levou sua equipe de futebol americano a muitas vitórias. Mas isso não lhe é o suficiente. Ele confessou: "Apesar de tudo que já consegui, por que ainda acho que existe algo maior para mim por aí? Quero dizer, talvez muita gente diga: 'Cara, é assim mesmo.' Já alcancei meu objetivo, meu sonho, minha vida. E penso, 'Deus, deve haver mais do que isto', quero dizer, não pode ser só isto." O entrevistador perguntou: "Qual é a resposta?" e Brady disse: "Eu gostaria de saber."

A perplexidade dele parece semelhante à queixa encontrada em Eclesiastes. Salomão buscou satisfação no prazer, vinho, mulheres, projetos, jardins, música e na riqueza excessiva. Ele escreveu: "Sim! Fui grande. Fui mais rico do que todos os que viveram em Jerusalém antes de mim [...]. Não neguei a mim mesmo nenhum tipo de prazer" (2:9,10). E ainda assim, descobriu que nada nesta vida realmente satisfaz.

Como Brady e Salomão, Agostinho teve muito sucesso (ele foi promíscuo e escreveu os discursos do imperador), mas aprendeu que quando mais coçava os seus desejos, mais coceira sentia. Mais tarde, ao escrever "Confissões", disse ao Senhor: "Fizeste-nos para ti, e nosso coração está inquieto enquanto não encontrar em ti o descanso."

É bom ouvir os famosos dizerem que notoriedade, dinheiro ou seja o que for, não são importantes. *—Mike Wittmer*

O único que pode nos satisfazer é Deus.

7 de março

Salvador do mundo

Leitura:
Apocalipse 7:9-12

E a boa notícia [...] será anunciada no mundo inteiro como testemunho para toda a humanidade. Então virá o fim.
—MATEUS 24:14

Os cristãos creem na volta de Jesus. Entretanto, haverá perseguição e sofrimento sem igual, a destruição e morte a precederão (Apocalipse 6–16). Satanás causará devastação e perseguirá quem crê em Deus.

Mas o Senhor encorajou o Seu povo dando-lhes um vislumbre do Céu. Em visão, João viu "uma multidão tão grande, que ninguém podia contar. Eram de todas as nações, tribos, raças e línguas" (7:9). Isto cumpre duas promessas que Deus fez a Abraão: seus descendentes seriam incontáveis como o pó da terra (Gênesis 13:16), e numerosos quanto as estrelas do céu (15:5). E ele seria o pai de muitas nações (17:4).

A multidão descrita em Apocalipse 7:9 enfatiza a universalidade do evangelho: Jesus morreu para salvar todo o mundo, não apenas os judeus (João 1:29; 1 João 2:2; 4:14). Tão certo quanto Jesus nos disse: "Vão pelo mundo inteiro e anunciem o evangelho a todas as pessoas" (Marcos 16:15), Deus nos dá um vislumbre do Céu que completa a grande comissão (Mateus 24:14).

Na entrada triunfal de Jesus em Jerusalém, uma multidão pediu por salvação (21:9), entoando "Hosana", exclamação hebraica de louvor que significa "salve agora". Os cristãos no Céu o louvam por responder a este pedido. A multidão dá gritos a uma só voz: "Do nosso Deus, que está sentado no trono, e do Cordeiro vem a nossa salvação" (Apocalipse 7:10,13). Eles louvam a Deus por sua redenção e por Jesus, que morreu para salvá-los. *—K. T. Sim*

"Santo, santo, santo é o Senhor Deus, o Todo-Poderoso, que era, que é e que há de vir." —Apocalipse 4:8

8 de março

Um segundo olhar

Leitura:
Provérbios 31:10-31

A formosura é uma ilusão, e a beleza acaba...
—PROVÉRBIOS 31:30

O jovem Alex Eklund postou no *Youtube* um vídeo e nele diz acreditar que a verdadeira beleza vem do coração e do caráter da mulher. Ele prefere "uma mulher de Provérbios 31 como esposa do que uma celebridade. Ele postou esse comentário após perceber as reações ao desfile de uma famosa marca de lingerie. Suas amigas no *Facebook* comentaram: "Vou ter que me acabar na academia depois disso", e "Não vou comer por uma semana."

A mulher de Provérbios 31 não ganha um segundo olhar por sua figura esguia. Ela supera todas as outras mulheres virtuosas do mundo (v.29). Sua marca de beleza se baseia em sua conduta e caráter, mais do que em roupas, cabelo ou maquiagem. Ela se sobressai em três áreas significativas:

Administra bem seu dinheiro (vv.16,24). Ela o ganha e o investe com cuidado. É generosa e" ajuda os pobres e os necessitados" (v.20).

Trabalha diligentemente (v.17) muitas horas (vv.15,18). Beneficia os de sua casa e outros (vv.20,24). Ela planeja o futuro (v.21) e é cheia de recursos (vv.13,14). Fala com sabedoria (vv.25,26). Bondade e sabedoria caracterizam seu discurso, que é cheio de palavras "boas, que ajudam os outros a crescer na fé" a fim de encorajar as pessoas (Efésios 4:29).

Valoriza a beleza interior acima da beleza exterior. "A formosura é uma ilusão, e a beleza acaba..." (Provérbios 31:30). Felizmente podemos nos vestir com um "espírito manso e tranquilo" (1 Pedro 3:3,4). *—Jennifer Benson Schuldt*

Deus, por meio do Seu amor, dá ao mundo um vislumbre da verdadeira beleza.

9 de março

Perdoe o tubarão

Leitura:
Gênesis 50:15-21

Não tenham medo. Eu cuidarei de vocês e dos seus filhos. Assim, ele os acalmou com palavras carinhosas, que tocaram o coração deles. —Gênesis 50:21

Lucy Magnum praticava *bodyboarding* no mar quando um tubarão cravou os dentes em sua perna. Seus pais agiram rapidamente para salvar a perna dela, pressionando-a até a chegada dos paramédicos. Mais tarde, Lucy disse: "Odeio tubarões". Seus pais delicadamente disseram-lhe que o tubarão apenas agira por instinto. E Lucy lhes respondeu: "Na verdade, eu o perdoo".

José foi ferido por seus irmãos, não por tubarões. E ele os perdoou ou buscou vingança? Os irmãos de José, achando que poderiam sofrer retaliação por causa dos atos perversos cometidos contra ele no passado (37:18-28), clamaram por perdão (50:17). José chorou e depois lhes garantiu que tudo o que acontecera fazia parte do plano divino para salvar muita gente (vv.19,20; 45:5-9). E reconheceu que não estava no lugar de Deus para agir como um juiz. José não tinha interesse nem direito de executar a vingança contra seus irmãos. Ele demonstrou o perdão ao conversar gentilmente com os irmãos e prometer sustentá-los.

Às vezes, as pessoas nos censuram com palavras e ações. Mas não devemos julgá-las nem nos alegrar com sua queda ou morte (Provérbios 24:17) nem buscar vingança (Romanos 12:19). Deus nos ordena a estender o verdadeiro perdão sem limites como princípio de vida (Lucas 6:37; 17:3,4). Viver o princípio do perdão é suprir as necessidades físicas daqueles que nos feriram (Provérbios 25:21,22). —*Marvin Williams*

Ao reconhecermos o perdão de Deus, Ele nos prepara para perdoar os outros e dar-lhes coisas boas.

10 de março

Só uma coisa certa

Leitura:
Romanos 8:31-38

Em todas essas situações temos a vitória completa por meio daquele que nos amou. —Romanos 8:37

"Orei muito, 'por favor, Senhor, seria possível apenas uma coisa dar certo para mim?' E uma hora depois peguei uma gripe horrível", ela disse. Sua pergunta era legítima. Ela clamou a Deus e a resposta parecia ser uma brincadeira divina!

O sofrimento nos sensibiliza, mas quando o outro sofre e apenas olhamos do lado de fora, temos muitas opções: Evitar a situação e desviar o olhar; oferecer conselhos vazios, ou pior ainda, criticar. Podemos ainda nos agarrar à dor do outro e andar junto a ele, e essa é a atitude amorosa que podemos oferecer.

A carta de Paulo aos Romanos foi escrita a um povo oprimido por um tirano. Paulo conhecia a opressão intimamente, assim ele citou o salmista: "...Por causa de ti estamos em perigo de morte o dia inteiro; somos tratados como ovelhas que vão para o matadouro" (8:36; Salmo 44:22 — este salmo foi escrito durante um tempo de derrota para Israel). Mas Paulo continuou: "Em todas essas situações temos a vitória completa por meio daquele que nos amou" (8:37). Seu ponto de vista culmina em alguns dos versos mais triunfantes já escritos. "...nada pode nos separar do amor de Deus: nem a morte, nem a vida; nem os anjos, nem outras autoridades ou poderes celestiais; nem o presente, nem o futuro" (v.38).

Você ou alguém a quem ama está passando por um período de escuridão? "...O choro pode durar a noite inteira, mas de manhã vem a alegria" (Salmo 30:5). —*Tim Gustafson*

Podemos confiar na mão amorosa do Único que conhece nossa dor mais profunda.

11 de março

Construção de estrada

Leitura:
Jeremias 31:31-34

Porém agora estamos livres da lei [...] somos livres para servir a Deus [...], mas da maneira nova, obedecendo ao Espírito de Deus. —Romanos 7:6

Onde moramos, nós brincamos que temos duas estações: inverno e construção de estradas. Os invernos rigorosos e úmidos danificam as superfícies das estradas, e as equipes de reparos começam o seu trabalho logo que a chuva acaba e o solo seca. Embora chamemos este trabalho de "construção", o que eles fazem parece ser "destruição". Às vezes, remendar os estragos não é opção. É preciso reconstruir a antiga estrada.

Sentimos isso quando Deus age em nossa vida. Por todo o Antigo Testamento, Deus disse ao Seu povo para esperarem por uma grande renovação no caminho entre Ele e o povo (Isaías 62:10-11; Jeremias 31:31). Quando Deus enviou Jesus, para os judeus pareceu como se o caminho deles para chegar a Deus estivesse sendo destruído. Mas Jesus não estava destruindo nada. O Senhor estava completando (Mateus 5:17). O antigo caminho, pavimentado com leis tornou-se um caminho novo pavimentado com o amor sacrificial de Jesus.

Deus ainda está agindo, substituindo os antigos caminhos do pecado e legalismo pelo caminho de amor que Jesus completou. Quando Deus remove a nossa antiga maneira de pensar e agir, pode nos parecer como se tudo o que nos é familiar estivesse sendo destruído. Mas Deus não está destruindo nada, Ele está construindo um caminho ainda melhor. E podemos confiar que o resultado final será o de relacionamentos mais tranquilos com os outros e um relacionamento mais íntimo com Ele. *—Julie Ackerman Link*

Com muita frequência, passamos por provações para amadurecermos espiritualmente.

12 de março

Sou invisível

Leitura:
Isaías 40:25-31

Aos cansados ele dá novas forças
e enche de energia os fracos.
—Isaías 40:29

Minha amiga Janete disse algo em uma reunião de trabalho e ninguém respondeu. Então ela repetiu, e novamente ninguém respondeu. Seus colegas de trabalho apenas a ignoraram. Ela percebeu que a sua opinião não importava muito, e se sentiu ignorada e invisível. Talvez você também conheça esse sentimento.

O povo de Deus se sentiu assim como nação (Isaías 40), pois acreditavam que o próprio Deus não os via nem entendia a sua luta diária pela sobrevivência! O reino do Sul tinha sido levado cativo para a Babilônia, e a nação exilada reclamava: "O Senhor não se importa conosco, o nosso Deus não se interessa pela nossa situação" (v.27)?

Enquanto Isaías concordou que, comparadas a Deus, as pessoas "...são como uma gota de água num balde, como um grão de poeira na balança..." (v.15), o profeta também queria que todos soubessem que Deus dá poder aos fracos e força àqueles que precisam (v.29). Se elas esperassem no Senhor, disse Isaías, Ele renovaria as suas forças, e então subiriam com asas como águias; correriam e não se cansariam (v.31).

Quando você estiver se sentindo invisível ou ignorada, lembre-se de que Deus a vê e se importa com você. Espere nele, e Ele renovará as suas forças. *—Anne Cetas*

Mesmo quando não sentimos a presença de Deus,
Seu amoroso cuidado é tudo o que nos cerca.

13 de março

Boas-vindas a todos!

Leitura:
Isaías 55:1-9

Mas o SENHOR disse: [...] porque não julgo como as pessoas julgam. Elas olham para a aparência, mas eu vejo o coração.
—1 SAMUEL 16:7

Um projeto de embelezamento na estrada principal da minha cidade levou à demolição de uma igreja construída em 1930. Embora as janelas da igreja vazia tivessem sido removidas, as portas permaneceram no local durante vários dias, mesmo quando as escavadeiras começaram a derrubar as paredes. Cada jogo de portas ao redor da igreja tinha uma mensagem escrita em letras de forma gigantes, laranja-fluorescente: AFASTE-SE!

Infelizmente, algumas igrejas cujas portas estão abertas transmitem a mesma mensagem aos visitantes, cuja aparência não corresponde aos seus padrões. Não são necessárias letras gigantes fluorescentes. Com um único olhar de desaprovação, algumas pessoas comunicam: "Você não é bem-vindo aqui"!

É óbvio que a aparência exterior das pessoas não é um indicador do que está em seus corações. A atenção de Deus direciona-se para a vida interior de cada uma de nós. Ele olha o coração e não a aparência de alguém (1 Samuel 16:7) e Ele deseja que também façamos o mesmo. Deus também conhece os corações daqueles que parecem ser "boas pessoas", mas são "cheios de mentiras e pecados" em seu interior (Mateus 23:28).

A mensagem de boas-vindas de Deus, que devemos mostrar aos outros, é clara. Ele diz a todos que o buscam: "...Escutem, os que têm sede: venham beber água..." (Isaías 55:1)! *—Cindy Hess Kasper*

Ninguém saberá o significado de "Deus é amor", a menos que você o demonstre.

14 de março

Migalhas de tempo

Leitura:
Daniel 6:10-23

...Daniel abriu as janelas, ajoelhou-se e orou, dando graças ao seu Deus. Ele costumava fazer isso três vezes por dia.
—DANIEL 6:10

Um amigo muito ocupado e com sua agenda muito apertada estava vindo à nossa cidade. Após um dia difícil em reuniões importantes, veio nos visitar por meia hora e jantamos juntos rapidamente. Apreciamos a visita dele, mas ao final, lembro-me de olhar para o meu prato e pensar: "Ele nos deu apenas as migalhas do seu tempo".

Lembrei-me, em seguida, de quantas vezes Deus recebe as migalhas do meu tempo — às vezes, só os últimos minutos antes de eu adormecer.

Daniel era ocupado, e tinha uma posição elevada no governo do antigo reino da Babilônia; com certeza sua agenda era cheia. Todavia, ele tinha desenvolvido o hábito de investir o seu tempo com Deus — orando três vezes ao dia, louvando a Deus e lhe agradecendo. Esta rotina o ajudou a desenvolver uma fé sólida, que não se abalou quando foi perseguido (Daniel 6).

Deus deseja relacionar-se conosco. Pela manhã, podemos convidá-lo para participar do nosso dia, podemos louvá-lo e pedir-lhe por Sua ajuda ao longo da jornada. Em outros momentos, podemos investir nesse tempo a sós com Ele refletindo sobre a Sua fidelidade. Ao investirmos tempo na presença de Deus e em Sua Palavra, crescemos em nosso relacionamento com Ele e aprendemos a ser cada vez mais semelhantes ao Senhor. Quando os momentos com Deus se tornam prioridade, apreciamos cada vez mais estar em Sua presença. *—Keila Ochoa*

...mas os que confiam no Senhor recebem sempre novas forças... —Isaías 40:31

15 de março

Arrisque

Leitura:
Mateus 25:14-30

"Muito bem, empregado bom e fiel", disse o patrão. "Você foi fiel negociando com pouco dinheiro, e por isso vou pôr você para negociar com muito. Venha festejar comigo!" —MATEUS 25:21

O que você espera ouvir Deus lhe dizer no Céu? Imagino que seja: "Muito bem, empregado bom e fiel..." (Mateus 25:21). Este versículo é tão citado que é imprescindível entendermos seu significado.

Nesta passagem, Jesus é comparado ao mestre que confiou seu dinheiro aos servos antes de partir. Embora planejasse estar longe por um longo período, voltará e ajustará as contas com Seus servos (v.19). Semelhantemente, os cristãos vivem entre dois tempos: o início e a consumação do fim. Precisamos vigiar e estar prontos para a volta do Senhor.

Mas, como? A parábola apresenta dois exemplos positivos e um negativo. Os servos obedientes se arriscaram e investiram o dinheiro do patrão para lhe trazer o máximo retorno em seu regresso. O servo mau e preguiçoso se manteve na zona de conforto, enterrou o dinheiro e desculpou-se. O argumento do mestre é que não importa a opinião do servo sobre ele; quer precisa ou distorcida, um servo verdadeiro agiria de acordo com a expectativa do mestre.

O pastor Ray Stedman resumiu da seguinte maneira: "As oportunidades de demonstrar as habilidades e dons aparecem para todos, cristãos ou não. Podemos nos manter na zona de segurança e obter o que pudermos para nós mesmos ou arriscar nossa reputação, bens e a própria vida de forma que Deus possa obter o que Ele quer."

Sejamos fiéis para termos a certeza de que Ele nos dirá: "Muito bem, empregado bom e fiel." —*Poh Fang Chia*

Preparemo-nos para o retorno de Jesus aprendendo a assumir riscos por Sua causa.

16 de março

A questão definitiva

Leitura:
Lucas 14:25-35

Quem quiser me acompanhar não pode ser meu seguidor se não me amar mais do que [...] a si mesmo.
—LUCAS 14:26

Fred Meijer foi muito rico. Suas lojas foram as primeiras a comercializar comida e outros artigos num mesmo espaço. Ele usava seu dinheiro sem preocupar-se, passando com frequência por suas lojas e revelando um bom coração ao cumprimentar clientes, distribuir vales para sorvetes e empacotar compras.

Seu espírito generoso fez sua morte ser mais difícil de aceitar. Seus amigos cristãos se preocupavam por ele não conhecer Jesus, mas o pastor, no culto fúnebre, fez de conta que isso não importava. "Como herdar a vida eterna?", perguntou aos enlutados: "Sendo um bom vizinho, como Fred era." Espero que Fred tenha acreditado em algo mais do que apenas isto.

O jovem rico fez a mesma pergunta a Jesus: "...o que devo fazer para conseguir a vida eterna?" Disse que respeitava os Dez Mandamentos, e talvez, por isso, também fosse um bom vizinho. Jesus respondeu-lhe que isso não era o suficiente. "...vá, venda tudo o que tem e dê o dinheiro aos pobres [...]. Depois venha e me siga." Mas ele achou que o preço era alto demais, e "...foi embora triste" (Mc 10:17-22). Jesus conhecia o coração dele, que teria que escolher entre o tesouro na Terra ou no Céu. Como a riqueza do homem era um obstáculo à sua fé, Jesus disse que era "difícil" ele se salvar (Lc 18:24-27).

Como herdar a vida eterna? Coloque o mundo inteiro: família, amigos, dinheiro e sexo de um lado, e apenas Jesus do outro. Qual você escolhe? *—Mike Wittmer*

...O que é impossível para os seres humanos é possível para Deus. —Lucas 18:27

17 de março

Sendo sal e luz

Leitura:
Mateus 5:13-20

Vocês são o sal para a humanidade...
—Mateus 5:13

Tehal Dosanjh caminhava tarde da noite quando encontrou um maço de dinheiro do lado de fora do caixa eletrônico. Como o banco estava fechado, Dosanjh recolheu as notas: "Levei um susto! Sabia que a primeira coisa que deveria fazer na manhã seguinte era devolver o dinheiro", disse ele. E foi o que fez. Na manhã seguinte, Dosanjh foi devolvê-lo. "Não era meu, não podia ficar com ele", disse. Simples assim!

Existem maneiras para sermos honestos e verdadeiros, e desonestos e mentirosos. Jesus chamou os Seus seguidores a viverem a verdade que proclamam. Simples assim. Cristo nos desafiou a viver de maneira a refletir a verdade de quem é Deus no mundo e a verdade de quem, pela misericórdia divina, nós que o seguimos fomos criados para ser nesse mundo. Somos "...o sal para a humanidade..." (Mateus 5:13). Jesus não diz que deveríamos ser o sal da terra ou que seria bom que descobríssemos como ser o sal da terra. Nós somos o sal da terra.

Somos "...a luz para o mundo..." (v.14). Deus não espera que intensifiquemos nossa luz para brilhar mais. Ele nos criou para sermos o povo que faz brilhar a Sua luz no mundo. É este o Seu propósito. Podemos fugir desta realidade, podemos recusar a nossa identidade e perder o nosso sabor (v.13). Talvez tenhamos medo ou sejamos desobedientes colocando a nossa luz "...debaixo de um cesto..." (v.15). Ainda assim permanecemos sendo sal e luz. *—Winn Collier*

Ele nos torna sal e luz. Simplesmente dizemos "sim" e passamos, ou não, a luz e o sal de Deus adiante.

18 de março

Presença perceptível

Leitura:
Gênesis 45:1-15

Portanto, não foram vocês que me mandaram para cá, mas foi Deus. Ele me pôs como o mais alto ministro do rei... —GÊNESIS 45:8

Ouvir o choro de um bebê na hora de dormir é uma das situações mais enervantes que os jovens pais precisam lidar. Quando nos deparamos com isso pela primeira vez, lutamos para resistir à tentação de entrar no quarto de nossa bebê e consolá-la. Espiávamos pela porta de tempos em tempos, mas evitávamos entrar.

Por que os pais colocam seus filhos, e eles mesmos, nesse tormento? Porque, damos a eles a oportunidade de aprender que o mundo não gira ao redor deles. Também evitamos embalar os recém-nascidos cada vez que choramingam, ajudando-os a desenvolver uma resiliência que os ajudará mais tarde ao enfrentarem situações difíceis. E, embora não pareça, sentíamos com eles todos os soluços e lágrimas.

Podemos não reconhecer a presença de Deus em tempos difíceis, mas isso não significa que Ele não está por perto, agindo nos bastidores. José tinha motivos para sentir que Deus não estava presente em sua vida. Seus irmãos ciumentos o venderam como escravo (Gênesis 37:12-28). Em seguida, ele foi levado à terra estrangeira e enviado à prisão por um crime que não cometera (39:1-20).

Mas, mesmo na prisão egípcia, "...o SENHOR estava com ele [José]..." (vv.21,22). José explicaria isso muitos anos depois a seus irmãos que o traíram, "...vocês planejaram aquela maldade contra mim, mas Deus mudou o mal em bem para fazer o que hoje estamos vendo, isto é, salvar a vida de muita gente" (50:20). —*Jeff Olson*

Deus está presente, mesmo quando Sua presença não é imediatamente reconhecida.

19 de março

Anunciando vida

Leitura:
Tito 1:1-15

Mas você, Tito, ensine o que está de acordo com a doutrina verdadeira. —TITO 2:1

A ilha de Creta era o lugar onde os ricos divertiam-se. Um dos profetas cretenses disse: "Os cretenses só dizem mentiras. São como animais selvagens, são uns preguiçosos que só pensam em comida" (Tito 1:12).

Paulo enviou-lhes o jovem líder, Tito. Sua tarefa era entrar nessa sociedade egoísta, onde os poderosos estavam convencidos de que possuíam tudo que precisavam, e dizer-lhes que precisavam de ajuda. Os cretenses não eram tão poderosos e bem-sucedidos quanto pensavam, e não faz sentido.

Paulo afirma: "Meu propósito é promover a esperança, apontando o caminho para a vida eterna. Essa é a vida que Deus prometeu há muito tempo — e ele não quebra suas promessas!" (vv.1,2 MSG). Deus enviou Paulo para anunciar vida, e este deu a Tito a mesma missão: Anunciar vida! Deus escolhera Creta, Jerusalém, Éfeso e Galácia, porque era o tempo certo. O Filho tinha morrido e ressuscitado, e a vida estava pronta para desabrochar.

Esta vida estava imersa na realidade do dia a dia. Este novo modo de viver formaria uma comunidade visível com líderes responsáveis pela conduta que compartilhariam (vv.5-7). Essa nova vida refletiria a verdade, se posicionando contra as mentiras e buscando a integridade (vv.10,11).

Quando Tito anunciou a vida que Deus concede aos cretenses, ele não apenas os convidava a ter um futuro com Deus, mas para viver com o Senhor naquele exato momento. —*Winn Collier*

A vida com Deus é abundante todos os dias.

20 de março

Contagens

Leitura:
2 Coríntios 5:18–6:2

...não deixem que fique sem proveito a graça de Deus, a qual vocês receberam. —2 CORÍNTIOS 6:1

Espero que a contagem dos meus glóbulos brancos esteja subindo! Penso nisso porque fiz recentemente um transplante de medula e meus glóbulos brancos estão estagnados. As contagens baixas não são boas e significam que posso enfrentar lutas sérias. Essas células vermelhas e brancas não são vistas, então simplesmente as consideramos normais.

Paulo teve que convencer seus leitores a valorizar algo que não podiam ver: a graça salvadora de Deus. Ele sabia que algumas pessoas do rebanho em Corinto concentravam-se na "contagem" errada. Em vez de reivindicar somente a graça de Deus como base de sua salvação, eles contavam com suas obras de justiça. Por isso, Paulo declarou: "Tudo isso é feito por Deus, o qual, por meio de Cristo, nos transforma de inimigos em amigos dele..." (2 Co 5:18). Àqueles que ainda evocavam sua própria santidade, ele declarou: "Em Cristo não havia pecado. Mas Deus colocou sobre Cristo a culpa dos nossos pecados para que nós, em união com ele, vivamos de acordo com a vontade de Deus" (v.21).

Hoje, alguns dentre nós ainda buscam merecer a salvação, renegando a graça de Deus o que faz o sacrifício de Jesus parecer desnecessário. Fazer isso significa dizer ao Pai, "Ok, obrigado, mas eu me viro sozinho." O apóstolo cita o livro de Isaías 49:8 para a correta perspectiva: "...o socorri quando chegou o dia da salvação..." (v.2).

Com o que você conta? *—Tom Felten*

...não deixem que fique sem proveito a graça de Deus, a qual vocês receberam. —2 Coríntios 6:1

21 de março

Todas as coisas boas

Leitura:
Salmo 16

...tudo o que tenho de bom vem de ti.
—SALMO 16:2

Visitei a casa que John D. Rockefeller Jr. e sua esposa, Abby, compraram nos Estados Unidos, nos anos de 1930. Essa casa era, simplesmente, o presente final de alguém que passou a vida doando parte do seu dinheiro. Enquanto o Rockfeller pai se tornou o homem mais rico dos EUA (principalmente por causa da Standard Oil), o filho preferiu viver distribuindo boa parte da fortuna familiar. O guia nos contou que Rockefeller doou mais de 1,1 bilhão de dólares ao longo dos anos em prol de causas como o combate à pobreza no mundo e a cura da febre amarela. Ele doou generosamente até o fim de sua vida.

As Escrituras nos dizem que Deus ama abençoar. O salmista Davi enumerou as riquezas que Deus lhe concedeu: a casa, boas dádivas (v.6), segurança (v.1), um lugar onde pôde dizer que: "...eu, um ser mortal, me sinto bem seguro" (v.9).

No entanto, os melhores presentes de Deus não são as riquezas materiais, mas Ele próprio. "Tu, ó SENHOR Deus, és tudo o que tenho...", disse Davi. Deus era seu "futuro" (v.5). Davi declarou, ainda exalando gratidão: "...A tua presença me enche de alegria e me traz felicidade para sempre" (v.11).

A gratidão se expressa tanto em relação às muitas bênçãos providas por Deus, quanto na dádiva da presença do Senhor. Deus é a nossa principal dádiva e as Escrituras nos apresentam as Suas bênçãos que são sempre demonstrações de Seu amor para conosco. *—Winn Collier*

Cada bênção que Deus nos concede é outra forma de Ele se doar a cada um de nós.

22 de março

Justiça e fé

Leitura:
2 Samuel 16:1-4; 19:24-30

...Mas o senhor é como um anjo de Deus e sabe a verdade; portanto, faça o que achar melhor. —2 SAMUEL 19:27

Uma amiga e eu olhávamos nossos filhos na piscina, sem fazermos ideia de que em instantes eu estaria ali dentro também. Quando vi as crianças lutando para ficar acima da água, pulei na piscina. Meu instinto de separar os meninos e ajudar o filho de minha amiga pode ter parecido estranho, e talvez até uma resposta fria ao meu próprio filho. No entanto, eu sabia que ele estava debaixo da água para manter seu amigo boiando. Logo depois de separados, Miqueias nadou com segurança para o canto da piscina.

Na crise, é natural oferecer ajuda a quem amamos. Às vezes, nossa atenção é atraída para os que professam fidelidade e oferecem palavras que parecem ser para o nosso bem, porém, a lealdade não deve suprimir a justiça.

A vergonha cobria Davi ao fugir de Jerusalém, pois seu filho o forçara a se retirar. Vulnerável pela traição de Absalão, Davi recebeu o louvor de Ziba — que parecia ter interesses pessoais em mente (v.4). Depois de ter sido enganado, Davi respondeu ao que parecia lhe proporcionar mais segurança. Porém, a momentânea afirmação do rei, tirou de Mefibosete o direito à proteção prometida no passado (1 Samuel 20:42).

Mefibosete sofreu dupla injustiça: traição de Ziba — seu servo (2 Samuel 19:26,27), e o tratamento injusto de Davi, um homem que considerava membro da família e seu rei. Trocando o erro pela lealdade, este homem demonstrou que valorizava mais o relacionamento restaurado do que a recompensa da propriedade (vv.29,30). *—Regina Franklin*

A justiça e a fé andam lado a lado, pois a justiça requer que vejamos as coisas como Deus as vê.

23 de março

Pluralismo e Jesus

Leitura:
Isaías 43:1-13

Eu, só eu, sou o SENHOR, *somente eu posso salvar vocês.*
—ISAÍAS 43:11

Meu amigo me contou sobre um roteiro turístico por igrejas históricas, que proclamavam o evangelho, mas que se voltaram há muito tempo a visões não ortodoxas. Numa igreja, as persianas escondiam um belo vitral de Jesus. "Apenas as abrimos na Páscoa porque não queremos privilegiar uma religião à outra", disse o guia turístico.

Hoje muitos cristãos sentem-se desconfortáveis em afirmar que Jesus é o único caminho para Deus. Uma pesquisa recente revelou que 47% dos cristãos evangélicos concordavam com a declaração de que "muitas religiões podem levar à vida eterna". Outra enquete revelou que 20% dos cristãos evangélicos acreditavam que "se uma pessoa busca a Deus, ela pode obter a vida eterna em outras religiões além do cristianismo". Se estas pesquisas são confiáveis, significa que entre um quinto e metade dos cristãos nascidos de novo creem que as pessoas podem ser salvas sem nascerem de novo. Amam seus amigos incrédulos e não querem excluí-los por terem crenças diferentes.

Os mesmos que abraçam essa crença afastam Jesus (João 14:6). Não podemos declarar que outras religiões têm o poder de salvar sem admitir que o sacrifício de Jesus foi desnecessário. Agostinho explicou que se qualquer um pudesse ser salvo sem Jesus, então "Cristo teria morrido em vão". Jesus teria sofrido na cruz se não acreditasse que isso seria imprescindível para a nossa salvação (Atos 4:12)? *—Mike Wittmer*

Não podemos amar a Jesus e aprovar outras religiões. Devemos escolher.

24 de março

Atuando para Ele

Leitura:
Mateus 6:1-6

Tenham o cuidado de não praticarem os seus deveres religiosos em público a fim de serem vistos pelos outros... —MATEUS 6:1

Certo livro conta a história de um menino chamado Felipe, de 10 anos, que vive dando um jeito de chamar a atenção para si: Ele é alto, indisciplinado e vive inventando brincadeiras brutas. Seu comportamento é pior quando há convidados em sua casa. É o terror da escola.

A mãe dele tem o remédio perfeito: pó de exibicionismo. Ela salpica um pouco desse pó em sua cabeça, fazendo-o simplesmente desaparecer de sua presença. Quando ele para de se comportar mal, reaparece como num passe de mágica.

O vício de se exibir não é exclusivo de crianças. Todos nós enfrentamos esta tentação. Mas a questão com a qual temos que lidar não é o porquê desejamos ser notados, mas quem queremos que nos note.

Jesus confrontou aqueles que usavam suas boas obras para atrair a admiração sobre si, dizendo: "Quando você der alguma coisa a uma pessoa necessitada, não fique contando o que fez, como os hipócritas fazem nas sinagogas e nas ruas". Os hipócritas tocavam trombetas e faziam "...isso para serem elogiados pelos outros" (v.2). Da mesma forma, oravam "...de pé nas sinagogas e nas esquinas das ruas para serem vistos pelos outros..." (v.5).

Ser hipócrita significa "aquele que simula", ou seja, a pessoa que atua. Quando nos exibimos para os outros, mostramos que os nossos olhos e coração estão voltados para todos, menos para Deus. Ainda assim, a Sua opinião é a única que importa. Somos livres para atuar para Ele. —*Winn Collier*

Deus nos liberta da necessidade de impressionar os outros.

25 de março

Coragem colorida

Leitura:
1 Coríntios 4:10-17

Sigam o meu exemplo como eu sigo o exemplo de Cristo.
—1 CORÍNTIOS 11:1

A propaganda de um relógio, na rádio, sugeria que os ouvintes comprassem um relógio com uma pulseira de cor brilhante e com ele usassem roupas de outras cores. Quando as pessoas notassem o seu relógio pelo contraste de cores, a propaganda dizia: "Elas verão que a sua coragem é colorida. E vão querer ser como você." Há algo em nós que aprecia quando os outros seguem o nosso exemplo.

Se você der uma lida em 1 Coríntios 4, pode pensar que o apóstolo Paulo é um pouco orgulhoso ao dizer para seguir o seu exemplo de autossacrifício (v.16). Mas uma segunda leitura das palavras de Paulo demonstra porque ele escreveu com tanta confiança. Ele podia dizer às pessoas para o imitarem, pois ele imitava Cristo (11:1), o maior Servo de todos.

A perseguição que Paulo suportou e, o posicionamento que ele sustentou na igreja (4:10-17) aconteceram porque ele seguia a Jesus. Quando o apóstolo mencionou que ainda que os coríntios tivessem 10 mil mestres, ele ainda seria o seu pai na fé (v.15), estava reconhecendo que Jesus é a única razão para as pessoas confiarem em seus ensinamentos.

Se quisermos que os outros nos imitem, devemos primeiro imitar o nosso Senhor. Se tivermos qualquer motivo para que as pessoas sigam o nosso exemplo — se tivermos alguma coragem de indicar aos outros o Salvador — é por Sua causa, não nossa. *—Anne Cetas*

Somente serviremos de exemplo aos outros, se o nosso viver refletir a presença de Cristo.

26 de março

Efeito chiclete

Leitura:
Filipenses 4:4-9

...encham a mente de vocês com tudo o que é bom e merece elogios, isto é, tudo o que é verdadeiro, digno, correto, puro, agradável e decente. —Filipenses 4:8

Elas se infiltram. Elas grudam dentro da sua cabeça. Quando você ouve essas canções-chicletes uma vez, elas grudam em seu pensamento e você, mesmo sem perceber, canta muitas vezes por dia em pensamento ou até mesmo em voz alta. Canções como o meu pesadelo pessoal: "Há um mundo bem melhor".

Dizem que a única maneira de se livrar dessas melodias que grudam em nossa memória é substituí-las por outra música — uma canção mais "limpa". Novas palavras e uma melodia diferente podem expulsar a antiga.

Talvez pudéssemos ter mais limpeza também em nossos pensamentos. Quando os pensamentos lascivos ou vingativos fluem em nossa mente, a leitura e a meditação na Palavra de Deus podem ajudar a limpar os nossos pensamentos.

As Escrituras nos dizem para amar o Senhor "...com todo o coração, com toda a alma e com toda a mente" (Mateus 22:37) e para não nos conformarmos "...com este século", mas transformar-nos pela renovação da nossa mente, para que possamos experimentar "...aquilo que é bom, perfeito e agradável a ele" (Romanos 12:2). A Bíblia nos instrui a pensar sobre coisas que são verdadeiras, nobres, puras, amáveis, admiráveis, excelentes e dignas de louvor (Filipenses 4:8).

Quando nossas mentes devaneiam em direção ao mal, a melhor "limpeza" é permitir que a sabedoria da Bíblia permeie os nossos pensamentos e corações (2 Timóteo 3:16). *—Cindy Hess Kasper*

Caráter é a soma total de todos os nossos pensamentos, palavras e ações.

27 de março

Caminho difícil

Leitura:
2 Coríntios 12:1-10

...A minha graça é tudo o que você precisa, pois o meu poder é mais forte quando você está fraco... —2 Coríntios 12:9

Os diamantes são pedras preciosas belas e valiosas, mas o seu início é carvão comum — preto, sujo e combustível. Ao longo de anos de intenso calor e pressão alta, eles se tornam puros e fortes. Isto os torna uma boa metáfora para a força espiritual, Deus usa forças externas intensas para nos livrar das impurezas e para aperfeiçoar a Sua força em nós.

A força de Deus se aperfeiçoa em nossa fraqueza, diz o apóstolo Paulo (2 Coríntios 12:9). Gostaria que isto não fosse verdade, porque não gosto de sentir-me fraca. Os tratamentos de quimioterapia e radiação me ensinaram mais do que eu sempre quis saber sobre a fraqueza física. Em seguida, um acontecimento menor me fez mergulhar num estado de fraqueza emocional que me pegou desprevenida. Depois de perder quase 90 cm de cabelo e ficar sem eles por quase um ano, um corte de cabelo malfeito não devia ter sido grande coisa. Mas foi, e eu me senti boba por ser tão fraca. Alguns de nós somos capazes de criar uma ilusão de força e autossuficiência. Mas a perda repentina de saúde, do emprego ou de um relacionamento valioso é um lembrete surpreendente de nossa total dependência de Deus.

Quando experimentamos a fornalha ardente do sofrimento, seja este físico ou emocional, perseguição externa ou humilhação interior — o propósito amoroso de Deus é nos tornar puros e fortes. *—Julie Ackerman Link*

O sofrimento é o fogo que Deus usa para nos purificar e fortalecer.

28 de março

Negócios inacabados

Leitura:
Lucas 23:32-43

...Jesus, lembra-te de mim quando vieres no teu reino.
—Lucas 23:42 (ARA)

Aos 99 anos, Leo Plass recebeu seu diploma universitário. Ele tinha deixado sua formação em magistério durante a década de 1930 quando abandou a universidade para ganhar a vida no ramo de corte e transporte de árvores. Setenta e nove anos depois, ele completou os três créditos necessários para se formar e resolver esse importante negócio inacabado em sua vida.

Muitos de nós podemos nos identificar com Plass. Nossos negócios inacabados podem incluir pedidos de desculpas não ditos ou, ainda mais importante, decisões espirituais inacabadas. Um dos criminosos crucificado ao lado de Jesus precisava tomar tal decisão urgentemente. Com apenas alguns suspiros separando-o da eternidade, ele percebeu quem Jesus era e queria estar com Ele no Céu. O ladrão reconheceu o seu pecado e a inocência de Jesus e disse: "...Jesus, lembra-te de mim quando vieres no teu reino". Jesus respondeu: "...Em verdade te digo que hoje estarás comigo no paraíso" (Lucas 23:42,43 ARA).

Deus não quer que ninguém pereça (2 Pedro 3:9). Sua oferta de salvação está disponível a todos, independentemente de idade, saúde ou fase de vida. Sua oferta está disponível a você. Não demore para receber Jesus como Salvador (2 Coríntios 6:2). Resolva este importante negócio inacabado e você aguardará pela eternidade com Ele. *—Jennifer Benson Schuldt*

Ser salva enquanto vivemos aqui significa estar salva no futuro.

29 de março

Rompendo as trevas

Leitura:
Isaías 60:19-22

...pois eu, o Senhor, serei para sempre a sua luz, e a minha glória brilhará sobre você. —Isaías 60:19

Tive meu primeiro vislumbre delas quando estava na faculdade. Numa gélida noite de outono, longe das luzes da cidade, eu estava numa carroça de feno cheia de amigas barulhentas quando o céu se iluminou e as cores atravessaram o horizonte. Fiquei hipnotizada. Desde aquela noite sou fascinada pelo fenômeno da aurora boreal, também conhecida como luzes do Norte. Elas são vistas muito ao norte de onde moro, mas, ocasionalmente, aparecem em latitudes mais baixas. Depois de tê-las visto uma vez, desejo sempre as ver novamente. Sempre que as condições são favoráveis, digo às minhas amigas que também são fascinadas por elas: "Talvez esta noite...".

Em toda a Bíblia, luz e glória são usadas para descrever a vinda do Senhor. Está chegando um tempo em que o Sol e Lua serão desnecessários (Isaías 60:19). E, ao descrever Deus em Seu trono, o apóstolo João, escreveu: "O seu rosto brilhava como brilham as pedras de jaspe e sárdio, e em volta do trono havia um arco-íris que brilhava como uma esmeralda" (Apocalipse 4:3).

Um arco esmeralda é uma boa descrição das luzes do Norte. Assim, sempre que vejo exibições gloriosas de luz nos céus acima de nós — em pessoa, por imagem ou vídeo, penso nelas como uma amostra do que está por vir e louvo a Deus por, mesmo agora, Sua glória romper as trevas. *—Julie Ackerman Link*

*Jesus veio trazer luz
para um mundo em trevas.*

30 de março

Encontros transformadores

Leitura:
João 21:1-14

Jesus disse: —Venham comer!... —JOÃO 21:12

Os discípulos saíram para pescar por que estavam com fome e, não havia muito o que fazer (v.3). Em pouco tempo, a vida deles tinha tomado um rumo dramático pela terceira vez.

A morte de Jesus os deixara temerosos, em desespero e cheios de culpa. A esperança deles havia sido destruída. Seu líder estava morto, e eles imaginaram que seriam os próximos. Sentiram-se culpados, pois tinham abandonado Jesus quando Ele mais precisou. Sendo assim, encontravam-se secretamente, mas numa de suas reuniões foram interrompidos por mulheres anunciando que Jesus estava vivo, e em seguida, o Senhor apareceu a eles.

O seu medo e o desespero se transformaram em júbilo. Seu Senhor estava vivo! Mas algo mudara. O Jesus ressurreto passava tempo com eles, mas não integralmente. Parecia prepará-los para uma nova fase. E Pedro ainda remoía a sua culpa.

Jesus não chamou Pedro à sala de reunião para repreendê-lo, mas com compaixão foi ao local familiar de Pedro — o mar da Galileia (vv.1,2). Como seria diferente se esta conversa tivesse ocorrido num escritório frio ou numa rua movimentada! Mas aqui, em terra firme e de estômago cheio, Pedro seria capaz de processar as dolorosas palavras de Jesus. "...Simão, filho de João, você me ama? [...] Tome conta das minhas ovelhas" (v.17).

Você precisa acertar algo com alguém? Lembre-se de que o encontro mais confrontador de Jesus começou com um café da manhã, na praia. —*Mike Wittmer*

Demonstrar compaixão e aceitação pelos outros nos torna semelhantes a Cristo.

31 de março

Vida... com Deus

Leitura:
João 10:1-16

O ladrão só vem para roubar, matar e destruir; mas eu vim para que as ovelhas tenham vida, a vida completa. —João 10:10

Mais de 500 mil pessoas pesquisam mensalmente sobre o significado da vida no *Google*. Vamos considerar os significados de duas palavras gregas para "vida" encontradas no Novo Testamento: *psuché*, significa "vida natural, criada"; e *zoé*, que quer dizer "vida eterna de Deus, sobrenatural". É possível ter *psuché*, mas não *zoé* ou estar biologicamente vivo, mas espiritualmente morto.

Deus é a fonte abundante de vida espiritual (Gênesis 2:7). Fomos criados para ter esta vida habitando em nós, assim como a água enche o poço, Deus habita o templo (1 Co 6:19). Mas com a rebelião da humanidade (Gênesis 3:1-7), cortamos esta fonte de vida. Um espaço vazio instaurou-se em nosso coração: o poço perdeu sua nascente, o templo perdeu o seu Deus.

Mas um Homem veio da Galileia cheio de *zoé* (João 1:3,4). "...eu vim para que as ovelhas tenham *zoé*", Ele falou sobre a Sua missão (10:10). Prometeu para aqueles que acreditassem nele, que "...Rios de água viva..." jorrariam do coração (7:38) e que Ele traria o Pai para habitar no seu interior (14:23). Jesus veio para liberar a água do poço, e para habitar novamente no templo de nosso coração. Com a vida sobrenatural de Deus, Ele começa a agir em nós para que obedeçamos a "...vontade dele, tanto no pensamento como nas ações" (Filipenses 2:13). Jesus não nos dá apenas energia, mas também uma missão.

Sendo assim, qual é o significado da vida? *—Sheridan Voysey*

Viver com Deus é ter a Sua vida em nós e permitir que Ele se manifeste por nosso intermédio.

1.º de abril

Ajudadora silenciosa

Leitura:
Isaías 25:1-9

Ó Senhor, tu és o meu Deus. Eu te adorarei e louvarei o teu nome, pois tens feito coisas maravilhosas... —Isaías 25:1

A descoberta da penicilina revolucionou os cuidados com a saúde. Antes da década de 1940, as infecções bacterianas eram, frequentemente, fatais. Desde então, a penicilina salvou incontáveis vidas matando as bactérias nocivas. Os cientistas que reconheceram o seu potencial e a desenvolveram para uso generalizado ganharam o Prêmio Nobel em 1945.

Muito antes da descoberta da penicilina, os leucócitos, assassinos silenciosos, agiam salvando vidas pela destruição de bactérias. Esses agentes dedicados são o modo criado por Deus de nos proteger contra doenças. Ninguém sabe quantas invasões eles interromperam ou quantas vidas preservaram. Eles recebem pouco reconhecimento por todo o bem que fazem.

O Senhor recebe tratamento semelhante. Frequentemente, Ele é culpado quando algo dá errado, mas raramente recebe o crédito por todas as coisas que vão bem. Todos os dias, as pessoas se levantam, se vestem, dirigem até o trabalho, a escola ou o mercado, e voltam em segurança às suas famílias. Ninguém sabe quantas vezes Deus nos protegeu de diversos males. Mas quando há uma tragédia, perguntamos: "Onde estava Deus?".

Quando penso em todas as coisas maravilhosas que Deus faz em silêncio por mim a cada dia (Isaías 25:1), vejo que minha lista de louvores é muito maior do que a minha lista de petições. —*Julie Ackerman Link*

Deus nos dá motivos para louvá-lo todos os dias, basta que paremos e prestemos atenção e os perceberemos.

2 de abril

Sem "semana do sexo"

Leitura:
Salmo 51:1-10

Tira de mim o meu pecado, e ficarei limpo; lava-me, e ficarei mais branco do que a neve. —SALMO 51:7

Certa universidade permitia que os estudantes promovessem anualmente "a semana do sexo" com exibições excitantes e a presença de patrocinadores de filmes pornôs. Mas alguns estudantes desafiaram esse evento, declarando que isso "banalizava o sexo, e estimulava a obsessão". E conseguiram bani-lo do calendário de eventos.

O rei Davi se envolveu em sua própria "semana do sexo". Em 2 Samuel 11, o encontramos interessado na esposa de outro homem (v.2). Com rápidos passos em falso, ele perguntou quem era Bate-Seba (v.3) e ordenou que fosse trazida aos aposentos reais para deitar-se com ela (v.4). Mais tarde, ao tentar encobrir seu pecado, armou a morte de Urias, o marido dela.

Quando escolhemos praticar o sexo fora do casamento, também há morte: da pureza e da paz. No Salmo 51, encontramos Davi agonizando acerca do seu pecado sexual. Com profunda vergonha, ele se curva diante de Deus, e busca a Sua misericórdia, perdão e purificação (vv.1,2,7). O encontro ilícito de prazer produziu nele uma "mancha" amarga que atormentou o seu espírito (vv.1,9,10).

Davi sabia que somente Deus poderia purificá-lo de seus pecados e criar nele um coração puro (vv.7,10). Mas é muito melhor evitar a dor, a vergonha e a mancha do pecado sexual ao escolher a pureza em primeiro lugar. É algo que — diferentemente da "semana do sexo" — honra a Deus e demonstra o amor verdadeiro e o respeito por outros. *—Tom Felten*

Pela graça de Deus, podemos ser purificadas.

3 de abril

Quem é aquele cara?

Leitura:
Filipenses 2:9-11

Por isso Deus deu a Jesus a mais alta honra e pôs nele o nome que é o mais importante de todos... —FILIPENSES 2:9

Uma adolescente contou alegremente ao seu professor de Educação Física que tinha tomado a decisão mais importante da sua vida. "E qual foi?", perguntou-lhe o professor. Ela respondeu, "Eu aceitei... " (fez uma pausa). E virando-se para a amiga, perguntou: "Qual era mesmo o nome do cara?" E então lembrou-se: "Ah, sim, aceitei Jesus em minha vida ontem à noite."

A inocência dela chega a ser reveladora. Ela mora num país repleto de igrejas. Esse relato ilustra que não podemos achar que todos conhecem a história de Jesus, independentemente de onde vivem.

É verdade que a maioria das pessoas ao redor do mundo já ouviu pelo menos o nome de Jesus. Entretanto, isso não significa que saibam muita coisa sobre Ele. Já não é mais um fato consumado admitir que todos têm o conhecimento de que Jesus morreu pelos pecados do mundo (João 3:16). E para muitas, o nome de Jesus é simplesmente uma interjeição.

A Bíblia diz que um dia "...em homenagem ao nome de Jesus, todas as criaturas no céu, na terra e no mundo dos mortos, [cairão] de joelhos e declarem abertamente que Jesus Cristo é o Senhor, para a glória de Deus, o Pai" (Filipenses 2:10,11). Declare abertamente o nome de Jesus, fique alerta e anuncie a Palavra de Deus. Permita que Deus a use, pois há algumas pessoas que ainda estão no início da caminhada cristã ou graciosamente sendo questionadas por meio de falsos estereótipos religiosos. —*Jeff Olson*

Como cristãs somos chamadas a revelar a plenitude do nome de Jesus.

4 de abril

Leis do amor

Leitura:
Mateus 5:17-20

Não pensem que eu vim para acabar com a Lei de Moisés ou com os ensinamentos dos Profetas [...] mas para dar o seu sentido completo. —MATEUS 5:17

Um dia, dirigindo para o trabalho, percebi que os limites de velocidade foram estabelecidos para proteger a mim e aqueles ao meu redor, não para limitar minha liberdade ou provar que sou um infrator. As leis de trânsito são feitas porque a vida humana é valiosa e deve ser protegida.

De maneira semelhante, os Dez Mandamentos ou a "Lei de Moisés" foi feita para proteger a vida e ajudar o povo a prosperar (Dt 6:24; 10:13; 12:28). Não é possível prosperar com a vida em perigo (Êx 20:13), tendo seus pertences roubados (v.15) ou sofrendo perseguições (v.17). Não é possível prosperar se não houver descanso (vv.8-11), se houver vingança assassina (v.13) ou adoração a qualquer coisa ou pessoa além de Deus (vv.2-4).

Não é surpresa que Jesus tenha nos dito que não veio para abolir a Lei de Moisés. A velocidade, o roubo, o assassinato e a idolatria ainda são destrutivos, mesmo após a vinda de Jesus, então por que dispensar o "porto seguro"? O que Ele veio fazer foi cumprir a Lei, dar-lhe significado, restaurar a sua intenção de proteção e tirá-la dos mestres religiosos que a distorceram, transformando-a num sistema de méritos perante Deus. Ele deixa isto claro no Sermão do Monte (5:1–7:28).

Os profetas do Antigo Testamento falam do dia em que o Messias viria, Deus colocaria as Suas leis em nosso coração e nos daria o Seu Espírito (Jeremias 31:33; Ezequiel 36:27). Esse Messias já veio! *—Sheridan Voysey*

Jesus nos mostra a intenção protetora da Lei de Deus e nos dá poder, por meio de Seu Espírito, para vivê-la.

5 de abril

Qual é a sua paixão?

Leitura:
Salmo 119:1-24

...As tuas leis são o meu prazer; não esqueço a tua palavra.
—Salmo 119:16

Quando me perguntaram qual era a paixão dos meus alunos de teologia, listei questões de justiça social: pobreza, minorias, escravidão e tráfico sexual. Mesmo sendo uma lista impressionante, faltava algo. A Bíblia nos ensina a buscar justiça para os oprimidos, mas seu maior capítulo é um poema sobre si mesma.

Meus alunos ou eu mesmo somos tão envoltos com a Palavra de Deus quanto o autor do Salmo 119? "...tuas leis são o meu prazer..." e nos alegramos mais "...em seguir os teus mandamentos do que em ser muito rico"? (v.14). Desejamos incessantemente, "...conhecer a [sua] vontade?" (v.20).

Não nos esqueçamos de que a razão principal de nos importarmos é porque Deus se importa, e a Sua Palavra nos instrui a lutar pelo próximo. Isaías clama "...Tratem os outros com justiça; socorram os que são explorados, defendam os direitos dos órfãos e protejam as viúvas" (1:17). Tiago reforça: "...a religião pura e verdadeira é esta: ajudar os órfãos e as viúvas nas suas aflições..." (1:27).

Como saber se a preocupação com a justiça social substitui nossa paixão pela Palavra de Deus? Ao lermos algo nas Escrituras que parece se opor aos direitos dos outros, banimos a passagem ou nos submetemos à Palavra como o melhor de Deus para eles? Acreditamos quando Deus declara que a prática homossexual é um pecado (Romanos 1:26,27; 1 Coríntios 6:9), ou buscamos justificativas para aceitá-la? Pratique o que a Bíblia ensina. *—Mike Wittmer*

A melhor forma de amar as pessoas é amar a Palavra de Deus.

6 de abril

Primícias

Leitura:
Deuteronômio 26:1-13

E agora, ó Senhor *Deus, eu te ofereço a primeira parte das colheitas da terra que me deste.* —Deuteronômio 26:10

João convidou-me para almoçar em comemoração ao seu primeiro pagamento. Com gratidão, queria devolver uma porção significativa de "suas primícias" a Deus.

Moisés lembrou repetidamente aos judeus que Deus era seu Libertador, o Doador de sua terra e o Provedor de suas bênçãos materiais (vv.1,3,7-10). Conforme Deus os abençoava materialmente, eram lembrados de fazer quatro coisas:

Primeiro: devolver a Deus "a primeira parte de todas as colheitas produzidas pela terra" (v.2). Era um ato pessoal de agradecimento, reconhecendo que Deus era seu Provedor (vv.3,4). Era também um ato público de adoração, pois colocavam a oferta sobre o altar (v.4), ajoelhando-se "na Sua presença" (v.10). *Depois*, deveriam contar a história de sua libertação. Eram nômades e escravos, mas Deus os transformou numa grande nação e lhes dera uma terra de fartura para chamar de sua (vv.5-9).

Em seguida, deveriam comemorar, regozijar e usufruir das coisas boas que Deus lhes havia dado (v.11). O Senhor queria que se alegrassem, pois os abençoara em todo o trabalho que tinham feito (12:7).

Finalmente, deveriam ser generosos e compartilhar as bênçãos materiais com os pobres (26:12,13). Conhecendo seu egoísmo (15:11), Moisés os lembrava de festejar "...com os levitas e com os estrangeiros..." que viviam entre eles (26:11).

Proclamemos a história de nossa redenção: quem é o nosso Deus, como Ele é grande, bom, misericordioso e generoso. *—K. T. Sim*

Deus tem nos dado muitas coisas para usufruir e para compartilhar.

7 de abril

Pão da vida

Leitura:
João 6:25-35

...Eu sou o pão da vida...
—João 6:35

Jamais conheci a fome devastadora. Houve ocasiões em que meu estômago pediu por alimento e senti o limite da dor da fome. Porém, essa, jamais é a fome que você vê ao visitar as favelas de Serra Leoa ou os campos de refugiados do Sudão. Ali as pessoas mal se mantêm vivas. A fome é palpável.

Certa feita, Jesus tinha acabado de realizar um de Seus maiores milagres: alimentar milhares de pessoas multiplicando uns peixinhos e uns pedaços de pão doados por um garoto (João 6:10,11). Jesus se preocupava com aquela gente e tomou providências para que tivessem o que comer. As pessoas estavam fascinadas com aquele fazedor de milagres e ansiosas para assistir Sua próxima proeza. Jesus, porém sabia que seus motivos eram superficiais e os repreendeu: "...vocês estão me procurando porque comeram os pães e ficaram satisfeitos..." (João 6:26).

Jesus usava os milagres para revelar quem Ele era — o Messias de Israel que veio de Deus para resgatá-los, mas reconhecia que eles não o queriam como Messias. Queriam apenas a comida, os milagres, os benefícios, mas não queriam Deus. Jesus, no entanto, insistia que o verdadeiro pão era Ele mesmo: "...Eu sou o pão da vida..." (João 6:35).

Deus é o meio para obtermos "o Pão da vida", que é Jesus. Se a sua busca for apenas por aceitação, poder, senso de valor, controle, segurança, realização espiritual, amor, esperança, sexo ou alegria, o Senhor não o satisfará. *—Winn Collier*

Somente Jesus pode nos oferecer o alimento que sacia a nossa fome e sede de justiça.

8 de abril

Pecado é coisa séria

Leitura:
Lucas 18:9-14

...o cobrador de impostos [...]. Batia no peito e dizia: "Ó Deus, tem pena de mim, pois sou pecador!" —Lucas 18:13

O autor David Head, satiriza em seu livro *He Sent Leanness* (Ele enviou a pobreza) a visão superficial que temos do pecado. "Pai benevolente, às vezes, cometemos alguns pequenos erros de julgamento, mas não são nossa culpa. Por forças além do nosso controle, às vezes, falhamos em agir de acordo com as melhores intenções. Nessas circunstâncias, fizemos o melhor que podíamos. Estamos felizes em dizer que tudo está bem. Acima da média, talvez. Usa a Tua brandura com aqueles que sabes que não são perfeitos". Ah, como confiamos em nossa própria justiça e justificamos nosso pecado!

Nada há de novo nisto. Jesus enfatizou este fato ao contar a história do fariseu e do publicano em Lucas 18:10. O fariseu, um homem religioso, pôs-se de pé num local proeminente e orou sobre si mesmo, dizendo a Deus o quanto era justo; jejuava duas vezes por semana (embora a lei exigisse menos) e dava o dízimo de toda sua renda (não apenas do exigido) (vv.11,12).

Porém, o publicano usou Deus como parâmetro, e não pessoas. Derramou o seu coração em palavras simples, profundas e transparentes. Confessou sua iniquidade reconheceu que para receber o perdão de Deus, teria de suplicar por Sua misericórdia (v.13). O Senhor rejeitou o fariseu e aceitou o publicano (v.14).

O pecado resulta do relacionamento equivocado com Deus, expresso por atitudes ou ações erradas em relação a Ele, a outros ou a Sua criação. —*Marvin Williams*

O Senhor é capaz de perdoar o pecado e quebrar sua sentença, seu poder e sua presença.

9 de abril

Viver com medo

Leitura:
Gênesis 26:7-11

...o Espírito que Deus nos deu não nos torna medrosos; [...] nos enche de poder e de amor e nos torna prudentes. —2 Timóteo 1:7

Em Gênesis 26:26 o subtítulo diz: "Isaque e Abimeleque fazem um trato", mas bem que poderia ser: "Isaque é o cafetão de sua esposa".

Isaque é um dos patriarcas da fé, no entanto, no momento em que deveria proteger sua linda Rebeca, ele se acovardou e usou-a como escudo de proteção. Ele era novo na cidade e quando lhe perguntaram sobre Rebeca, afirmou que era sua irmã. "...Rebeca era muito bonita, e Isaque tinha medo de dizer que ela era a sua mulher, pois pensava que os homens do lugar o matariam para ficarem com ela" (v.7). O rei dos filisteus defendeu Rebeca, mas disse indignado: "...Um de nós poderia facilmente ter ido para a cama com ela, e você teria feito com que a culpa caísse sobre nós" (v.10).

O medo nos leva a fazer o que não faríamos. Pode nos paralisar ou induzir a sacrificar os que nos são mais próximos. Instiga-nos a violar nossos valores. Você já mentiu para se proteger? O que fazer com o medo? Colocar as necessidades dos outros à frente das nossas é um bom começo. O apóstolo João nos ensina que podemos vencer o medo com amor. "E o amor é isto: não fomos nós que amamos a Deus, mas foi ele que nos amou e mandou o seu Filho para que, por meio dele, os nossos pecados fossem perdoados" (1 João 4:10). E acrescentou: "...se foi assim que Deus nos amou, então nós devemos nos amar uns aos outros" (v.11), "...o amor que é totalmente verdadeiro afasta o medo..." (v.18).

—Tim Gustafson

Muitas vezes, o amor realmente é a resposta.

10 de abril

Sede firmes

Leitura:
Colossenses 1:19-27

...continuem fortes e firmes. [...] no trabalho do Senhor, pois vocês sabem que todo o seu esforço nesse trabalho sempre traz proveito. —1 CORÍNTIOS 15:58

Como projeto de conclusão de curso para aula de ciências naturais do Ensino Médio, eu e um amigo construímos uma mesa de fluxo. Com grande ajuda do meu pai, construímos uma caixa de madeira comprida com uma dobradiça no meio. Em seguida, nós a forramos com plástico e a enchemos com areia. Em uma das extremidades, anexamos uma mangueira. Na outra, tinha um buraco de drenagem. Depois de montar tudo isso, levantamos uma das extremidades da mesa de fluxo, ligamos a água e vimos como ela criou um caminho diretamente para a abertura na outra extremidade. A próxima parte do experimento foi colocar uma pedra para interromper o fluxo do líquido e observar a mudança no curso da água.

Este projeto me ensinou muito sobre a vida e a ciência. Aprendi que não posso mudar a direção das coisas se eu estiver à margem do rio. Tenho que entrar no fluxo da vida e permanecer lá para desviá-lo. Isso é o que Jesus fez. A Bíblia se refere à salvação como uma rocha (2 Samuel 22:47; Salmo 62:2,6,7) e o apóstolo Paulo esclarece que Cristo é essa Rocha (1 Coríntios 10:4). Deus colocou Jesus na corrente da história para mudar o curso desta.

Quando permanecemos firmes em Cristo, abundantes na obra do Senhor, Deus nos usa para mudar o curso da história por meio de atos de obediência que levam outros a Ele. *—Julie Ackerman Link*

Certifique-se de colocar os seus pés no lugar certo, e firme-se. —Abraham Lincoln

11 de abril

O amor é tudo

Leitura:
1 João 4:7-19

E nós mesmos conhecemos o amor que Deus tem por nós e cremos nesse amor. —1 João 4:16

Vi em um letreiro na frente de uma igreja algo que me pareceu um bom lema para relacionamentos: Receba amor. Dê amor. Repita a operação.

O maior amor que recebemos é o amor de Deus. Ele nos amou tanto que deu o Seu Filho Jesus para viver, morrer e ressuscitar para nos redimir (1 João 4:9). Nós recebemos o Seu amor ao recebermos Jesus como o nosso Salvador e Senhor. "Porém alguns creram nele e o receberam, e a estes ele deu o direito de se tornarem filhos de Deus" (João 1:12).

Após experimentarmos o amor de Deus, podemos então aprender a dar amor. Queridos "...amemos uns aos outros porque o amor vem de Deus...." (1 João 4:7).

O amor de Deus nos capacita a amar nossos irmãos e irmãs em Cristo. Ensinamos, encorajamos e repreendemos. Choramos e nos alegramos. O amor que damos é gentil, atencioso e solidário. Aprendemos com Jesus que devemos amar até mesmo os nossos inimigos: "...amem os seus inimigos e orem pelos que perseguem vocês" (Mateus 5:44). Amar aos outros, em algumas situações, pode ser desafiador, mas é possível pelo amor que Deus nos deu antes.

Um bom plano para a nossa vida hoje: Receba amor. Dê amor. Repita a operação. *—Anne Cetas*

*Receba amor. Dê amor.
Repita a operação.*

12 de abril

Não abandonados

Leitura:
Isaías 49:13-16

...eu nunca esqueceria vocês. Jerusalém, o seu nome está escrito nas minhas mãos... —Isaías 49:15,16

Anos atrás, quando meu marido e eu visitávamos um museu, percebemos um carrinho de bebê vazio sem alguém por perto. Presumimos que os pais o deixaram ali por ser volumoso demais e, agora, carregavam o seu filho no colo. Mas, chegando perto, vimos um bebê dormindo dentro dele. Onde estava um dos pais... um irmão... uma babá? Ficamos por ali por um bom tempo antes de chamarmos um funcionário do museu. Ninguém aparecera para reclamar aquela preciosa criança! Na última vez em que o vimos, o carrinho estava sendo empurrado para um lugar seguro.

Aquela experiência me fez pensar a respeito de como é ser abandonado. É uma sensação opressiva de que ninguém liga a mínima para você. Uma sensação real e insuportavelmente dolorosa. Mas, embora as pessoas possam nos abandonar, o amor e a presença de Deus estão garantidos. O Senhor promete que nunca nos deixará (Deuteronômio 31:8). Ele estará conosco onde formos, "...todos os dias, até o fim dos tempos" (Mateus 28:20).

O Senhor nunca falhará em Seu compromisso com os Seus filhos. Mesmo que sejamos abandonados pelos outros, podemos confiar em Sua promessa de que nada "...pode nos separar do amor de Cristo" (Romanos 8:35-39). *—Cindy Hess Kasper*

A nossa segurança está em confiarmos na presença de Deus.

13 de abril

Guardar tudo

Leitura:
Levítico 19

Obedeçam às minhas leis e aos meus mandamentos.
Eu sou o Senhor. —Levítico 19:37

Quando eu era criança queria ler a Bíblia, achava que era apenas um livro grosso com letras pequenas, com informações tipo enciclopédia. Mais tarde compreendi que o conhecimento é bom, mas a sabedoria é muito melhor.

Hoje, sei que devo viver à luz da Palavra de Deus. Não apenas conhecer, mas entendê-la. Somos finitos, no entanto, com a tendência natural de enfatizar certas passagens das Escrituras e negligenciar outras.

Franzimos a testa se vemos alguém tatuado: "nem façam marcas no corpo. Eu sou o Senhor" (Levítico 19:28). Porém, desculpamos essa mesma pessoa por não ir à igreja, ou fazemos vista grossa ao seu desrespeito com os mais velhos. Deus disse também: "Guardem o sábado, que é um dia sagrado e respeitem o lugar onde sou adorado. Eu sou o Senhor" (v.30) e "Fiquem de pé na presença de pessoas idosas e as tratem com todo respeito. Honrem a mim o Deus de vocês. Eu sou o Senhor" (v.32). Então, como guardar todas as leis e mandamentos de Deus? (v.37).

O escritor John MacArthur nos dá uma dica: "Deus, sabemos que conhecer a ti e a Tua Palavra significa mais do que ter o conhecimento teórico. É mais do que apenas ler e compreender mentalmente. É ser pleno desse conhecimento, amar, acalentar, deixarmo-nos impregnar por ele e em nossa mente sermos capazes de obter princípios que possam ser aplicados em atos de entendimento espiritual de forma a termos uma caminhada proveitosa". *—Poh Fang Chia*

Que a nossa oração seja conhecer o Senhor mais e mais.

14 de abril

Glória e autoridade

Leitura:
João 2:1-22

Então ela disse aos empregados:
—Façam o que ele mandar. —JOÃO 2:5

João narra um casamento em Caná, quando Jesus realizou o primeiro dos 35 milagres registrados, transformando água comum, usada para a lavagem cerimonial, em vinho de alta qualidade (vv.1-11). Mais do que simplesmente nos revelar um Jesus carinhoso e compassivo ajudando um constrangido casal recém-casado, cujo vinho acabara cedo demais, nos oferece um gostinho de Seu poder transformador!

Depois, João nos mostra Jesus completamente diferente e intolerante. Furioso, numa demonstração clara de ira, Ele fez um chicote com algumas cordas e expulsou todos os comerciantes do Templo (vv.13-22). Transformar a água em vinho revelou a glória de Cristo (v.11), e expulsar os comerciantes, Sua autoridade (v.18).

Isso nos dá uma visão equilibrada de Jesus. Vemos Sua bondade carinhosa e Sua ira santa e que o Cordeiro de Deus é o Leão de Judá. As qualidades de um cordeiro — bondade e ternura — se encontram em Jesus, e o mesmo se pode dizer sobre a majestade e a ferocidade do leão.

Não temos dificuldade de nos deleitar na glória de Jesus, mas resistimos à Sua autoridade. Recebemos com prazer a Sua ação de transformar água em vinho, mas resistimos quando Ele vira a nossa vida de ponta-cabeça, do avesso e do lado certo. Não queremos que Ele interfira na maneira como vivemos.

Prestemos atenção ao que a mãe de Jesus disse aos servos: "Façam o que ele mandar" (v.5). *—K. T. Sim*

A glória e a autoridade de Jesus exigem nossa obediência e submissão.

15 de abril

Na prisão

Leitura:
Jonas 2:1-10

Ó Senhor Deus, na minha aflição clamei por socorro, e tu me respondeste; [...] e tu ouviste a minha voz. —Jonas 2:2

Noite passada adorei a Deus intensamente, porque o louvei dentro da prisão. Entoamos uma canção de Chris Tomlin, que diz: "Subirei quando Ele me chamar. Sem mais tristeza, sem mais dor. Subirei nas asas da águia, diante do meu Deus cairei de joelhos". Eu havia cantado esse refrão na igreja naquela manhã, mas fora diferente. Os 75 detentos batiam palmas, levantavam suas mãos em louvor a Deus com tudo o que podiam. Percebi que cantavam como se a vida deles dependesse disso.

Sentado em minha confortável cadeira na igreja, pensei como seria significativo no meu funeral, se um solista cantasse para o mundo: "Subirei quando Ele me chamar...". A diferença entre mim e os presidiários, era que aquelas palavras significavam muito para eles naquele momento. Eles conheciam a tristeza e a dor e precisavam acreditar que sairiam dos escombros de sua própria vida.

Eu também sou um pecador rebelde e preciso do evangelho como qualquer condenado. Como Jonas, oro melhor quando estou na barriga do peixe: "Quando senti que estava morrendo, [...] a minha oração chegou a ti..." (v.7).

Você conhece alguém que esteja fugindo de Deus? Ore por essas pessoas, para que se diminuam e se voltem para o Senhor. Mas também se identifique com elas. Se não fosse pela maravilhosa graça de Deus que "veio nos libertar", estaríamos onde elas estão. —*Mike Wittmer*

A presença de Deus faz toda a diferença na vida do pecador.

16 de abril

Pequenas pessoas

Leitura:
Mateus 5:13-16

Vocês são o sal para a humanidade [...].
Vocês são a luz para o mundo... —Mateus 5:13,14

Era um grupo muito variado que se reuniu perante Jesus. Alguns doentes, outros com convulsões e dores crônicas, alguns paralíticos, outros endemoninhados (Mateus 4:24). "Vocês são o sal para a humanidade...", o Senhor lhes disse (5:13). Centenas tinham se reunido, vindos de todos os cantos para receber as Suas bênçãos — judeus e gentios. "Vocês são a luz para o mundo...", Ele declarou (v.14).

Talvez estivesse sendo simpático, pois, qual a influência que um bando de camponeses poderia ter no mundo? Eram tímidos, insignificantes. O Mestre os tinha abençoado, mas eram pobres, mansos, misericordiosos, humildes, tristes e oprimidos (vv.3-11). Que tipo de influência tais pessoas poderiam ter num mundo cheio de poder e status? Mas é o que o Senhor disse. Eles eram o sal que conservava e temperava a sociedade. Eram luzes que atraíam as pessoas a Deus. E logo virariam o mundo de cabeça para baixo (Atos 17:6).

Em nossos silenciosos momentos de desespero, quando nos sentimos ninguém, fracassados, sem popularidade, poder político, sem boa aparência, pensando que não exercemos influência no mundo e temos pouco a oferecer a Deus, lembremo-nos de quem Jesus proclamou como os reformadores do mundo: as pessoas simples, comuns. Não a elite, os poderosos ou os de maior destaque. Tudo o que estas pequenas pessoas tinham era a bênção de Jesus, um distintivo santo que não deveriam perder (Mateus 5:13), e luminosas ações de amor (v.16).

—Sheridan Voysey

O importante no Reino de Deus não é o seu status, mas a glória dele brilhando em sua vida.

17 de abril

Amor heroico

Leitura:
Salmo 144

Ele é a minha rocha e a minha fortaleza, o meu abrigo e o meu libertador... —Salmo 144:2

O tenente Onur Eryasar, da Força Aérea turca viajou quase 100 km para levar uma equipe de resgate até o lugar onde sua noiva estava presa. Localizou o restaurante onde ela jantava na hora do terremoto, de magnitude 7.2 na Escala Richter, e com a equipe de resgate escavou entre os escombros. Após 18 horas do desmoronamento, eles a resgataram. Durante a operação o tenente declarou a um repórter local: "Tudo o que eu quero é que ela viva. Não me importa se estiver ferida ou não. Só que esteja viva."

É uma história incrível de heroísmo e amor, que nos lembra do ato heroico de Deus por nós. Salvar a humanidade e vir ao nosso socorro não era simples ou fácil. Não apenas Satanás se opôs fortemente a esse resgate, mas também nós que precisávamos ser resgatados sabíamos, realmente, o quanto estávamos profundamente soterrados num mundo decaído devido ao pecado (2 Coríntios 4:4).

Mas isso não foi obstáculo para Deus. Mesmo após a humanidade ter-lhe virado as costas e caído nas mãos do inimigo (1 João 5:19), Deus continuou a nos buscar. Mesmo tendo lhe custado muito caro, Ele nos deu um caminho para a vida mediante o sacrifício e ressurreição de Seu Filho (1 João 4:9).

Por causa do imenso amor de Deus, Ele nos salvou de nossa situação desesperadora e nos restituiu a vida. —*Jeff Olson*

Ele nos libertou do poder da escuridão e nos trouxe em segurança para o Reino do seu Filho amado. —Colossenses 1:13

18 de abril

Eu A-M-O...

Leitura:
Romanos 6:1-11

Se já morremos com Cristo,
cremos que também viveremos com ele. —ROMANOS 6:8

Meu marido e eu estávamos numa piscina pública quando as pessoas à nossa volta começaram a olhar para o céu. Um avião pequeno emitia fumaça, formando letras. Enquanto observávamos, o piloto soletrava: "Eu A-M-O". As pessoas começaram a especular: talvez fosse uma proposta de casamento. Talvez um homem romântico esteja num terraço próximo, com sua namorada, e logo perguntará "Quer se casar comigo?". Continuamos a olhar para o alto: "E-U A-M-O V-O-C-Ê J-E". Ouvi menininhas tentando adivinhar: "Aposto que é Jeane ou, talvez, Jéssica". Ele continuou a soletrar. Não. Era: "J-E-S-U-S". O piloto estava declarando o seu amor por Jesus para que muitas pessoas vissem.

Frequentemente, um amigo meu termina suas orações com "Eu te amo, Senhor". Ele diz: "Não consigo deixar de dizer 'Eu te amo' depois de tudo o que Ele fez por mim." Em Romanos 6:1-11, nosso texto da Bíblia para hoje, o apóstolo Paulo nos conta um pouco do que Jesus fez por nós, que merece o nosso amor: Ele foi crucificado, sepultado e ressuscitou. Por essa razão, aquelas dentre nós que já colocaram a fé em Jesus têm, agora, uma nova vida (v.4), não precisamos mais ser controladas pelo pecado ou pelo medo da morte (vv.6,9) e, um dia, nós também ressuscitaremos para viver com Ele para sempre (v.8).

Não é de admirar que digamos: "Eu te amo, Jesus!" —*Anne Cetas*

Para demonstrar o Seu amor, Jesus morreu por nós;
para demonstrarmos o nosso, vivemos para Ele.

19 de abril

Entre as flores

Leitura:
Lucas 24:13-34

E os apóstolos diziam: —De fato, o Senhor foi ressuscitado e foi visto por Simão! —LUCAS 24:34

Quando as primeiras flores da primavera desabrocharam em nosso jardim, meu filho de 5 anos entrou num canteiro de narcisos amarelos. Ele percebeu alguns restos de plantas que haviam morrido meses antes e observou: "Mamãe, quando eu vejo algo morto, isso me lembra da Páscoa porque Jesus morreu na cruz." Respondi-lhe: "Quando eu vejo algo vivo — como os narcisos amarelos —, isso me lembra que Jesus voltou a viver!"

Um dos motivos pelos quais sabemos que Jesus ressuscitou é que, de acordo com o evangelho de Lucas, Ele abordou dois viajantes que "estavam indo para um povoado chamado Emaús", três dias após Sua crucificação. Jesus caminhou com eles; ceou com eles e lhes ensinou sobre profecias do Antigo Testamento (24:15-27). Este encontro mostrou aos viajantes que Jesus conquistou a morte — Ele tinha ressuscitado dentre os mortos. Em decorrência disso, a dupla retornou a Jerusalém e contou aos discípulos que o Senhor tinha ressuscitado (v.34).

Se Jesus não tivesse voltado à vida, nossa fé como cristãos não teria sentido e ainda estaríamos sob a penalidade do nosso pecado (1 Coríntios 15:17). Contudo, a Bíblia nos diz que Jesus "...foi ressuscitado a fim de que nós fôssemos aceitos por Deus" (Romanos 4:25). Hoje, podemos estar em paz com Deus porque Jesus está vivo! *—Jennifer Benson Schuldt*

A cruz e o túmulo vazios revelam que a salvação que Cristo oferece é completa.

20 de abril

Chamado da criação

Leitura:
Salmo 8

Ó Senhor, Senhor nosso, a tua grandeza é vista no mundo inteiro. O louvor dado a ti chega até o céu. —Salmo 8:1

"Está caindo das nuvens um estranho e amável som; eu o escuto no trovão e na chuva. Está ecoando nos céus como canhões na noite; ouço a música do universo."

Esses versos de adoração de uma canção escrita por Phil Wickham imprimem a marca de Deus em Sua criação.

Davi escreveu sobre isso: "...O louvor dado a ti chega até o céu" (Salmo 8:1). Talvez o abençoado salmista estivesse sentado à janela, numa agradável noite de verão, quando escreveu: "Quando olho para o céu, que tu criaste, para a lua e para as estrelas, que puseste nos seus lugares — que é um simples ser humano para que penses nele? Que é um ser mortal para que te preocupes com ele" (vv.3,4)?

Davi estava deslumbrado com a bela e gloriosa criação de Deus. Ele lista (vv.3-8) diversos seres vivos e coisas inanimadas criados pelo Senhor: os céus, os pássaros que voam pelo ar, os animais dos campos e os peixes que nadam no mar. Em meio ao seu deslumbramento pela criação de Deus, Davi se admira que Ele tenha tanto interesse por você e por mim... pelas pessoas.

Façamos uma pausa para admirarmos a magnífica criação de Deus, e que ela nos conduza à profunda adoração e a nos maravilharmos com o quanto Ele nos ama. E Wickham acrescenta: "Tu és santo, grande e poderoso; A lua e as estrelas declaram quem tu és. Eu sou tão indigno, mas ainda assim tu me amas. Para sempre meu coração vai cantar quão grande és tu." —*Tom Felten*

Quando apreciamos a beleza de um céu estrelado ou o bramir das ondas do oceano sentimos o chamado de Deus.

21 de abril

Você pode vencê-la!

Leitura:
Mateus 28:1-10

Onde está, ó morte, a sua vitória? Onde está, ó morte, o seu poder de ferir? —1 Coríntios 15:55

Soou-me intrigante a propaganda no rádio sobre um seminário que estava por acontecer. O locutor disse: "Você pode vencer o óbito — para sempre! Participe do meu seminário e lhe mostrarei como." Durante alguns momentos, fiquei imaginando o que ele alegaria ser capaz de vencer a morte e quais poderiam ser as suas sugestões. Seria talvez algo sobre dieta, exercício ou congelamento do corpo? Após escutar um pouco mais, porém, percebi que ele dissera "Você pode vencer o débito — para sempre."

Porém, a notícia mais maravilhosa é que podemos, de fato, vencer o óbito porque Jesus pagou o nosso débito! (1 Coríntios 15:55-57). Nossa dívida de pecado significava separação de Deus, mas Jesus entregou a Sua vida de boa vontade e foi crucificado para pagar o que nós devíamos. Quando Maria Madalena e a outra Maria foram ao túmulo no terceiro dia para ungir o Seu corpo, um anjo lhes disse: "...mas ele não está aqui; já foi ressuscitado, como tinha dito..." (Mateus 28:6). Com grande júbilo, elas correram para contar a notícia aos Seus discípulos. No caminho, Jesus foi ao seu encontro e disse: "Que a paz esteja com vocês!" (v.9). Jesus tinha ressuscitado e os Seus seguidores tiveram motivo para alegrar-se.

Jesus removeu o aguilhão da morte (1 Coríntios 15:55). Agora, nós também temos a vitória ao crer na morte e ressurreição do Filho de Deus por nós. Por intermédio da obra perfeita de Jesus, podemos vencer a morte — para sempre! —*Anne Cetas*

Tínhamos um débito que não podíamos pagar; porém Jesus pagou essa dívida por nós.

22 de abril

Débitos e créditos

Leitura:
João 16:1-11

...No mundo vocês vão sofrer; mas tenham coragem. Eu venci o mundo. —João 16:33

Na época em que meu marido lecionava contabilidade em uma faculdade local, fiz um dos testes apenas por diversão, para ver se me sairia bem. O resultado não foi bom. Errei a resposta de todas as perguntas. A razão de meu fracasso foi ter começado sem compreender um conceito bancário básico: inverti os débitos e créditos.

Às vezes, confundimos nossos débitos e créditos também no reino espiritual. Ao culparmos Satanás pelo que dá errado — seja o mau tempo, uma impressora emperrada ou problemas financeiros — estamos de fato lhe dando o crédito que ele não merece. Estamos atribuindo a ele o poder de determinar a qualidade de nossa vida, o que ele não tem. Satanás é limitado no tempo e no espaço. Ele precisa pedir permissão a Deus antes de poder nos atingir (Jó 1:12; Lucas 22:31).

Todavia, como pai da mentira e príncipe deste mundo (João 8:44; 16:11), Satanás pode causar confusão. Jesus alertou para uma época em que as pessoas estariam tão confusas, que não distinguiriam o certo do errado (16:2). Mas Ele acrescentou essa certeza: "...o príncipe deste mundo já está julgado" (v.11).

Os problemas atrapalharão a nossa vida, mas não podem nos derrotar. Jesus já venceu o mundo. A Ele é dado todo o crédito. —*Julie Ackerman Link*

Enquanto Satanás acusa e confunde, Deus age para que todas as coisas cooperem para o bem dos que nele confiam.

23 de abril

Um pedido de oração

Leitura:
2 Tessalonicenses 3:1-5

Finalmente, irmãos, orem por nós para que a mensagem do Senhor continue a se espalhar rapidamente e seja bem aceita...
—2 TESSALONICENSES 3:1

Recentemente, uma missionária nos visitou no curso bíblico que eu estava fazendo. Ela descreveu como tinha sido encaixotar as coisas de sua casa, despedir-se dos amigos e mudar-se para um país distante. Quando ela e sua família chegaram, foram saudados com um florescente comércio de drogas e rodovias perigosas. A barreira linguística trouxe crises de solidão. Eles contraíram quatro diferentes vírus gástricos. E a sua filha mais velha escapou por um triz da morte, após cair através do balaústre inseguro de uma escada. Eles precisavam de oração.

O apóstolo Paulo vivenciou perigos e dificuldades como missionário. Ele foi preso, naufragou e foi espancado. Não é de admirar que as cartas dele contenham pedidos de oração. Ele pediu aos cristãos de Tessalônica para que orassem por sucesso na disseminação do evangelho, que a Palavra de Deus se propagasse e fosse glorificada (2 Tessalonicenses 3:1) e para que Deus o livrasse "das pessoas más e perversas" (v.2). Paulo sabia que precisaria falar "com coragem e [tornar] conhecido o segredo do evangelho" (Efésios 6:19) — este era outro pedido de oração.

Você conhece pessoas que necessitam de ajuda sobrenatural ao propagarem a boa-nova de Cristo? Lembre-se do apelo de Paulo: "...irmãos, orem por nós..." (2 Tessalonicenses 3:1) e interceda por eles diante do trono do nosso poderoso Deus. *—Jennifer Benson Schuldt*

Interceda pelos outros em oração; o trono de Deus é sempre acessível.

24 de abril

Pássaros gananciosos

Leitura:
2 Coríntios 9:6-15

E Deus pode dar muito mais do que vocês precisam para que vocês tenham sempre tudo o que necessitam e [...] para fazerem todo tipo de boas obras. —2 CORÍNTIOS 9:8

Todos os anos quando penduro o bebedor para os beija-flores, os passarinhos começam a disputar um lugar. Apesar de haver quatro espaços disponíveis "à mesa", os pássaros lutam por qualquer lugar que um de seus vizinhos esteja ocupando. A fonte de alimento em cada um dos lugares é a mesma — um reservatório de melado no fundo do bebedouro. Por saber que todos os bebedouros são iguais, balanço a cabeça ao ver a ganância deles.

E me pergunto, por que é tão mais fácil ver a ganância dos passarinhos e não a minha? Eu geralmente quero o lugar na "mesa de Deus" que pertence à outra pessoa, mesmo sabendo que todas as coisas boas vêm da mesma fonte — Deus — e que Seu estoque nunca se acabará. Já que Deus pode preparar uma mesa para nós na presença de nossos inimigos (Salmo 23:5), por que ficarmos preocupados com a ideia de que outra pessoa possa vivenciar aquilo que nós desejamos?

O Senhor é capaz de dar sempre, em tudo, ampla suficiência "...para fazerem todo tipo de boas obras" (2 Coríntios 9:8). Quando reconhecermos a importância de nosso trabalho como despenseiras da graça de Deus (1 Pedro 4:10), deixaremos de lutar para tomar a posição de outra pessoa e seremos gratas pelo lugar que Ele nos deu para servir outros em Seu nome. —*Julie Ackerman Link*

O ressentimento vem ao olharmos para outros; o contentamento vem ao olharmos para Deus.

25 de abril

Sem interesse na religião

Leitura:
João 5:18,37-47

...Quantas vezes eu quis abraçar todo o seu povo, assim como a galinha ajunta os seus pintinhos debaixo das suas asas, mas vocês não quiseram! —MATEUS 23:37

A propaganda de uma igreja no rádio me chamou a atenção: "Por já ter ouvido sobre o cristianismo, talvez não tenha interesse pela religião. Bom, você pode se surpreender — Jesus também não tinha interesse pela religião. Mas Ele apreciava relacionamentos e ensinar-nos a amar uns aos outros." Ela continuou: "Você pode não gostar de tudo em nossa igreja, mas oferecemos um relacionamento autêntico, e estamos aprendendo a amar a Deus e uns aos outros. Você é bem-vindo. Visite-nos."

Essa igreja pode ter exagerado em detalhes sobre Jesus e religião porque a Bíblia fala da "religião pura" no livro de Tiago 1:17 como ações úteis aos outros. Mas Jesus enfrentou dificuldades com pessoas religiosas em Seus dias. Ele disse que os fariseus, guiados por leis e tradições, não pelo amor ao Senhor, pareciam: "Por fora [...] boas pessoas, mas por dentro estão cheios de mentiras e pecados" (Mateus 23:28). Eles não tinham o amor de Deus em seus corações (João 5:42). Jesus queria relacionar-se com eles, mas eles não queriam "vir a [Ele] a fim de ter vida..." (v.40).

Se ser "religioso" significa seguir um conjunto de regras para parecermos bons — em vez de desfrutar de um relacionamento com o Salvador — Jesus não está interessado. Ele oferece perdão e amor a todos que desejam um relacionamento pessoal com Ele. —*Anne Cetas*

No coração de cada pessoa há um anseio tão grande que apenas Jesus pode satisfazer.

26 de abril

Sistema de honra

Leitura:
Lucas 16:1-10

Quem é fiel no pouco também é fiel no muito; e quem é injusto no pouco também é injusto no muito. —LUCAS 16:10

Muitas casas próximas à nossa vendem hortaliças e sempre-verdes à beira da estrada. Às vezes, nos dirigimos a uma banca sem ninguém cuidando, que opera segundo o "sistema de honra". Ao escolhermos o que desejamos comprar, colocamos o dinheiro numa caixa ou numa velha lata de café. Então, vamos para casa saborear as frutas e os vegetais recém-colhidos.

Mas, nem sempre esse sistema de honra funciona. Minha amiga Jaqueline tem uma banca de flores em frente à sua casa. Um dia, ao olhar para fora, pela janela, viu uma mulher bem vestida e com um enorme chapéu colocando vasos de sempre-verdes no porta-malas de seu carro. Jaqueline sorriu ao calcular mentalmente um lucro de $50 por seus trabalhos no jardim. Mas, ao verificar a caixa de dinheiro mais tarde, ela estava vazia! O sistema de honra revelara que aquela mulher não merecia honra alguma.

Talvez, para ela, levar as flores parecesse algo pequeno. Mas, ser honesto nas pequenas coisas indica como reagiremos nas grandes (Lucas 16:10). A honestidade em todas as áreas de nossa vida é uma maneira de honrarmos a Jesus Cristo, nosso Salvador. O melhor sistema de honra para um seguidor de Cristo encontra-se em Colossenses: "E tudo o que vocês fizerem ou disserem, façam em nome do Senhor Jesus e por meio dele agradeçam a Deus, o Pai" (3:17). —*Cindy Hess Kasper*

Honestidade significa nunca se preocupar se você está sendo observada.

27 de abril

Rico ou pobre?

Leitura:
Marcos 12:41-44

...esta viúva pobre deu mais do que todos.
—MARCOS 12:43

Nos últimos anos, o preço das casas despencou em vários países. Porém, o bilionário russo Yuri Milner, pagou 100 milhões de dólares por uma residência familiar, de 2.370 m². A casa tem duas piscinas: externa e interna, muitos cômodos e salas de entretenimento. Milner não tem planos de levar a família para morar nessa casa. O que ele fará com sua mansão ninguém sabe.

Esse tipo de riqueza vai muito além da minha compreensão — talvez da sua também. Jesus descreveu outro tipo de riqueza que também desafia o nosso entendimento. Ele estava "sentado perto da caixa das ofertas" e assistia aos adoradores que faziam fila para depositar sua oferta. Marcos conta que muitos "...ricos davam muito dinheiro" (v.41). Mas quando uma "viúva pobre" chegou ao gazofilácio, ela colocou timidamente: "...duas moedinhas de pouco valor" (v.42). Marcos apresenta o contraste: os ricos com suas ofertas vultosas e a viúva com sua oferta que representava pouco.

Jesus, porém, reuniu Seus discípulos e fez uma observação surpreendente: "...esta viúva pobre deu mais do que todos" (v.43). Os discípulos devem ter ficado estupefatos: será que Jesus perdeu o juízo ou sua capacidade de contar? Jesus explicou-lhes: "...os outros deram do que estava sobrando. Porém ela, que é tão pobre, deu tudo o que tinha para viver" (v.44). E Jesus percebeu o seu sacrifício. *—Winn Collier*

*Podemos ser pobres financeiramente,
porém ricas no amor a Deus e obediência a Deus.*

28 de abril

Fofoca atraente

Leitura:
Provérbios 18:6-21

O que você diz pode salvar ou destruir uma vida; portanto, use bem as suas palavras… —Provérbios 18:21

Hazel Namandingo diz que há tantos portadores de AIDS no Maláui, que os solteiros recorrem à fofoca para descobrir com quem é seguro namorar ou casar. Essa informação pode significar a diferença entre a vida e a morte, mas como geralmente acontece quando há muita coisa em jogo, os rumores infundados começam a surgir. Hazel disse que os malauianos falam mal das mulheres que têm a pele macia e das que são excepcionalmente bonitas. Eles pressupõem que devem ter tido muitos namorados, e que é melhor evitá-las para não contrair a doença.

Esta atitude tão compreensível e tão injusta ilustra a devastação que a fofoca causa. Rouba as pessoas de seu bem mais precioso, pois "O bom nome vale mais do que muita riqueza…" (22:1). Se uma nuvem de suspeita cerca a malauiana, não há como atrair candidatos a marido. Ela pode permanecer solteira por ser atraente.

A fofoca é um problema sério, então, em vez de falar de alguém, pare e faça três perguntas: *É verdade? Você tem certeza?* Deus se ira com quem que levanta falso testemunho contra o próximo (Êxodo 20:16). *É necessário?* Nem tudo o que é verdadeiro é útil para se compartilhar. Pergunte-se por que você quer "dar com a língua nos dentes". Há uma vida em risco? Sua informação evitará que alguém cometa um erro terrível? Você gosta de ser aquela que "sabe das coisas"? Qual o custo da sua indiscrição? —*Mike Wittmer*

Quando o tolo fala, ele causa a sua desgraça, pois acaba caindo na armadilha das suas próprias palavras. —Pv 18:7

29 de abril

Vá e influencie

Leitura:
Mateus 5:10-16

Vocês são o sal para a humanidade; mas, se o sal perde o gosto, deixa de ser sal e não serve para mais nada… —MATEUS 5:13

Como cristãos, somos chamados a participar na sociedade. Jesus nos chama para sermos Seus amigos (João 15:15), o Seu sal e a Sua luz (Mateus 5:13,14).

O sal é conhecido por realçar o sabor, conserva e prevenir o apodrecimento. Jesus usou esta metáfora para descrever a dupla influência que as pessoas comuns devem exercer todos os dias sobre o mundo, em Seu nome.

Primeiro, devemos realçar o que é bom. Ao encontrarmos bondade, beleza e verdade em nossos lares, escritórios, universidades, em colegas, políticos ou mídia, devemos exaltá-la. A maioria de nós sabe exprimir a desaprovação com comentários ou protestos. Mas quantos de nós escrevemos cartas de aprovação para encorajar um líder público por uma boa decisão?

Quando realçamos o que é bom, podemos encontrar um público mais receptivo para desempenharmos o nosso segundo papel influenciador: combater o que é mau. Devemos combater a decadência moral, a deterioração da sociedade, nos opor a certas ações, políticas e produtos que prejudicarão o nosso próximo, posicionando-nos contra o mal. O mundo pode nos perseguir por isto (5:10-12), mas somos chamados a amar e servir àqueles que estão contra nós (vv.43-45).

Para o teólogo John Stott, Jesus nos convoca em Mateus 5:13 para a justiça social: proteger a dignidade do indivíduo, prover direitos civis para as minorias e abolir a discriminação social e racial. *—Sheridan Voysey*

Todas as vezes que os cristãos são cidadãos conscientes, agem como sal na comunidade. —John Stott

30 de abril

Lembre-se de contar

Leitura:
Josué 4:1-9

Todos vocês que temem a Deus, venham e escutem, e eu contarei o que ele tem feito por mim. —SALMO 66:16

As Três Marias são um conjunto de estrelas da Constelação de Órion que à noite aparecem no céu. Interessei-me por esse grupo de estrelas brilhantes durante um tempo de renovação espiritual em minha vida. Quando olho para elas, volto no tempo do meu encontro com Deus. Creio que o Senhor chamou minha atenção para aquelas luzes no céu para marcar aquele momento especial com Ele. Mais de uma vez elas serviram para que eu recordasse e contasse aos outros a obra que Ele realizou em mim.

Isso parece similar ao que Deus tinha em mente ao instruir Josué que ordenasse ao povo para construir um memorial com 12 pedras às margens do rio Jordão. Deus o fez para celebrar a travessia milagrosa de Seu povo pelo Jordão em "terra seca" (3:1-17).

A passagem do rio para a Terra Prometida foi um acontecimento histórico — e Deus não queria que Seu povo a esquecesse. Ele não queria que lembrassem disso apenas para seu próprio benefício, mas para que os Seus feitos fossem compartilhados com as gerações futuras. Josué explicou: "Essas pedras ajudarão o povo a lembrar daquilo que o Senhor tem feito. No futuro, quando os seus filhos perguntarem o que essas pedras querem dizer, vocês contarão que as águas do Jordão pararam de correr no dia em que a arca da aliança atravessou o rio. Essas pedras farão com que o povo de Israel se lembre sempre desse dia" (4:6,7). Encoraje-se pelo que Deus fez em sua vida. *—Jeff Olson*

Conte aos outros as grandes coisas que o Senhor tem feito por você.

1.º de maio

Fiel até o fim

Leitura:
Hebreus 12:1-4

...e continuemos a correr, sem desanimar, a corrida marcada para nós. —HEBREUS 12:1

Após correr 32 quilômetros de uma Maratona, um corredor saiu da pista e tomou o ônibus até uma área arborizada próxima à linha de chegada. Ele reentrou na corrida e chegou em terceiro lugar. Quando os comissários lhe questionaram, ele declarou ter parado de correr porque estava cansado.

Muitos de nós conseguimos sentir a exaustão de um atleta esgotado ao corrermos a carreira da fé cristã. O livro de Hebreus nos incentiva a corrermos "...sem desanimar, a corrida marcada para nós" (12:1). Correr com perseverança exige que deixemos de lado o pecado que bloqueia o nosso caminho e larguemos os pesos que nos atrasam. Talvez tenhamos de avançar em meio à perseguição (2 Timóteo 3:12).

Para evitar desgaste e desânimo em nossa alma (Hebreus 12:3), a Bíblia nos incita a focarmos em Cristo. Quando prestarmos mais atenção nele do que em nossas lutas, perceberemos que Ele está correndo ao nosso lado — sustentando-nos quando tropeçamos (2 Coríntios 12:9) e encorajando-nos com o Seu exemplo (1 Pedro 2:21-24). Manter nossos olhos "em Jesus, pois é por meio dele que a nossa fé começa, e é ele quem a aperfeiçoa" (Hebreus 12:2) e que nos ajudará a permanecer junto à fonte de nossa força e fiéis até o fim. *—Jennifer Benson Schuldt*

Somos fortalecidas quando o centro da nossa atenção é Cristo.

2 de maio

Abra mão

Leitura:
1 Samuel 15:35–16:13

...vá a Belém, até a casa de um homem chamado Jessé, pois eu escolhi um dos filhos dele para ser rei. —1 SAMUEL 16:1

Anos atrás, passei um verão dando cambalhotas e saltos mortais, colidindo com as águas de um lago próximo. Eu estava tentando aprender esqui aquático. O doloroso esforço revelou o profundo nível de determinação que eu carregava dentro de mim. Um de meus maiores erros era a minha recusa em soltar a corda e admitir minha derrota quando caía.

Anos mais tarde, longe do ronco do motor e da água refrescante de um dia de verão, dei cambalhotas, saltos mortais e colidi com as águas de um relacionamento em busca de reconciliação. Como Samuel, lamento sobre como poderia ter sido (1 Samuel 15:35). Acreditando que o chamado de Deus na vida desse indivíduo é o de guiar outros em Sua verdade, sinto-me confusa e entristecida sobre o que ocorreu. Tentei entender por minhas forças, mas em vez disso bati na água com um feroz tapa. A mensagem foi clara: Abra mão.

Samuel poderia ter continuado a insistir que era obrigado a ver Saul endireitar-se, mas Deus tinha outros planos (16:1). A opção era se Samuel prestaria atenção à voz do Senhor ao abandonar a ideia de ter Saul como rei.

Em Romanos 12:18 Paulo escreve: "...façam todo o possível para viver em paz com todas as pessoas". Devemos fazer o possível para manter nossos relacionamentos de bom acordo com a Palavra. Há casos, porém, quando a escolha certa é a separação, mas somente se atender ao critério bíblico. —*Regina Franklin*

Jesus nos deixou a mensagem da reconciliação por meio de Sua própria vida.

3 de maio

Eu estava lá?

Leitura:
Hebreus 10:32-35

Lembrem dos presos, como se vocês estivessem na cadeia com eles. Lembrem dos que sofrem… —HEBREUS 13:3

Nunca vivi a experiência de ser perseguido por causa de religião. Sou grato por viver num país onde há liberdade e segurança para professar minha fé. Mesmo assim, em mais de 50 países ao redor do mundo, pelo menos 200 milhões de cristãos são perseguidos impiedosamente. Milhares morrem, todos os anos, apenas por amar a Jesus.

O autor da carta aos Hebreus escreveu aos cristãos que sofriam e lutavam para se manterem fiéis frente à dura perseguição. Encorajou-os a manter o olhar em Jesus, os desafiou a suportar e perseverar em sua fé (Hebreus 12:1-3). Elogiou-os por permanecerem fiéis em meio à perseguição: humilhação pública, confisco de bens, surras e prisão. Apesar do grande sofrimento, aqueles cristãos tinham alegria!

Na segurança do meu escritório em Singapura, estou longe de perseguições. Como então, devo reagir aos sofrimentos de meus irmãos e irmãs? O autor nos diz que devemos sentir o que eles sentem. “Lembrem dos presos, como se vocês estivessem na cadeia com eles. Lembrem dos que sofrem, como se vocês estivessem sofrendo com eles” (13:3).

Oremos pela Igreja Perseguida. Sintamos a dor dos que estão nas prisões ou sofrendo pela causa de Cristo. Oremos, fervorosamente, pela segurança, libertação, força, perseverança e coragem dos cristãos perseguidos para que se mantenham firmes por Jesus (Atos 12:5; Efésios 6:18-20; Hebreus 13:18; Filipenses 1:19). *—K. T. Sim*

…não percam a coragem, pois ela traz uma grande recompensa. —Hebreus 10:35

4 de maio

Linguagem do coração

Leitura:
Lucas 6:43-49

...a boca fala do que o coração está cheio.
—Lucas 6:45

Impressiono-me mais com ações do que com palavras, pois "Falar é fácil!" e "Não prometa se não puder cumprir." Tiago valoriza as ações acima das palavras e nos lembra de que não adianta só falar: "Se vocês não lhes dão o que eles precisam para viver, não adianta nada dizer: 'Que Deus os abençoe!...'" (2:16).

Meu preconceito com as palavras deixou-me desconcertado sobre o que Jesus disse aos Seus discípulos. Ele afirmou que você conhece a árvore pelos frutos, pois assim como a figueira produz figo, a videira produz uva. "A pessoa boa tira o bem do depósito de coisas boas que tem no seu coração. E a pessoa má tira o mal do seu depósito de coisas más (v.45)." Achei que o Senhor falava das obras, minhas ações demonstram que sou uma árvore boa ou má? A próxima frase indica que o fruto que o Mestre tinha em mente eram as minhas palavras, "...a boca fala do que o coração está cheio".

As palavras são a ponte entre o coração e as nossas ações. Nossas ações resultam do que pensamos (palavras), motivados pelo que somos. Preste atenção nelas. Elas são de raiva e cinismo, inflamadas por orgulho ou vazias pelo pessimismo? Seu estilo é tão sarcástico que até os seus amigos não sabem quando você está brincando ou não? Você se deleita com palavras torpes, fofocas ou as sombrias palavras dos "rumores"?

Peça a Deus para curar suas feridas antes que as suas palavras e suas ações firam outras pessoas. *—Mike Wittmer*

Analise suas palavras para diagnosticar como está o seu coração.

5 de maio

Sacerdotes modernos

Leitura:
1 Pedro 2:4-12

...Vocês foram escolhidos para anunciar os atos poderosos de Deus, que os chamou da escuridão para a sua maravilhosa luz. —1 Pedro 2:9

"Sei qual é o meu propósito", disse Oprah Winfrey. "Sou mensageira da redenção, esperança, perdão, gratidão, para despertar o melhor das pessoas." Frequentemente ela é descrita como a sacerdotisa da espiritualidade sem religião. Em seu programa de TV, ela se assemelha a uma ministra do evangelho e para alguns, suas ideias sobre vida, amor e realização equivalem a uma revelação.

Todos nós temos um tipo de "sacerdote". Para muitos, é o psicoterapeuta que ouve as histórias de culpa e ansiedade e oferece remédios para a cura. Quando o mundo secular rejeita Jesus e Sua Igreja, não abre mão de orientação espiritual, apenas a procura em outro lugar. Os seres espirituais precisam de líderes espirituais.

Quando Deus fundou Israel, ele criou um sacerdócio para mediar Sua voz e perdão ao povo (Êxodo 29:44-46; Levítico 9:7; Números 3:5-9). Jesus veio à Terra como o pastor definitivo (Hebreus 2:17; 4:14-16), para mediar a voz e o perdão de Deus a nós (João 14:10; Hebreus 9:15). E Jesus nos envia como sacerdotes (1 Pedro 2:5) para espalhar a Palavra de Deus e o Seu perdão (1 Pedro 4:11; 2 Coríntios 5:20).

As pessoas buscam guias espirituais, e somos enviados como sacerdotes. Não precisamos túnicas e colares, mas santidade e humildade (1 Pedro 2:11; 5:5). Não necessitamos de diplomas e ordenação, e sim de gentileza, preparação e conhecimento da Palavra de Deus (3:15).

Muitas vidas já foram transformadas! Indique o caminho para a salvação em Jesus Cristo. —*Sheridan Voysey*

Somos parte do sacerdócio real, propriedade de Deus, capacitadas para anunciar os atos poderosos do Senhor.

6 de maio

Essência do louvor

Leitura:
Marcos 12:28-34

...“Ame os outros como você ama a você mesmo.” Não existe outro mandamento mais importante... —Marcos 12:31

O Coral *High Five* não é um coral comum. Adolescentes com autismo, síndrome de Down e de Noonan foram reunidos e se apresentam com um grupo de pessoas que não são portadores de necessidades especiais. Nem sempre eles cantam afinados ou se movem em perfeito uníssono, mas são tão inspiradores que recebem muitos aplausos por suas apresentações.

Por que eles “põe a casa abaixo” ao final de cada concerto? Talvez por algo que a diretora Susan Vaughan destaca como sendo o propósito deste grupo: “O mais importante é que eles saiam pelo mundo e que sejam vistos pelo que são em seu interior, independentemente de sua aparência exterior.”

Pode ser fácil enfatizarmos o exterior e negligenciarmos o valor íntimo de alguém formado à imagem de Deus (Gênesis 1:27). Mas quando olhamos além da limitação, da raça, da cor do cabelo, da altura e peso de alguém — valorizando a sua alma, algo divino se acende em nossa alma. Nesses momentos, não estamos presos a nossos preconceitos, estereótipos ou tendências egoístas. Em vez disso, estamos livres para valorizar e amar as pessoas pelo que são — seres humanos como nós, com necessidades e desejos legítimos.

Momentos como estes são o que Jesus estava pensando quando, com sabedoria, resumiu a Lei de Moisés em dois mandamentos: amar a Deus com tudo o que há em nós e amar aos outros como a nós mesmos (Marcos 12:30,31). —*Jeff Olson*

Amar outras pessoas é viver a serviço daquele que nos amou primeiro.

7 de maio

Empacote você mesmo

Leitura:
Lucas 13:10-17

...[Jesus] pôs as mãos sobre ela, e ela logo se endireitou e começou a louvar a Deus. —LUCAS 13:13

Os caixas automáticos nos supermercados eram uma novidade bem popular nos EUA, mas hoje, não mais. Por quê? Parece que as pessoas gostam muito mais de fazer compras quando há uma pessoa para ajudá-las. Usar um *scanner* não é a mesma coisa. Um comprador disse: "Ter um caixa é mais interativo. Você tem alguém para dizer "oi", e tem alguém com quem falar se houver problema."

Jesus mostrou que o toque humano é essencial enquanto Ele ministrava entre nós. Quando curava alguém, Cristo geralmente o tocava fisicamente. Ele tocou o homem leproso, a mulher com febre (Mateus 8), a mulher com o fluxo de sangue, os dois cegos (Mateus 9), o surdo (Marcos 7) e o homem hidrópico, com pernas e braços inchados (Lucas 14:2).

Uma cura dramática em que Jesus usou o "toque" ocorreu num sábado (Lucas 13:10). Jesus encontrou uma mulher "...que fazia dezoito anos que estava doente, por causa de um espírito mau. Ela andava encurvada e não conseguia se endireitar" (v.11). Ele poderia ter simplesmente usado palavras como fizera com outros, mas em vez disso, Ele a tocou e ela foi curada instantaneamente. O resultado? Ela "...começou a louvar a Deus" (v.13)!

Há algo especial no toque humano. Podemos incentivar às pessoas a nossa volta e até ajudar financeiramente os necessitados. Tocá-los espiritualmente ou dar-lhes um abraço é algo que pode levá-los a dar glórias a Deus! *—Tom Felten*

Quando estendemos a mão a outro, imitamos a compaixão e o amor de Jesus.

8 de maio

Pare de se enganar

Leitura:
Tiago 1:22-26

Não se enganem; não sejam apenas ouvintes dessa mensagem, mas a ponham em prática. —TIAGO 1:22

A polícia processou um homem na Nova Zelândia, 32 vezes em 5 anos por não usar o cinto de segurança. Isso lhe custava um bom dinheiro, mas ele se recusava a usar esse equipamento. Enganava a polícia com uma tira de pano sobre o peito, imitando um cinto. Por algum tempo, burlou a fiscalização, mas isso acabou, quando se envolveu num acidente que o prensou contra a direção, tirando a sua vida. Na tentativa de enganar a polícia, enganou-se a si mesmo.

Tiago ensinou seus leitores a evitar a armadilha do autoengano, encorajando-os a ser ouvintes da Palavra de Deus (1:22). Ele entendia que ao ouvirem a Palavra, esta teria o poder de transformar as suas atitudes e ações. Deus, por meio das Escrituras, iria até a raiz das questões, e as trataria como elas são e não como os leitores gostariam que fossem tratadas.

Tiago encorajou esta congregação a praticar a Palavra (v.25). De acordo com ele, ouvir a Palavra de Deus era bom, mas não era suficiente. Eles deviam praticá-la. À medida que o espelho da Palavra de Deus revelasse o que estava fora do lugar na vida dos membros, eles deveriam alinhá-la com a verdade. Ouvir a Palavra de Deus e não praticá-la leva ao autoengano. Por outro lado, ser ouvintes e praticantes dessa Palavra produz bênção.

Ouvir e praticar as Escrituras revela como somos e não como fingimos ser (v.26) e isso nos ajuda a não nos enganarmos a nós mesmos.

—Marvin Williams

Ouvir e praticar o que a Bíblia diz traz a alegria e a bênção que acompanha a obediência.

9 de maio

Bênção aos que choram

Leitura:
Mateus 5:4-10

Felizes as pessoas que choram, pois Deus as consolará.
—Mateus 5:4

Um colega de faculdade cometeu suicídio no mesmo dia em que completava três anos da morte de sua esposa. Estava inconsolável pelas muitas formas com que tentara aliviar sua dor. Estou triste por meu amigo. Sinto por sua dor e solidão. Sinto muito por ele não ter se voltado a Deus e recebido Seu amor curador.

Muitas pessoas ao nosso redor conhecem a dor profunda. Li histórias sobre um país onde os pais alugavam suas filhas de 12 ou 13 anos à noite. Com certeza, elas choram. Uma mãe recebe notícias de que seu filho morreu num acidente de bicicleta. Uma filha senta ao lado da cama de hospital do seu pai. Uma mãe solteira trabalha demais e desmorona no fim do dia. Todos choram.

Alguns dentre nós choramos por outros. O evangelho abriu nossos olhos e pranteamos pela agonia, fome e desespero deste mundo. Choramos e algumas vezes não conseguimos parar de chorar. Às vezes, as pessoas ao redor nos dizem para nos alegrarmos, crescermos e pararmos de sentir a dor tão intensamente. Talvez tudo o que conseguimos fazer é chorar com os que choram. E é justamente aí que o reino de Deus chega em poder surpreendente e diz: "Felizes!".

Como disse o autor, Dietrich Bonhoeffer: "[Os crentes em Jesus] não vão pelo caminho procurando por sofrimento, ou o terceirizam adotando uma atitude de desprezo e desdém. Eles [...] esforçam-se para seguir a Cristo e suportam o sofrimento por Seu nome." *—Winn Collier*

Os cristãos suportam o sofrimento e esforçam-se para seguir a Jesus Cristo por amor ao Seu nome.

10 de maio

Não pare

Leitura:
Jeremias 20:7-18

Eles não o derrotarão, pois eu estarei ao seu lado para protegê-lo.
—JEREMIAS1:19

Jeremias, "o profeta chorão", esteve só a maior parte de seu ministério. Parecia que ninguém queria ouvi-lo. Foi contra a sua vontade a passar seus últimos dias no exílio e de acordo com os nossos padrões de sucesso foi um fracasso

Lendo sobre isso, perguntei-me se alguma vez ele olhou para trás, quando Deus o chamou para servir; se questionou o Senhor por aparentemente não ter mantido Sua parte no acordo (1:19). Sei que eu o faria. E fico feliz em saber que o profeta o fez. Ele registrou sua reclamação em Jeremias 20:7-18 com franqueza.

Jeremias, porém, superou o seu estado de espírito e cumpriu a vontade de Deus. Ele proclamou a Palavra de Deus, relembrou Suas promessas e o adorou (vv.11-13). Mas esta euforia não durou muito. Em seguida, ele, amaldiçoou o dia que nasceu (v.18). Se não vemos o fruto de nosso trabalho e somos recompensados com zombaria, também podemos nos sentir enganados por Deus e desejar desistir. Felizmente, ele se recompôs e Jeremias 20 registra o seu último lamento. Nos 32 capítulos restantes, o profeta permaneceu fiel a seu chamado.

O teólogo Francis Schaeffer escreveu: "O que Deus espera do profeta Jeremias? O que Ele espera de todos que pregam a nós? Vou lhe dizer o que Ele espera. Deus apenas espera que o homem siga em frente. Ele não o repreende pelo cansaço, mas também não espera que retenha a Sua mensagem porque as pessoas estão contra Ele." *—Poh Fang Chia*

Deus conhece o que está em nossa mente e em nosso coração.

11 de maio

Pesado demais

Leitura:
Salmo 32:1-6; Mateus 11:28-30

Venham a mim, todos vocês que estão cansados de carregar as suas pesadas cargas, e eu lhes darei descanso. —MATEUS 11:28

Ao dar a partida em meu carro no escuro da madrugada, percebi no painel uma luz de aviso do cinto de segurança. Verifiquei minha porta, abri e a fechei novamente. Puxei meu cinto de segurança para testá-lo. Mas, a luz do sensor permanecia acesa. Então, lentamente, estendi o braço e levantei minha bolsa até alguns centímetros acima do banco do passageiro. A luz se apagou.

Aparentemente, um telefone celular, três pacotes de moedas, um livro de capa dura e meu almoço, guardados em minha enorme bolsa, equivaliam ao peso de um passageiro pequeno, assim disparou o sensor!

Embora eu possa esvaziar facilmente uma bolsa, outros pesos não são fáceis. Alguns fardos da vida oprimem o espírito.

Seja o peso que nos oprime decorrente de culpa, como o que consumiu os pensamentos de Davi (Salmo 32:1-6); de medo, como o que Pedro sentiu (Mateus 26:20-35); ou de dúvida, como a de Tomé (João 20:24-29), Jesus nos convidou a levá-los a Ele: "Venham a mim, todos vocês que estão cansados de carregar as suas pesadas cargas, e eu lhes darei descanso" (Mateus 11:28).

Não somos feitas para suportar as pesadas cargas sozinhas. Quando as lançamos sobre aquele que deseja carregá-las (Salmo 68:19; 1 Pedro 5:7), Ele as substituiu por perdão, cura e restauração. Nenhuma carga é pesada demais para Ele. —*Cindy Hess Kasper*

Lance sobre Deus a carga que a oprime.

12 de maio

Começos de infância

Leitura:
2 Timóteo 3:14-17

Porque até o Filho do Homem não veio para ser servido, mas para servir e dar a sua vida para salvar muita gente.
—MARCOS 10:45

No verão passado, nossa igreja convidou um jovem para fazer parte da liderança. Ao compartilhar sobre os anos em que crescia na Costa Rica enquanto sua família servia a Cristo naquele mesmo país, Calebe refletiu nas palavras do livro de 2 Timóteo 3:14-17. Desde sua infância, relembrou, ele conhecia a Bíblia. Seus pais o haviam ensinado as verdades das Escrituras "...as quais lhe podem dar a sabedoria que leva à salvação, por meio da fé em Cristo Jesus" (v.15). Ele reconheceu que sua preparação para ser pastor havia começado quando ainda era criança.

Nossa congregação teve a oportunidade de "conhecer" sua família na Costa Rica em uma videoconferência. O pai de Calebe desafiou seu filho usando as palavras de Jesus sobre si mesmo no evangelho de Marcos 10:45. Ele disse: "Calebe, lembre-se do lema de nossa família: 'Estamos aqui para servir, não para sermos servidos'". Foi fácil entender como este jovem tinha desenvolvido sua maturidade na fé.

Os filhos que Deus confiou a nós são dádivas preciosas. Um bom alicerce os ajudará a desenvolverem-se até se tornarem cristãos maduros que sejam perfeitos e perfeitamente habilitados para toda boa obra (2 Timóteo 3:17). Com a ajuda de Deus podemos passar adiante o bastão da fé para as gerações futuras. Que grande privilégio sermos servos como Jesus. *—Cindy Hess Kasper*

Filhos são joias preciosas de Deus – ajude-os a reluzirem para Cristo.

13 de maio

O que está em jogo?

Leitura:
Provérbios 19:15-25

Ouça os conselhos e esteja pronto para aprender; assim, um dia você será sábio.
—Provérbios 19:20

Arrisco ou não arrisco estaquear? Esta foi a questão com a qual Marília se deparou quando plantou uma muda no verão passado. O vendedor disse: "Estaqueie por um ano para ter apoio em caso de ventos fortes. Depois remova as estacas para que a muda desenvolva raízes profundas por si só." E um vizinho lhe disse: "Estaquear pode fazer mais mal do que bem. A árvore precisa começar a desenvolver raízes fortes desde já, ou talvez nunca o faça. Em longo prazo, é melhor para o bem da planta, não estaquear."

Questionamo-nos sobre essa questão também quando o assunto é "relacionamentos". Por exemplo, se alguém se meteu em apuros, nós o resgatamos "apoiando-o", ou deixamos que essa pessoa desenvolva "raízes fortes" por conta própria, permitindo que entrente as consequências de suas escolhas? Obviamente, isso depende do que parece ser melhor para a saúde espiritual da pessoa em longo prazo. O que o amor faz e quando o faz? O livro de Provérbios 19 oferece pensamentos opostos: devemos ser "bondoso" e oferecer ajuda (v.17), contudo deixar "que a pessoa de mau gênio sofra as consequências" do que faz "pois, se você a ajudar uma vez, terá de ajudar de novo" (v.19). Para ajudarmos uns aos outros precisamos pedir por sabedoria do alto.

Deus não nos deixou sozinhos. Ele nos dará a sabedoria quando lhe pedirmos. E conforme dependemos dele, nossas raízes também se aprofundarão nele. *—Anne Cetas*

A verdadeira sabedoria olha para o mundo a partir da perspectiva de Deus.

14 de maio

A Deus demos glória

Leitura:
1 Crônicas 25:1-8

Porque era entendido em música, Quenanias foi escolhido para dirigir os músicos levitas. —1 Crônicas 15:22

Jason ficou contente quando lhe pediram para cantar na igreja que estava visitando, mesmo que o convite tenha sido feito alguns minutos antes do culto começar. Ele escolheu um hino conhecido, *A Deus Demos Glória* (CC 15), pois era uma canção significativa para ele. Ele ensaiou algumas vezes no porão da igreja e cantou-a no culto sem acompanhamento.

Semanas depois, Jason soube que algumas pessoas da igreja não gostaram de sua apresentação, achando que ele estava se exibindo. Por não o conhecerem, presumiram erroneamente que ele estava cantando para impressioná-los e não para honrar o Senhor.

No Antigo Testamento aprendemos que Deus designou pessoas com habilidades para estarem envolvidas na adoração no Templo. De trabalhadores para a construção a líderes para a adoração — as pessoas foram escolhidas com base em suas habilidades (1 Crônicas 15:22; 25:1,7).

O Senhor concedeu a cada uma de nós talentos diferentes e dons espirituais para serem usados para a Sua glória (Colossenses 3:23,24). Quando servimos com este propósito, e não para nos exaltar, não precisamos nos preocupar com o que os outros pensam. Deus nos deu o Seu melhor — o Seu Filho Jesus — e nós o honramos ao dar-lhe o nosso melhor. —*Julie Ackerman Link*

Fazemos o nosso melhor quando servimos a Deus de coração.

15 de maio

Vigilância sobrenatural

Leitura:
Mateus 6:1-6,16-18

...E o seu Pai, que vê o que você faz em segredo, lhe dará a recompensa. —MATEUS 6:18

Não muito longe de minha casa, as autoridades instalaram uma câmera para fotografar motoristas que ultrapassam o sinal vermelho. Depois, os infratores recebem, pelo correio, uma multa contendo a foto da transgressão, a prova visual de sua infração de trânsito.

Às vezes, penso em Deus da mesma maneira como penso naquela câmera — Ele está lá em cima, apenas esperando para me flagrar fazendo algo errado. Embora Deus veja nossos pecados (Hebreus 4:13), Ele também vê e se interessa por nossas boas obras. Por meio da Sua vigilância sobrenatural, Deus vê o tamanho do nosso sacrifício quando ofertamos dinheiro à igreja ou aos necessitados (Marcos 12:41-44). Ele escuta nossas orações feitas em secreto (Mateus 6:6). E, quando jejuamos, podemos portar-nos como de costume, tendo a certeza de que nosso Pai vê em secreto (v.18).

Saber que Deus vê tudo nos livra de pensar sobre os olhos vigilantes dos outros. Quando fazemos o que é certo, não necessitamos do aplauso de espectadores; quando pecamos, não precisamos nos preocupar com a nossa reputação se acertamos as contas com Deus e com aqueles a quem prejudicamos. Podemos descansar, sabendo que: "...Deus está sempre vigiando tudo o que acontece no mundo a fim de dar forças a todos os que são fiéis a ele com todo o coração..." (2 Crônicas 16:9). —*Jennifer Benson Schuldt*

*Os outros veem o que fazemos,
mas Deus vê a nossa motivação em fazer.*

16 de maio

Problemas e consolo

Leitura:
2 Coríntios 1:3-11

Ele nos auxilia em todas as nossas aflições para podermos ajudar os que têm as mesmas aflições que nós temos. —2 CORÍNTIOS 1:4

Há muitos anos quando tive um linfoma folicular e passei por testes clínicos de câncer que incluíram o uso de um agente especial — um anticorpo monoclonal. Uma amiga, que hoje luta com esse câncer, faz essa terapia como parte de seu tratamento padrão. De alguma forma meu teste clínico pavimentou o caminho para o tratamento dela.

As nossas dificuldades podem ser usadas por Deus para ajudar os outros. Paulo escreveu: "Ele nos auxilia em todas as nossas aflições para podermos ajudar os que têm as mesmas aflições..." (v.4). As suas provas hoje estão lhe preparando para ajudar alguém, amanhã. Há propósito em sua dor!

Saber disso pode nos encorajar em meio às lutas. Reconhecer que o próprio Deus está nos consolando e resgatando (vv.4,10) nos permite dar outro passo em direção à cura e ao auxílio, com confiança e em adoração (v.3). Ao enfrentamos as dificuldades é importante colocarmos os nossos olhos em dois alvos: Em Deus; "Louvado seja o Deus e Pai do nosso Senhor Jesus Cristo, o Pai bondoso, o Deus de quem todos recebem ajuda!" (v.3). E no próximo — "...Se somos ajudados, então vocês também são..." (v.6).

Ao enfrentarmos doenças, lutas relacionais, perseguições pela fé, circunstâncias difíceis além das nossas forças (v.8) — o conforto de Deus nos encontrará onde estivermos. A esperança, a paz, o amor e a alegria que Ele nos dá podem ser compartilhados generosamente. —*Tom Felten*

Deus nos consola para que possamos consolar outros.

17 de maio

Pedindo oração

Leitura:
1 Tessalonicenses 5:23-28

Irmãos, lembrem de nós nas suas orações.
—1 TESSALONICENSES 5:25

Um amigo compartilhou recentemente uma história verídica que ilustra a importância da oração. Um homem cristão andava de bicicleta e foi atingido por um caminhão que vinha a aproximadamente 70 km/h. Alguns observadores, ao vê-lo com dores e incapaz de mover-se, chamaram uma ambulância. Enquanto esperava a equipe médica chegar, perguntaram-lhe como poderiam ajudá-lo. Ele respondeu: "Orem por mim." Eles o fitaram como se fosse de outro planeta e se afastaram, desconfortáveis.

O homem, então, pediu-lhes um celular e ligou para um de seus amigos próximos. Deitado ao lado da estrada, ligou para seu amigo que espalhou o pedido de oração para outros. Dentro de alguns minutos, mais de duas dúzias de seus amigos já oravam por ele. Mais tarde, ele declarou que sentiu uma paz inexplicável dominá-lo durante aquele momento.

O apóstolo Paulo também pediu que outros orassem por ele (vv.23-28). Relatou uma dificuldade que provavelmente encontraria e escreveu: "...peço, irmãos, pelo nosso Senhor Jesus Cristo [...] que me ajudem, orando com fervor por mim. Orem para que eu escape das pessoas da Judeia que não creem em Cristo..." (Romanos 15:30,31).

Em outra carta, Paulo "implorou" aos seus amigos cristãos que o elevassem em oração, porque sabia que uma das coisas mais importantes que podemos fazer em tempos de necessidade ou crise é ter outros para interceder por nós. *—Jeff Olson*

Orem também para que Deus nos livre das pessoas más e perversas... (2 Tessalonicenses 3:1,2).

18 de maio

O amor fere

Leitura:
1 João 3:11-24

...Cristo deu a sua vida por nós. Por isso nós também devemos dar a nossa vida pelos nossos irmãos. —1 João 3:16

Uma atriz divorciou-se de seu príncipe italiano porque o casamento lhe exigia muito esforço e trazia pouca diversão. "Acho que o amor não deva exigir trabalho. Tentamos, mas não estávamos felizes", disse ela.

Esses comentários refletem a má compreensão do significado e da motivação do amor. Parece que ela crê que o amor é apenas um sentimento e deduz que seu propósito é dar prazer a nós mesmos, não ao outro. Sugere que o amor exista para nos fazer felizes e que se não for assim, não estamos mais apaixonados. Ela se acha muito romântica, com padrões muito elevados e não quer fingir. Na verdade, seus padrões não são tão altos, são muito baixos. Espero que um dia ela encontre a plenitude do amor que Jesus oferece.

O apóstolo João declara que o amor verdadeiro foi mais claramente revelado na cruz. O sacrifício de Jesus prova que o amor não é um sentimento, a menos que conte o sentimento de desespero que brotou de Seu clamor: "...Meu Deus, meu Deus, por que me abandonaste" (Marcos 15:34)? O amor não busca sua própria felicidade, mas requer que nos sacrifiquemos uns pelos outros. Paulo explica que "Quem ama nunca desiste, porém suporta tudo com fé, esperança e paciência" (1 Coríntios 13:7). Em outras palavras, exige muito trabalho.

O amor não garante a felicidade. Ame assim mesmo, pois vale a pena. *—Mike Wittmer*

Ame algo e seu coração certamente será espremido e possivelmente magoado. —C. S. Lewis

19 de maio

Comida que satisfaz

Leitura:
Eclesiastes 6:7-9

Todos trabalham duro para ter o que comer, mas nunca ficam satisfeitos. —Eclesiastes 6:7

A pergunta: "Por que você trabalha?" fazia parte da pesquisa sobre o grau de satisfação dos trabalhadores. Minha resposta não foi altruísta sobre como eu poderia melhorar o desenvolvimento da sociedade. Respondi que trabalho para sobreviver, e para colocar comida na mesa da minha família. Seja você o presidente de uma empresa, ou um estagiário, você trabalha essencialmente para a sua próxima refeição. A fome é cíclica. Não importa se você comeu bem hoje, terá fome amanhã e é o estômago vazio nos motiva a trabalhar (Pv 16:26).

O homem mais sábio da Terra disse: "Todos trabalham duro para ter o que comer, mas nunca ficam satisfeitos" (v.7), ou "Todo trabalho do homem é para a sua boca; e, contudo, nunca se satisfaz o seu apetite" (ARA).

Salomão não falava apenas de comida, mas das coisas materiais que acreditamos que nos trarão alegria e felicidade. O trabalho e bens materiais podem nos trazer satisfação (Ec 3:22; 5:19). Pois é "...melhor ficar satisfeito com o que se tem do que estar sempre querendo mais" (6.9).

Se a comida, pela qual trabalhamos, não satisfaz, como encontrar satisfação? Talvez precisemos pensar seriamente no que Jesus falou sobre a comida que lhe deu propósito e satisfação. "A minha comida — disse Jesus — é fazer a vontade daquele que me enviou e terminar o trabalho que ele me deu para fazer" (João 4:34). Fazer a vontade de Deus é a comida que satisfaz. —*K. T. Sim*

Os bens materiais jamais satisfarão a fome de nossa alma. Fazer a obra de Deus é o que gratifica.

20 de maio

Coragem simples

Leitura:
Deuteronômio 31:1-8

Sejam fortes e corajosos...
—DEUTERONÔMIO 31:6

Quando Kasper Llaug soube de um ataque na Noruega, e que pessoas precisavam de ajuda, ele prontamente preparou material, pulou em seu barco e navegou para lá. Encontrou pessoas mutiladas. Um atirador tinha disparado contra as pessoas num acampamento. Llaug conduziu seu barco à margem e carregou tantas pessoas quanto pôde. Acenou para outros, que pareciam indiferentes. Estavam mortos.

Com o atirador à solta, Llaug percebeu que estavam ainda mais vulneráveis no barco. Ele manteve o grupo quieto e vagarosamente se dirigiu para longe da costa. E fez mais duas viagens! Mais tarde, disse: "Muitas pessoas fizeram exatamente a mesma coisa."

Quando Moisés deu ao povo de Israel as instruções para a viagem, disse-lhes para terem coragem. Ela seria necessária ao enfrentarem seus inimigos e ao se estabelecerem em sua terra: "...não se assustem, nem tenham medo deles..." (v.6). Ele lhes disse para viverem corajosamente.

Moisés exortou o povo a viver sem medo, não com a coragem firmada em sua determinação, mas no fato de que o Senhor era o Deus deles. "...o SENHOR, nosso Deus, quem irá com vocês. Ele não os deixará, nem abandonará" (v.6).

Enquanto virmos a coragem como um feito extraordinário daqueles que são particularmente fortes ou disciplinados, não obedeceremos ao convite de Deus para vivermos livres do medo. A coragem não vem porque somos fortes, mas porque Deus é forte. —*Winn Collier*

O Deus Todo-poderoso nos enche de coragem quando confiamos nele verdadeiramente.

21 de maio

Trabalho árduo

Leitura:
1 Timóteo 4:13-16

Cuide de você mesmo e tenha cuidado com o que ensina. [...] pois assim você salvará tanto você mesmo como os que o escutam.
—1 Timóteo 4:16

Meu filho entrou para o time principal da escola aos 12 anos. Ele era novo na equipe e tinha conseguido uma vaga no time principal antes mesmo do início da nova temporada. Os técnicos viram o seu esforço e permitiram que ele jogasse a partida final. O esforço e a atitude dele foi um exemplo do que a Bíblia chama de diligência, isto é: uma combinação de trabalho duro e perseverança. A diligência é uma qualidade elogiada nas Escrituras, no ministério e na vida pessoal.

Paulo encorajou Timóteo a exercer o seu ministério diligentemente. Ele queria que seu aprendiz se empenhasse na leitura pública das Escrituras. O povo de Deus já tinha essa prática bem antes do tempo de Paulo (2 Reis 23:2). O apóstolo pediu ao discípulo que se esforçasse na pregaçao e no ensino usando seus dons espirituais na exposição e aplicação dos textos.

Paulo também aconselhou Timóteo a cuidar bem de sua vida particular. Desafiou aquele jovem a vigiar seu comportamento e sua teologia. Queria que Timóteo compreendesse que suas ações revelavam o que ele cria e sua fé era confirmada pela forma como vivia. Como recompensa da diligência nestas áreas, Timóteo não só continuaria a desenvolver a sua salvação, mas incentivaria os outros a fazerem o mesmo (Fp 2:12,13).

O Senhor deseja que você, pelo poder do Espírito Santo, tenha um ministério consistente e poderoso em todas as áreas de sua vida.

—Marvin Williams

Permita que Deus a use para influenciar outros a exercitarem a sua salvação com temor e tremor.

22 de maio

Olhando para baixo

Leitura:
Lucas 18:9-14

...não se achem melhores do que realmente são. Pelo contrário, pensem com humildade a respeito de vocês mesmos... —ROMANOS 12:3

Após me submeter a uma pequena cirurgia ocular, a enfermeira me disse: "Não olhe para baixo nas próximas duas semanas. Nada de cozinhar ou fazer limpeza." A última parte dessas instruções foi um pouco mais fácil de cumprir do que a primeira! As incisões precisavam cicatrizar, e ela não queria que eu colocasse nenhum tipo de pressão desnecessária sobre elas ao olhar para baixo.

C. S. Lewis escreveu sobre outro tipo de olhar para baixo que pode nos causar um grande problema: "Em Deus, você se depara com algo que é, em todos os aspectos, infinitamente superior a você mesmo [...] Enquanto você for orgulhoso, não poderá conhecer a Deus. O homem orgulhoso sempre olha de cima para baixo para as outras pessoas e coisas: e claro, enquanto você olha para baixo, não pode enxergar o que está acima de si" *Cristianismo puro e simples* (Martins Fontes, 2006).

Jesus contou uma parábola sobre um fariseu que se sentia superior aos outros. Em uma oração cheia de orgulho, ele agradeceu a Deus por não ser como os outros homens (Lucas 18:11). Ele olhou de cima para baixo para os ladrões, os injustos, adúlteros e para o coletor de impostos que também estava orando no Templo. Em contraste, o coletor de impostos sabia que era pecador diante de Deus e pediu por Sua misericórdia (v.13).

O orgulho pode ser um problema para todos nós. Que não olhemos de cima para outros, mas em vez disso, vejamos o Deus que está muito acima de nós. —*Anne Cetas*

O orgulho espiritual é o mais arrogante de todos os tipos de orgulho.

23 de maio

Um bom homem

Leitura:
Romanos 3:10-18

Pois pela graça de Deus vocês são salvos por meio da fé. Isso não vem de vocês, mas é um presente dado por Deus. —Efésios 2:8

"Geraldo era um bom homem", disse o pastor no funeral de Geraldo Stevens. "Ele amava sua família, era fiel à sua esposa, serviu seu país nas Forças Armadas, foi excelente pai, avô e um grande amigo."

Em seguida, o pastor continuou dizendo aos amigos e parentes reunidos que a boa vida que ele levava e as boas obras de Stevens não eram suficientes para assegurar-lhe um lugar no Céu. E que o próprio Stevens teria sido o primeiro a dizer-lhes isso!

Stevens acreditava nas seguintes palavras da Bíblia: "Todos pecaram e estão afastados da presença gloriosa de Deus" (Romanos 3:23) e que "...o salário do pecado é a morte..." (6:23). O destino final e eterno na jornada da vida não fora determinado por ele ter vivido uma vida realmente boa, mas unicamente por Jesus ter morrido em seu lugar para pagar o preço pelo pecado. Ele acreditou que cada um de nós deve aceitar pessoalmente o dom gratuito de Deus, que é "...a vida eterna, que temos em união com Cristo Jesus, o nosso Senhor" (6:23).

Stevens foi um bom homem, mas nunca poderia ter sido "bom o suficiente". Nós também não podemos. É somente pela graça que somos salvos por meio da fé. E isso não tem absolutamente nada a ver com os nossos esforços humanos. "...é um presente dado por Deus" (Efésios 2:8).

"Agradeçamos a Deus o presente que ele nos dá, um presente que palavras não podem descrever!" (2 Coríntios 9:15). —*Cindy Hess Kasper*

*Não somos salvas por boas obras,
mas pela obra de Deus em nosso favor.*

24 de maio

Mostrar e contar

Leitura:
João 13:5-17

Pois eu dei o exemplo para que vocês façam o que eu fiz.
—João 13:15

Se você fizesse um curso de redação ou fosse a uma conferência de escritores, provavelmente ouviria: "Não conte, mostre." Em outras palavras, "mostre" aos seus leitores o que está acontecendo, não apenas lhes conte. Não conte aos leitores o que você fez; descreva enquanto o faz.

Uma das razões por nossa tendência ser contar ao invés de mostrar é por ser mais rápido e fácil. Mostrar como se faz algo exige tempo e esforço. Ao ensinar, é mais fácil dizer aos estudantes o que está errado do que mostrar-lhes como fazer da maneira correta. Este último, no entanto, é mais eficaz.

Por milhares de anos, o povo judeu teve apenas a Lei dizendo-lhes o que fazer e o que não fazer. Mas Jesus Cristo veio e lhes mostrou a maneira de viver sobre a qual Deus lhes falara o tempo todo. Jesus não disse simplesmente: "Sejam humildes"; Ele "...foi humilde e obedeceu a Deus..." (Filipenses 2:8). Ele não disse simplesmente: "Perdoe os outros"; Ele nos perdoou (Colossenses 3:13). Ele não disse apenas: "Ame a Deus e o seu próximo"; Ele demonstrou amor por Suas ações (João 15:12).

O exemplo perfeito do amor de Cristo demonstra o imenso amor de Deus por nós e como devemos demonstrar o Seu amor aos outros.

—Julie Ackerman Link

O amor é a vontade de Deus em ação.

25 de maio

Rejeitando os ruivos?

Leitura:
Salmo 127:1-5

Os filhos são um presente do SENHOR; eles são uma verdadeira bênção. —SALMO 127:3

Por que o maior banco mundial de esperma rejeita os ruivos? Porque não há clientes suficientes querendo filhos com essa cor de cabelo. O único país que tem demanda suficiente é a Irlanda, país conhecido por ter pessoas com belos cachos ruivos. Penso que eles refletem a beleza e a criatividade encontrada em cada criança, todas feitas à imagem de Deus.

No Salmo 127:3, Salomão diz que para Deus os filhos são presentes. Independentemente da cor do cabelo, são bênçãos dadas aos pais para que os amem e cuidem (103:13). Cada um foi planejado e criado por Deus e tudo o que Ele faz "...é maravilhoso..." (139:14,15). Se forem saudáveis, sem limitações físicas, mentais, ou não, significa que foram cuidadosamente criados pelo Senhor (Êxodo 4:11).

No mundo exige-se a perfeição e muitas pessoas, às vezes, querem se realizar por meio da vida de seus filhos, é fácil rejeitá-los se não atingirem as expectativas parentais. Os filhos deveriam ser cobrados em amor, para cumprir padrões e comportamentos razoáveis? Com certeza. Mas Deus conhece os nossos pontos fortes e fracos e ainda assim nos ama. Os pais deveriam seguir o Seu exemplo.

Talvez você não tenha filhos, ou tenha uma "aljava" cheia (127:5 ARA). Ao interagir com esses seres preciosos, feitos à imagem de Deus, lembre-se de que eles são um presente! Merecem respeito e amor e podem nos ensinar algo sobre a fé (Marcos 10:15). —*Tom Felten*

Devemos receber nossos filhos com amor e nunca os rejeitar, pela maneira como foram planejados por Deus.

26 de maio

Quando o amor chegou à cidade

Leitura:
Tito 3:3-6

Ele nos libertou do poder da escuridão e nos trouxe em segurança para o Reino do seu Filho amado. —COLOSSENSES 1:13

Meu amigo tem gosto musical bem variado. Perguntei-lhe sobre uma música que ouvia e a julgar pelo modo como se movia, sabia que a música lhe falava à alma.

Ele ouvia a canção *When Love Comes to Town* (Quando o amor chegou à cidade) do U2, que fala sobre a vida de um homem antes de ser resgatado pelo amor de Jesus. Este trecho da letra o tocou: "Era um marinheiro perdido no mar. Estava sob as ondas antes de ser resgatado pelo amor. Estava lá quando crucificaram meu Senhor. Segurei a bainha quando o soldado sacou sua espada. Arremessei os dados quando furaram o Seu lado. Mas vi o amor vencer a grande separação" (tradução livre).

Lembrei-me de Paulo antes do amor de Jesus entrar em sua vida: "...não tínhamos juízo e éramos rebeldes e maus. Éramos escravos das paixões e dos prazeres de todo tipo e passávamos a nossa vida no meio da malícia e da inveja. Os outros tinham ódio de nós, e nós tínhamos ódio deles" (Tito 3:3). O comentarista bíblico, Warren Wiersbe, disse que isso precisa de pouca explicação. Sabemos o que isso significa por nossa experiência pessoal.

Paulo continuou: "...quando Deus, o nosso Salvador, mostrou a sua bondade e o seu amor por todos, ele nos salvou porque teve compaixão de nós, e não porque nós tivéssemos feito alguma coisa boa. Ele nos salvou por meio do Espírito Santo, que nos lavou fazendo com que nascêssemos de novo e dando-nos uma nova vida" (vv.4,5). —*Jeff Olson*

Agradeçamos a Deus pelo dia em que o Seu amor chegou a nós.

27 de maio

Pátria celestial

Leitura:
Hebreus 11:8-16

Mas nós somos cidadãos do céu e estamos esperando ansiosamente o nosso Salvador, o Senhor Jesus Cristo, que virá de lá… —FILIPENSES 3:20

Certa tarde, durante o Ensino Médio, minha melhor amiga e eu pegamos dois cavalos para passearmos. Lentamente, atravessamos campos de flores silvestres e bosques. Mas, quando direcionamos os cavalos para o estábulo, eles dispararam para casa como dois foguetes. Nossos amigos equinos sabiam que era hora de jantar e de uma boa escovada, e estavam ansiosos por isso.

Como cristãos, nossa verdadeira casa é o Céu (Filipenses 3:20). Mesmo assim, às vezes, nossos desejos nos prendem ao aqui e agora. Desfrutamos os bons presentes de Deus — casamento, filhos, netos, viagens, carreiras, amigos. Ao mesmo tempo, a Bíblia nos desafia a focarmos "…nas coisas lá do alto…" (Colossenses 3:1,2). As coisas lá do alto podem incluir os benefícios invisíveis do Céu: presença permanente de Deus (Apocalipse 22:3-5), repouso eterno (Hebreus 4:9) e herança incorruptível (1 Pedro 1:4).

Li recentemente que: "Os cristãos desejam a herança celestial; e, quanto maior é a fé, mais fervoroso [é o desejo]". Vários fiéis do Antigo Testamento mencionados em Hebreus 11 tinham grande fé em Deus, o que os capacitou a aceitar Suas promessas antes de recebê-las (v.13). Uma dessas promessas era o Céu. Se depositarmos a nossa fé em Deus, Ele nos fará desejar aquela "pátria celestial" (v.16) e nos fará ter desapego deste mundo. *—Jennifer Benson Schuldt*

Para o cristão, a palavra Céu se escreve L-A-R.

28 de maio

Onde eles estiverem

Leitura:
Romanos 12:9-18

Alegrem-se com os que se alegram e chorem com os que choram.
—Romanos 12:15

Fiquei profundamente triste ao saber que minha sobrinha, com dois meses de gravidez, descobriu que o seu bebê estava morto. Enviei-lhes uma mensagem expressando a minha tristeza e reafirmando o meu amor por eles. Horas mais tarde, outra sobrinha deu à luz a uma saudável menina. Também lhes enviei uma mensagem expressando a minha alegria e reafirmando o meu amor. Que montanha-russa de emoções!

Paulo escreveu: "Alegrem-se com os que se alegram e chorem com os que choram" (v.15). A expressão dessas emoções genuínas, além de apropriada, reflete o próprio coração de Deus e revela o Seu amor por outros. Ele dá instruções específicas para a maneira como os cristãos devem pensar e agir. Declara francamente que a salvação não envolve apenas ser perdoado dos pecados; mas de ser transformado de dentro para fora. Ao escrever: "Que o amor de vocês não seja fingido..." (v.9), declarou que o nosso amor por outros deve ser "...amor de irmãos" (v.10), refletindo o que recebemos de Jesus (Rm 12–15).

As pessoas vivem diferentes momentos da vida, umas estão no topo, outras no vale escuro. Paulo escreveu: "Repartam com os irmãos necessitados..." (v.13). Em outras palavras, encontre as pessoas onde elas estão, não onde você está. As verdadeiras expressões de amor: lamentos sinceros ou lágrimas de alegria demonstram que você está interessada, e que se importa com as pessoas ao seu redor. *—Tom Felten*

Imitemos o Senhor ao compartilharmos o nosso amor com os outros.

29 de maio

Um olhar interior

Leitura:
Salmo 139:23,24

Ó Deus, examina-me e conhece o meu coração! Prova-me e conhece os meus pensamentos. —SALMO 139:23

Certa vez um cliente descontente me disse que não via necessidade de um cristão procurar aconselhamento, e acrescentou: "autorreflexão e autopercepção são perda de tempo. Nossa vida se endireitaria se fizéssemos o que a Bíblia nos diz para fazer".

Às vezes, fazer o que a Bíblia nos ensina não é tão simples. Ela nos convoca a olhar para dentro de nós mesmos para identificarmos o porquê de nos desviarmos do caminho bíblico.

Por exemplo, Davi não parecia pensar que o "olhar interior" fosse perda de tempo quando escreveu: "Ó Deus, examina-me e conhece o meu coração! Prova-me e conhece os meus pensamentos. Vê se há em mim algum pecado…" (Sl 139:23,24).

Jesus disse aos outros para olhar com seriedade para o seu interior. Aos líderes religiosos, que agiam como se tivessem tudo em ordem, disse: "Ai de vocês, mestres da Lei e fariseus, hipócritas! Pois vocês lavam o copo e o prato por fora, mas por dentro estes estão cheios de coisas que vocês conseguiram pela violência e pela ganância. Fariseu cego! Lave primeiro o copo por dentro, e então a parte de fora também ficará limpa!" (Mateus 23:25,26).

Às vezes, um olhar ao nosso interior revela o nosso orgulho. Ou descobrimos que fomos enganados por mentiras horríveis por toda a vida.

Seja durante um aconselhamento ou durante o seu momento de oração, o olhar interior é necessário e bíblico. —*Jeff Olson*

Estar consciente do que nos aflige pode nos guiar humildemente Àquele que nos ajudará.

30 de maio

Gentileza e respeito

Leitura:
1 Pedro 3:8-16

Tenham no coração de vocês respeito por Cristo e o tratem como Senhor. [...] expliquem a esperança que vocês têm... —1 PEDRO 3:15

Um cristão escreveu sobre o que restou da fé de um pastor que não crê mais em Jesus: "...ele se tornou uma piada, um monte de lixo anêmico, murcho e diluído, uma caricatura da convicção religiosa. Qualquer ateu ou seguidor da Nova Era poderia apresentar esse absurdo grotesco". As declarações francas têm o seu lugar, mas essas palavras de um blog cristão me assustaram. Não tenho certeza de que voltaria à fé se fosse descrito dessa forma.

Pedro, ao falar aos cristãos que estavam sendo perseguidos (1 Pedro 1:6; 4:12), os aconselhou sobre como comunicar sua fé ao mundo:

• Tenham no coração respeito por Cristo e o tratem como Senhor (3:15). Vivam como Ele viveu (1 João 2:6). Jesus, nosso modelo.

• Estejam sempre prontos para responder (1 Pedro 3:15). Conheçam bem a fé que professam e as Escrituras. O componente intelectual do testemunho.

• Façam isso com educação e respeito (v.16). Não sejam grosseiros, nem ridicularizem ou ofendam as pessoas. O tom do testemunho.

• Tenham boa conduta como seguidores de Cristo (v.16). Vivam de modo pacífico, amoroso, humilde e paguem o insulto com bênção (vv.8,9). Ética.

O cristianismo enfrenta hostilidades hoje, mas quando debochamos dos que nos rejeitam, negamos o nosso Senhor e esvaziamos a força do nosso argumento. Jamais devemos ameaçar ou ridicularizar.

Há alguns de nós, que professamos crer em Jesus, que precisam pedir desculpas. *—Sheridan Voysey*

Ser gentil e respeitoso significa tratar os outros de forma justa, dando-lhes o crédito devido.

31 de maio

Recibo do pecado

Leitura:
1 Samuel 15:1-35

E Samuel perguntou: — Então por que é que estou ouvindo o mugido de gado e o berro de ovelhas? —1 SAMUEL 15:14

Ao passear por uma exibição num museu sobre a Guerra Civil Americana, vi um recibo pela compra de uma escrava entregue por um mercador de escravos. Ficamos chocados com o comércio de seres humanos, mas aquelas pessoas estavam tão alheias ao horror de seus pecados que guardaram o recibo!

Senti desgosto pelo ato desprezível que tinham cometido e também pelas muitas vezes em que nos orgulhamos com os nossos recibos do pecado. Ilegalmente baixamos músicas ou filmes, e nos recusamos a apagá-los de nossa lista. Cobiçamos alguém que não é nosso cônjuge. Perdemos a calma e depreciamos um colega de trabalho, e depois nos vangloriamos sobre como "o colocamos em seu lugar". Em vez de nos envergonharmos de nossos pecados, acenamos com nossos recibos no ar e dizemos: "Vejam o que eu fiz!".

O verdadeiro arrependimento elimina esses momentos "de orgulho". Faz-nos desistir de qualquer "benefício" que obtivemos (1 Samuel 15:13,14). Saul tentou parecer honroso quando Samuel lhe perguntou por que ele havia guardado o recibo de seu pecado, e ele disse: "...meus soldados [...] pegaram as melhores ovelhas [...] para oferecer como sacrifício ao SENHOR..." (v.15). Mas Saul finalmente admitiu, "...pequei! [...] Desobedeci às ordens de Deus, o SENHOR [...] perdoe o meu pecado..." (vv.24,25).

Tarde demais, Samuel respondeu: "...Deus rasgou das suas mãos o Reino de Israel e o deu a alguém que é melhor do que você..." (v.28).

—Mike Wittmer

Não é tarde demais: Abandone o seu pecado e não se orgulhe dele.

1.º de junho

Oculto em meu coração

Leitura:
Salmo 119:9-16

Guardo a tua palavra no meu coração para não pecar contra ti.
—SALMO 119:11

Estou me acostumando a ler revistas digitais, e sinto-me bem por estar salvando árvores. Além disso, não tenho de esperar as revistas chegarem pelo correio. Entretanto, sinto falta das edições impressas, porque gosto de correr meus dedos pelas páginas brilhantes e recortar minhas receitas favoritas.

Tenho também uma edição digital da Bíblia em meu dispositivo de leitura. Mas ainda tenho minha Bíblia impressa favorita — a que sublinhei e li muitas vezes. Não conhecemos o futuro da página impressa, mas de uma coisa sabemos: O melhor lugar para a Palavra de Deus não é em nossos telefones celulares, dispositivos de leitura eletrônica ou mesas de cabeceira.

No Salmo 119, lemos acerca de guardar as Escrituras em nosso coração: "Guardo a tua palavra no meu coração..." (v.11). Nada se compara a ponderar a Palavra de Deus, aprender mais sobre o Senhor e colocá-la em prática em nossa vida diária. O melhor lugar para a Sua Palavra se encontra na profundidade de nossa alma.

Podemos ter muitas desculpas para não ler, meditar ou memorizar, mas precisamos da Palavra de Deus. Oro para que Deus nos ajude a guardar a Sua Palavra no melhor lugar possível — nosso coração. *—Keila Ochoa*

O melhor lugar para a Palavra de Deus é o nosso coração.

2 de junho

Rejeite a apatia

Leitura:
Neemias 1:1-10

Aí o Rei responderá: "Eu afirmo a vocês que isto é verdade: quando vocês fizeram isso ao mais humilde dos meus irmãos, foi a mim que fizeram". —MATEUS 25:40

A sala era salpicada com cores encantadoras, enquanto mulheres em belos sáris circulavam dando os toques finais para um evento beneficente. Essas mulheres indianas vivem hoje fora do seu país. Contudo, continuam preocupadas com o seu país de origem. Ao saberem da situação financeira de uma escola cristã para crianças autistas na Índia, elas não só ouviram sobre a necessidade, mas também a levaram a sério e reagiram.

Neemias não permitiu que a sua posição de copeiro e confidente do homem mais poderoso da época anulasse a sua preocupação com seus compatriotas. Ele falou com recém-chegados de Jerusalém para descobrir a condição da cidade e dos seus cidadãos (Neemias 1:2) e soube que "...aqueles que não tinham morrido [...] estavam passando por grandes dificuldades [...] que as muralhas de Jerusalém ainda estavam caídas e que os portões que haviam sido queimados ainda não tinham sido consertados" (v.3).

O coração de Neemias se abateu. Ele lamentou, jejuou e orou, pedindo a Deus para fazer algo a respeito das terríveis condições (v.4). O Senhor o capacitou a voltar a Jerusalém para liderar o esforço de reconstrução (2:1-8).

Neemias fez muito por seu povo porque pediu grandes coisas ao grande Deus e confiou nele. Que Deus abra os nossos olhos às necessidades dos que nos rodeiam e nos ajude a abençoá-los solucionando seus problemas com paixão e criatividade. —*Poh Fang Chia*

Os que andam com Deus não ignorarão as necessidades dos outros.

3 de junho

Deus tanto amou...

Leitura:
João 3:13-19

[Então Jesus disse: –Pai, perdoa esta gente!
Eles não sabem o que estão fazendo.] —LUCAS 23:34

O dia 28 de julho de 2014 marcou o centenário do início da Primeira Guerra Mundial. Na mídia britânica, muitas discussões e documentários relembraram o início daquele conflito de 4 anos de duração. Um programa de TV, baseado em uma loja de departamentos que existe em Londres, incluiu um episódio ambientado em 1914, que mostrava os rapazes, que eram os funcionários na época, fazendo fila para se voluntariarem para o exército. Enquanto observava essas demonstrações de abnegação, senti um nó na garganta. Os soldados mostrados eram muito jovens e ávidos, e tinham pouca probabilidade de retornar do horror das trincheiras.

Embora Jesus não tenha ido à guerra para derrotar um inimigo terreno, Ele foi à cruz para derrotar o inimigo definitivo — pecado e morte. Jesus veio ao mundo para demonstrar o amor de Deus em ação e para morrer de modo horrendo para que pudéssemos ser perdoados de nossos pecados. E Ele estava preparado até mesmo para perdoar os homens que o açoitaram e crucificaram (Lucas 23:34). Ele venceu a morte por Sua ressurreição e, por isso, agora, podemos fazer parte da família eterna de Deus (João 3:13-16).

Aniversários e memoriais nos lembram de acontecimentos históricos importantes e feitos heroicos. A cruz nos traz à memória a morte de Jesus e a beleza do Seu sacrifício em prol da nossa salvação.

—Marion Stroud

A cruz de Jesus é a suprema prova do amor de Deus. —Oswald Chambers

4 de junho

Beleza verdadeira

Leitura:
1 Pedro 3:1-12

...a beleza [...] deve estar no coração, [...] é a beleza de um espírito calmo e delicado, que tem muito valor para Deus . —1 PEDRO 3:4

Cerca de 30 mil pessoas foram informadas de que não eram tão atraentes quanto pensavam e foram excluídas de um site de namoro para "pessoas lindas", por não se adequarem ao perfil desejado. O porta-voz do site justificou-se: "Não podemos simplesmente varrer para debaixo do tapete 30 mil pessoas feias. Isso não é muito legal."

Alegro-me em saber que Deus não nos vê com o olhar instável e subjetivo do ser humano. Ele vê a verdadeira beleza no caráter: a essência daqueles que conhecem o seu mundo com a glória do Senhor. O apóstolo Pedro escreveu às esposas cristãs: "Não procure ficar bonita usando enfeites [...] a beleza deve estar no coração, pois ela não se perde; ela é a beleza de um espírito calmo e delicado, que tem muito valor para Deus" (1 Pedro 3:3,4).

Pedro era contra as joias e penteados? Não, ele apenas enfatizava que Deus deseja a beleza interior. Nossa vida deve refletir a pureza, reverência e santidade (vv.2-5,9). Agindo assim, fazemos o que fomos chamados a fazer (Gálatas 3:27).

Você pode pensar que a sua personalidade é mais forte do que gentil, mais barulhenta do que silenciosa. Deus a entende; Ele lhe deu a sua personalidade. Ao buscar se tornar cada vez mais como Jesus, Ele lhe moldará na bela pessoa que Ele planejou que você fosse.

"A formosura é uma ilusão, e a beleza acaba, mas a [pessoa] que teme o SENHOR Deus será elogiada" (Provérbios 31:30). —*Tom Felten*

Busquemos a beleza verdadeira – Deus e Sua glória irradiando de nosso interior.

5 de junho

Quem você mais ama?

Leitura:
1 João 4:11-19

Nós amamos porque Deus nos amou primeiro.
—1 JOÃO 4:19

Certa vez, uma criança pequena perguntou: "Papai, a quem você ama mais, a mim ou a meu irmão?" O pai sabiamente explicou-lhe que amava a cada um de seus filhos da mesma forma, mas que, às vezes, expressava seu amor de maneiras diferentes.

Mais tarde, a criança fez uma pergunta diferente a seu pai: "Papai, a quem você ama mais, a Jesus ou a mim?" O pai disse a sua filha que amava mais a Jesus, pois sem o amor de Jesus por ele, não seria capaz de amar tanto a seus filhos.

A resposta desse pai se compara às palavras de João que escreveu a um grupo de cristãos chamando-os de "filhinhos" (1 João 2:1). Ele lembrou-lhes: "Nós amamos porque Deus nos amou primeiro" (4:19).

João se considerava como um dos filhos de Deus, e enfatizou o amor paternal do Senhor ao escrever: "Vejam como é grande o amor do Pai por nós! O seu amor é tão grande, que somos chamados de filhos de Deus e somos, de fato, seus filhos..." (1 João 3:1). E Jesus novamente afirmou: "Porque Deus amou o mundo tanto, que deu o seu único Filho..." (João 3:16). Repare que Jesus não escreveu somente que Deus nos amou, mas enfatizou que Deus nos amou "tanto", destacando novamente o amor de um pai.

Os pais amam tanto os seus filhos e lutam por eles. É dessa forma que o nosso Pai celestial nos ama. De acordo com o apóstolo João, a compaixão de Deus se torna a nossa compaixão que, por sua vez, repassamos aos outros. *—Jeff Olson*

O amor de Deus pode nos mover a fazer grandes coisas por Ele e por outros.

6 de junho

Más intenções

Leitura:
Mateus 5:21-26

Mas eu lhes digo que qualquer um que ficar com raiva do seu irmão será julgado. —Marcos 5:22

A ira nos alerta contra a injustiça, e revela os nossos sentimentos ruins. Faz-nos desejar que a justiça seja feita, e querer a derrota de alguém, seja por palavras ou atitudes.

Há muitos anos, tive uma rixa com um colega de trabalho e às vezes gostaria que ele sumisse. Estava tão consumido por ira que desejava o seu mal. Minha raiva por ter sido prejudicado se tornou intensa e repulsiva.

Para os líderes religiosos da época de Jesus, que seguiam os Dez Mandamentos ao pé da letra (Êxodo 20:13), em algumas situações, nenhum pecado era cometido se não houvesse um assassinato de fato. Porém, Jesus via além disso. Ele enxergava a raiz das intenções. O verdadeiro pecado era a ira intensa (Mateus 5:22), e o assassinato era apenas uma das maneiras que este pecado poderia destruir alguém.

Raca era a palavra aramaica para insultar a inteligência de alguém. O equivalente de hoje seria "idiota". *Mōre*, a palavra grega para "tolo", é uma exclamação de ódio e um insulto com a intenção de destruir o caráter alheio. Seria como usar termos vulgares para depreciar alguém. Você percebe como estas palavras são destrutivas? O desprezo desumaniza a pessoa, declara-a sem valor e busca a sua destruição. Jesus alertou que palavras assim receberiam o julgamento divino mais severo (v.22).

Todos somos feitos à imagem de Deus (Gênesis 1:27), e o amor deve ser a nossa marca (Mateus 5:44; 22:37-39). *—Sheridan Voysey*

O amor de Deus é derramado em nosso coração pelo Espírito Santo... (Romanos 5:5).

7 de junho

Perdido

Leitura:
Lucas 15:1-32

Se algum de vocês tem cem ovelhas e perde uma, por acaso não vai procurá-la? […] vai procurar a ovelha perdida até achá-la.

—Lucas 15:4

Perdi minha aliança de casamento, quando me banhava num rio. Estou arrasado. Não consigo repor o valor que perdi. Mas, mesmo que tenha pena de mim mesmo, perdi apenas a minha aliança; outros perderam seus casamentos.

Alguns tiveram cônjuges que decidiram pela busca egoísta do "autoconhecimento". Outros perderam seus cônjuges em acidentes trágicos. Um amigo descreve o ferimento na cabeça de sua esposa como o dia em que a "perdeu". Ela está viva e se movendo, mas não é mais a mesma pessoa com quem ele se casou.

Outros perderam empregos, seja por excesso de pessoal ou flutuações de uma economia instável, outros ainda, a sua saúde. Minha lista de orações me faz lembrar que muitos amigos e famílias estão arcando com fardos pesados de perdas trágicas.

Deus também sofreu perdas. Jesus contou parábolas sobre a ovelha perdida (Lucas 15:4-7), a moeda perdida (vv.8-10) e o filho perdido (vv.11-32) para descrever Sua compaixão pelos perdidos. Ele entende a angústia de perder algo valioso, e o desejo desesperado de tê-lo de volta. O Senhor é como o pastor que deixa 99 ovelhas para encontrar a perdida (v.4), a mulher que procurou sua moeda (v.8) ou o pai que vê o seu filho retornando (v.20).

Como reagir às perdas? Devemos lamentar (Eclesiastes 3:4). Mas lamentamos com esperança, sabendo que, mesmo não conseguindo compreender, tudo ficará bem quando Jesus retornar (Apocalipse 22:20). *—Mike Wittmer*

E então oremos com todos os santos,
"... Amém! Vem, Senhor Jesus!".

8 de junho

Absolutamente grata

Leitura:
1 Tessalonicenses 5:12-22

...sejam agradecidos a Deus em todas as ocasiões. Isso é o que Deus quer de vocês por estarem unidos com Cristo Jesus.

—1 Tessalonicenses 5:18

Minha filha é alérgica a amendoim. Sua sensibilidade é tão aguda, que comer até o menor fragmento de um amendoim ameaça a sua vida. Por esse motivo, nós lemos cuidadosamente os rótulos das embalagens dos alimentos. Carregamos uma seringa contendo medicamento (para reações alérgicas) em todo lugar que vamos. E, quando comemos fora, telefonamos com antecedência e perguntamos à equipe do restaurante a respeito dos itens do cardápio.

Apesar destas precauções, ainda fico preocupada com sua segurança atual e futura. Esta situação não é algo pelo qual eu seria naturalmente grata. Contudo, a Palavra de Deus nos desafia: "sejam agradecidos a Deus em todas as ocasiões. Isso é o que Deus quer de vocês por estarem unidos com Cristo Jesus" (1 Tessalonicenses 5:18). Não há como fugir disto. Quando o futuro é incerto, quando a dor nos abate e quando surgem as necessidades, Deus quer que oremos com gratidão.

É difícil ser grata nas dificuldades, mas não impossível. Daniel "...ajoelhou-se e orou, dando graças ao seu Deus..." (Daniel 6:10), sabendo que a sua vida estava em perigo. Jonas clamou e disse: "...eu cantarei louvores, e te oferecerei sacrifícios..." (Jonas 2:9) enquanto estava no ventre de um peixe! Estes exemplos, com a promessa de Deus de que Ele coopera para o nosso bem e a Sua glória (Romanos 8:28), podem nos inspirar a sermos gratas em tudo. *—Jennifer Benson Schuldt*

Podemos dar graças a Deus em todas as circunstâncias, pois Ele não nos desampara.

9 de junho

Seguidores volúveis

Leitura:
João 12:12-19; 19:14-16

...Veja! Aí vem o seu Rei, montado num jumentinho!"
—João 12:15

Como a opinião pública pode mudar rápido! Quando Jesus entrou em Jerusalém para a festa da Páscoa, Ele foi aclamado por multidões que desejavam coroá-lo rei (João 12:13). Mas, ao fim da semana, as multidões exigiam que Ele fosse crucificado (19:15).

Reconheço pertencer a essas multidões volúveis. Amo aplaudir um time que está vencendo, mas o meu interesse esfria quando ele começa a perder. Amo fazer parte de um movimento local, novo e empolgante, mas quando essa energia se desloca para outra parte da cidade, estou pronta para deslocar-me também. Amo seguir a Jesus quando Ele está fazendo o impossível, mas saio de fininho quando Ele espera que eu faça algo difícil. É empolgante seguir a Jesus quando o faço como parte da multidão, "da onda". É fácil confiar nele quando Ele derrota os espertos e os poderosos (Mateus 12:10; 22:15-46). Mas quando Ele começa a falar a respeito de sofrimento, sacrifício e morte, eu hesito.

Gosto de pensar que teria seguido Jesus até a cruz — mas, tenho minhas dúvidas. Afinal, se não me posiciono em favor dele em lugares onde isso é seguro, o que me faz pensar que o faria cercada pela multidão de Seus opositores?

Sou muito grata por Jesus ter morrido por seguidores inconstantes, assim podemos nos tornar seguidores fiéis. *—Julie Ackerman Link*

Cristo conclama as Suas seguidoras a segui-lo em tempo integral.

10 de junho

Hospitalidade

Leitura:
1 Pedro 4:7-11

Hospedem uns aos outros, sem reclamar.
—1 Pedro 4:9

Ano passado, alguns de nós estávamos ajudando a montar pacotes de material num evento de divulgação do *Pão Diário* numa reconhecida Bienal de livros, quando uma jovem, Karina, nos cumprimentou e perguntou-nos como estávamos. Era o meio da manhã e ela tinha certeza de que sentíamos fome e sede. Eu disse a ela que estávamos "bem", e ela respondeu: "Imagino que vocês estejam bem, mas precisam comer algo." Alguns minutos depois ela voltou com água gelada e alguns petiscos.

Durante os dois anos em que estivemos lá, Karina vinha para verificar como estávamos e trazia comida ou água e levava embora o nosso lixo. Em certa ocasião, eu a agradeci e disse: "Você tem o dom da hospitalidade, não tem, Karina?!" Ela olhou para baixo e respondeu, "Não sei. Mas você escreve as mensagens devocionais e eu faço a limpeza; e assim Deus é glorificado."

O desejo dela é glorificar a Deus ao ajudar as pessoas. Definitivamente, ela tem o dom da hospitalidade e o exerce muito bem. Deus agraciou cada um de Seus filhos com habilidades e competências para que Ele possa ministrar aos outros por nosso intermédio. Você encontra esses dons listados nos livros de Romanos 12:4-13; 1 Coríntios 12:27-31; Efésios 4:7-12 e 1 Pedro 4:9-11.

O Senhor nos dotou "...para que em tudo Deus seja louvado por meio de Jesus Cristo, a quem pertencem a glória e o poder para todo o sempre..." (1 Pedro 4:11)! —*Anne Cetas*

Você é singular – criada para glorificar a Deus como ninguém mais poderia.

11 de junho

Sempre aceito

Leitura:
João 1:6-13

Aquele que é a Palavra veio para o seu próprio país, mas o seu povo não o recebeu. —João 1:11

O especialista em finanças, Warren Buffet, uma das pessoas mais ricas do mundo, não foi aceito pela Universidade de Harvard aos 19 anos. Depois de ter falhado na entrevista de admissão, ele relembra a "sensação de pavor" junto à preocupação com a reação de seu pai em relação à notícia. Em retrospectiva, Buffet diz, "[Tudo] em minha vida que eu achava ser esmagador, na ocasião, depois foi o melhor."

A rejeição, embora indiscutivelmente dolorosa, não deve nos impedir de realizar o que Deus quer que façamos. Os cidadãos da cidade natal de Jesus negaram que Ele era o Messias (João1:11), e muitos dos Seus seguidores mais tarde o rejeitaram (6:66). Assim como a rejeição de Jesus foi parte do plano de Deus para o Seu Filho (Isaías 53:3), também o foi para o ministério ininterrupto de Jesus. Suportando a rejeição terrena e sabendo que o Pai se afastaria dele no Calvário (Mateus 27:46), Jesus prosseguiu, curando doentes, expulsando demônios, e pregando as boas-novas às massas. Antes de sua crucificação Jesus disse ao Pai: "o trabalho que me deste para fazer..." (João 17:4).

Se a rejeição tem se tornado um obstáculo para a obra que Deus lhe deu para fazer, não desista. Lembre-se de que Jesus compreende, e aqueles que vêm a Ele serão sempre aceitos por Jesus (6:37).

—Jennifer Benson Schuldt

Ninguém nos compreende mais e melhor do que Jesus.

12 de junho

Avançando o sinal

Leitura:
1 Coríntios 6:12-20

Será que vocês não sabem que o corpo de vocês faz parte do corpo de Cristo? —1 Coríntios 6:15

A autora Dannah Gresh escreve que o sexo casual pode causar perdas. Ela relata cientificamente o vínculo que ocorre entre duas pessoas que o praticam. Há um processo químico durante o encontro. Ela afirma: "não há nada biologicamente breve em um caso amoroso", e as pessoas podem ficar emocionalmente marcadas pelo sexo fora do casamento. E ressalta o que Paulo diz: "Ou será que vocês não sabem que o homem que se une com uma prostituta se torna uma só pessoa com ela? As Escrituras Sagradas afirmam: "Os dois se tornam uma só pessoa." Porém quem se une com o Senhor se torna, espiritualmente, uma só pessoa com ele" (1 Coríntios 6:16,17). A citação que Paulo inseriu, tirada de Gênesis 2:24, é precedida por estas palavras: "…por isso que o homem deixa o seu pai e a sua mãe para se unir com a sua mulher…".

De Gênesis a Apocalipse vemos Deus em amor ordenar aos Seus filhos a absterem-se de relações sexuais fora do casamento. Por quê? Há pelo menos três razões:

Ela nega e desafia a santidade do casamento, algo que reflete a intimidade de Jesus com Sua Noiva, a Igreja (1 Coríntios 6:15; Efésios 5:25,29-32).

Cria um falso vínculo que causa dor emocional e relacional (Gênesis 2:24; 1 Coríntios 6:16).

Revela um coração impuro que não está totalmente comprometido com Deus (vv.9,13,18-20; Efésios 5:3,8,10). *—Tom Felten*

A vontade de Deus é que vocês sejam santificados: abstenham-se da imoralidade sexual. —1 Tessalonicenses 4:3

13 de junho

Traído por um amigo

Leitura:
Lucas 6:27-36

Desejem o bem para aqueles que os amaldiçoam e orem em favor daqueles que maltratam vocês. —Lucas 6:28

Uma das cenas mais chocantes no filme *Coração Valente* é quando William Wallace percebe que o seu compatriota o traiu ao alinhar-se secretamente com os ingleses. Wallace, que lutou muito pela liberdade da Escócia, está tão triste que fica totalmente sem forças no campo de batalha, mesmo com soldados ingleses dando cobertura à sua posição.

Poucas coisas nos marcam tão profundamente como a traição. Davi descreve a traição que sofreu nas mãos de um amigo íntimo: "Não era um inimigo que estava zombando de mim; se fosse, eu poderia suportar; [...] Porém foi você mesmo, meu companheiro, meu colega e amigo íntimo! Conversávamos com toda a liberdade e íamos juntos adorar com o povo no Templo" (Salmo 55:12-14).

É difícil lidar com as consequências da violação da confiança. Perdoar não significa esquecer imediatamente o que aconteceu e confiar na pessoa que nos traiu.

Os cristãos são chamados a zelar pelo bem-estar daqueles que os traíram e a lembrar que essa pessoa ainda é importante. Elas têm necessidades temporárias e eternas, mesmo que não admitam o mal que nos causaram. Demonstrar que nos importamos com elas ajudará a não as rejeitar.

Importar-se com a outra pessoa não significa que precisamos ser ingênuos. Continua sendo nosso dever exercer o bom senso e refletir cuidadosamente no que a pessoa diz e faz. Devemos usar o discernimento divino ao lidarmos com a traição. —*Jeff Olson*

...Sejam espertos como as cobras e sem maldade como as pombas. —Mateus 10:16

14 de junho

Um deus destrutivo

Leitura:
Mateus 6:19-34

...Vocês não podem servir a Deus e também servir ao dinheiro.
—Mateus 6:24

É perigoso ignorar que existem vários "deuses" buscando a nossa adoração, e que assumimos as qualidades dos deuses a quem servimos. Jesus descreve o dinheiro como um destes deuses e, o mundo secular nos diz o quanto isso nos afeta.

O psicólogo Oliver James destaca em seu livro *The Selfish Capitalism* (O capitalismo egoísta) os efeitos do materialismo. Pela importância que dão ao dinheiro, bens e aparência física, os materialistas sofrem níveis crescentes de depressão, ansiedade, agressividade, narcisismo, adição a substâncias químicas e relacionamentos rompidos. À medida que a dedicação a estes deuses crescem, nos tornamos menos leais, perdoadores, solidários e alegres e tendemos mais ao cinismo, temor, insegurança e manipulação. James diz que a maioria dos distúrbios psiquiátricos modernos é desconhecido fora do Ocidente. A cultura materialista nos adoece.

Jesus sabia disto e afirmou que a riqueza compete por nossa adoração (v.24) e que somos moldados pelas riquezas que amamos (v.21). Adverte-nos de que a obsessão por bens materiais gera ansiedades (vv.25-32) e escuridão à alma, roubando de nós a vida e seu propósito (vv.22,23).

Como nos livrar disso? Renunciando ao deus do dinheiro e servindo ao Deus de amor (v.24), estar sob Seu cuidado e confiar nele para nos suprir (vv.26,30). Devemos organizar nossa vida priorizando o Senhor. A adoração ao dinheiro nos destrói. *—Sheridan Voysey*

A adoração ao Deus verdadeiro traz vida, alegria e paz (Romanos 14:17; 15:13).

15 de junho

Segurança

Leitura:
Salmo 46:1-11

Deus é o nosso refúgio e a nossa força, socorro que não falta em tempos de aflição. Por isso, não teremos medo… —SALMO 46:1,2

O século 21 está se tornando assustadoramente imprevisível. Enquanto a tecnologia corre à frente em alta velocidade, as empresas reverenciadas de ontem, são hoje comuns. Poucos negócios podem descansar tranquilos, pois a mesma tecnologia que lhes dá uma margem de folga hoje, pode capacitar os competidores a superá-los amanhã.

Se você tem um emprego seguro, o que fazer com o seu rendimento? A poupança rende pouco e as ações parecem mais arriscadas do que a roleta-russa. As grandes dívidas podem levar os países a imprimir mais moeda, gerar inflação descontrolada e corroer a poupança de todos.

Felizmente, o Salmo 46 nos lembra de que Deus não está preocupado com estes perigos (v.1). Tsunamis podem varrer as montanhas mais altas e levá-las para o mar, mas Deus permanece firme no controle de todas as circunstâncias (v.2). E o Senhor nos ajudará, pois, "As nações ficam apavoradas, e os reinos são abalados. Deus troveja, e a terra se desfaz. O SENHOR Todo-Poderoso está do nosso lado; o Deus de Jacó é o nosso refúgio" (vv.6,7).

A resposta natural a um tsunami é fugir para as montanhas. Mas quando as montanhas mais altas despencam no oceano, não há onde se esconder. A resposta sobrenatural pode ser contraditória, mas é a única esperança de salvação. Desacelere — "Parem de lutar e fiquem sabendo que eu sou Deus…" (v.10). *—Mike Wittmer*

Há nuvens escuras se formando ao seu redor?
Pare, conheça o Senhor e descanse nele.

16 de junho

Diplomas ao mar

Leitura:
Filipenses 3:1-9

...considero tudo uma completa perda, comparado com aquilo que tem muito mais valor, isto é, conhecer completamente Cristo Jesus... —FILIPENSES 3:8

John Sung (1901–44) completou uma brilhante carreira acadêmica em universidades americanas em apenas 5 anos. Mas uma questão lhe perturbava: "O que adianta alguém ganhar o mundo inteiro, mas perder a vida verdadeira" (Mt 16:26)? Decidiu cursar teologia, mas ficou muito confuso com seus professores que rejeitavam a Bíblia.

Ao procurar por respostas na Palavra de Deus, sua alma foi repentinamente transformada. Mas sua experiência de conversão foi rejeitada, e ele internado num asilo! Nos 193 dias em que lá esteve, leu a Bíblia 40 vezes. Quando saiu, foi para a China. Durante a viagem, jogou fora todos os seus diplomas, exceto o de doutorado que enviou como presente ao pai. E dedicou sua vida para ganhar almas para Cristo.

Para o mundo, as atitudes dele eram inexplicáveis. Paulo também foi treinado para ser especialista em leis (At 22:3), tinha credenciais incomparáveis (Fp 3:5,6). Ao encontrar-se com Jesus, sua vida foi radicalmente transformada (At 9:1-30). Tornou-se "...apóstolo e mestre para anunciar o evangelho" (2 Tm 1:11) para os gentios (At 9:15).

Paulo "jogou fora" seus diplomas. Seu raciocínio? "...todas essas coisas valiam muito para mim; mas agora, por causa de Cristo, considero que não têm nenhum valor. [...] comparado com aquilo que tem muito mais valor, isto é, conhecer completamente Cristo Jesus, o meu Senhor. Eu joguei tudo fora como se fosse lixo..." (Fp 3:7,8). *—K. T. Sim*

Não é tolo quem dá o que não pode manter, para ganhar aquilo que não pode perder. —Jim Elliot

17 de junho

Nunca dorme

Leitura:
Salmo 121

O protetor do povo de Israel nunca dorme, nem cochila.
—Salmo 121:4

Vários motoristas de uma autoestrada ligaram para a polícia, dizendo que um caminhão ziguezagueava pela estrada. Cerca de 6h30 da manhã, a polícia identificou o veículo e fez sinal para o caminhão encostar. Quando o policial se aproximou do veículo, encontrou um garoto de 8 anos na direção, enquanto o pai dele dormia no assento de passageiros.

O comportamento imprudente deste pai colocou seu filho e outras pessoas em extremo perigo. Ele deveria ter sido a primeira pessoa em quem o garoto pudesse confiar para manter sua segurança, porém, este pai colocou o seu próprio filho sob risco. Muitos de nós já fomos expostos ao perigo ou desprotegidos por alguém em quem confiávamos. Por isso questionamos sobre quem realmente cuidará de nós, quem nunca nos abandonará.

O salmista declara que há apenas Um em quem podemos sempre confiar. Deus é o Único que "...não deixará que você caia" (Salmo 121:3). Os olhos de Deus estão sempre abertos e Ele está sempre vigilante. A mão do Senhor está sempre pronta para agir.

Já sentimos o ferrão da traição; suportamos o peso das boas intenções de outros tomarem outro rumo. E pior, já fizemos o mesmo com outros. Deus quer que recebamos apoio da família e dos amigos, mas não devemos acreditar que isso será nossa suprema fonte de segurança, pois o nosso socorro " vem do Senhor Deus..." (v.2).

Deus está sempre atento às nossas necessidades. —*Winn Collier*

O Senhor não cochila. Ele não fica cansado. Deus está sempre pronto a nos ajudar.

18 de junho

Criticismo

Leitura:
Daniel 6:1-4

...procuraram achar um motivo para acusar Daniel [...], mas não encontraram. Daniel era honesto e direito, e ninguém podia acusá-lo... —DANIEL 6:4

Certo domingo, um pastor subiu ao púlpito e desculpou-se pelo curativo em seu rosto. Ele disse: "Enquanto me barbeava, estava pensando no sermão e me cortei." Mais tarde, encontrou um bilhete na bandeja das ofertas que dizia: "Da próxima vez, pense em seu rosto e corte o sermão." A crítica deve ter doído mais do que o corte.

Ninguém gosta de ser criticado, mas isso é inevitável. A Bíblia ensina a lidar com o criticismo: primeiro, certas críticas devem ser ignoradas porque somente Deus pode julgar o coração de alguém (1 Coríntios 4:2-5). Não precisamos nos entristecer ou defender do que dizem a nosso respeito. Em seguida, resolva as desavenças e os ofendidos amenizarão sua postura (Provérbios 15:1) e buscarão o perdão (Mateus 18:15). Isso tende a dispersar a tensão do criticismo.

A integridade não significa perfeição, mas idoneidade e consistência de caráter. Essa é a melhor defesa contra a crítica (Daniel 6:4).

Por último, aceite a crítica construtiva. Algumas nos ferem para nos aprimorar e nos ajudam a enfrentar a vida (Salmo 141:5; Provérbios 10:17; 15:5; 27:6; 28:23). Elas podem ser exatamente o que precisamos para crescer em maturidade espiritual.

Como seguidores de Jesus, somos chamados a viver em humildade, paz e domínio próprio. Que possamos dar ao Espírito Santo toda a liberdade para que Ele nos ajude a reagir ao criticismo de modo que honremos a Deus. *—Marvin Williams*

Nossa reação às críticas revela o quanto temos crescido na sabedoria de Jesus.

19 de junho

Um lugar de abrigo

Leitura:
Salmo 61

Eu te peço que me deixes viver no teu Templo toda a minha vida, para ficar protegido debaixo das tuas asas. —SALMO 61:4

Os sem-teto em países ricos têm um novo abrigo noturno. Uma instituição de caridade criou bancos especiais que se convertem em abrigos temporários. O encosto do banco pode ser levantado, criando uma cobertura que pode proteger uma pessoa do vento e da chuva. À noite, esses espaços de dormir são fáceis de achar, devido à sua mensagem que brilha no escuro, na qual se lê: Este banco é um quarto.

A necessidade de abrigo pode ser física e também espiritual. Deus é um refúgio para a nossa alma quando estamos atribulados. O rei Davi escreveu: "No meu desespero, longe do meu lar, eu te chamo pedindo ajuda. Põe-me em segurança numa rocha bem alta" (Salmo 61:2). Quando estamos emocionalmente oprimidos, somos mais vulneráveis às táticas do inimigo — medo, culpa e luxúria são algumas de suas armas favoritas. Necessitamos de uma fonte de estabilidade e segurança.

Se nos refugiarmos em Deus, poderemos ter vitória sobre o inimigo quando ele tenta influenciar o nosso coração e mente, "pois tu és o meu protetor, o meu forte defensor contra os meus inimigos", disse Davi ao Senhor. "...Eu te peço que me deixes [...] ficar protegido debaixo das tuas asas" (vv.3,4).

Quando estamos sobrecarregados, temos paz e proteção por meio do Filho de Deus, Jesus Cristo, que diz: "...tenham paz. No mundo vocês vão sofrer; mas tenham coragem. Eu venci o mundo" (João 16:33).

—Jennifer Benson Schuldt

Em meio as tempestades da vida podemos nos abrigar em Deus, nosso alto refúgio.

20 de junho

O que é amor?

Leitura:
Salmo 103:1-14

E o amor é isto: não fomos nós que amamos a Deus, mas foi ele que nos amou e mandou o seu Filho... —1 João 4:10

Se perguntamos: "O que é o amor?", as crianças têm algumas grandes respostas. Gabriela, de 8 anos, disse: "Amor é quando você diz a um garoto que você gosta da sua camisa, e ele a usa todos os dias." Rebeca, de 7, respondeu: "Desde que a vovó ficou com artrite, ela não consegue mais se curvar e lixar as unhas dos pés. Então, o vovô sempre faz isso por ela o tempo todo, mesmo depois de suas mãos também terem artrite. Isso é amor." Jéssica, também de 8 anos, concluiu: "Você realmente não deve dizer 'eu te amo', a não ser que você realmente queira dizer isso. Mas se você quer realmente dizer isso, deve dizer muitas vezes. As pessoas se esquecem."

Às vezes precisamos nos lembrar de que Deus nos ama. Nós nos concentramos nas dificuldades da vida e questionamos: "Onde está o amor?" Mas se paramos e consideramos tudo o que Deus tem feito por nós, nos lembramos o quanto somos amadas por Ele, que é amor (1 João 4:8-10).

O Salmo 103 enumera os "benefícios" que Deus derrama sobre nós em amor: Ele perdoa os nossos pecados (v.3), nos farta de bens (v.5), faz justiça e julga (v.6). Ele não se ira facilmente e é muito amoroso (v.8). Ele não nos castiga como merecemos (v.10) e afasta de nós os nossos pecados, quanto o Oriente está longe do Ocidente (v.12). Ele não se esqueceu de nós!

O que é amor? Deus é amor e Ele derrama esse amor sobre você e sobre mim. —*Anne Cetas*

A morte de Cristo é a medida do amor de Deus por você.

21 de junho

Palavras dos sábios

Leitura:
Eclesiastes 9:13-18

É melhor ouvir as palavras calmas de uma pessoa sábia do que os gritos de um líder numa reunião de tolos.
—Eclesiastes 9:17

O marido de minha sobrinha escreveu recentemente essas palavras em um site de mídia social: "Eu diria muito mais on-line, se não fosse por essa pequena voz que me leva a não o fazer. Sendo cristão, talvez você pense que essa voz seja a do Espírito Santo. Não é. É a voz da minha esposa, Heidi."

Com o sorriso vem um pensamento preocupante. As advertências de um amigo que tem discernimento podem refletir a sabedoria de Deus. "É melhor ouvir as palavras calmas de uma pessoa sábia do que os gritos de um líder numa reunião de tolos" (Eclesiastes 9:17).

As Escrituras nos advertem para não sermos sábios ou soberbos aos nossos próprios olhos (Provérbios 3:7; Isaías 5:21; Romanos 12:16). Em outras palavras, não presumamos ter todas as respostas! Provérbios 19:20 diz: "Ouça os conselhos e esteja pronto para aprender; assim, um dia você será sábio." Seja um amigo, cônjuge, pastor ou colega de trabalho, Deus pode usar os outros para nos ensinar mais de Sua sabedoria.

"No coração das pessoas sensatas mora a sabedoria, mas os tolos não a conhecem" (Provérbios 14:33). Parte de reconhecer a sabedoria do Espírito é descobrir como devemos ouvir e aprender uns com os outros. Agradeçamos a Deus porque a Sua Palavra nos ensina a amá-lo e a amar os outros. —*Cindy Hess Kasper*

A verdadeira sabedoria começa e termina com Deus.

22 de junho

Nenhum outro Deus

Leitura:
Êxodo 20:1-7

Não adore outros deuses; adore somente a mim.
—Êxodo 20:3

No livro *Modes of Faith* (Métodos da fé), Theodore Ziolkowski examina a vida de escritores europeus do século 19 que perderam a sua fé em Deus. Ele descobriu que quando dispensavam o Deus da Bíblia, outro "deus" tomava Seu lugar.

Ziolkowski enumera os cinco "deuses" mais atraentes a eles e seus leitores. A arte era divina para alguns, a peregrinação um deus exótico para outros, e a política — especialmente o socialismo e o comunismo — tornou-se outra divindade. Alguns esperavam que o nazismo preenchesse o vácuo, e outros que uma utopia futura realizasse seus sonhos espirituais. Estes escritores necessitaram de um substituto para colocar no lugar de Deus.

Acontece o mesmo conosco. O autor Tim Keller, diz: "Nosso Deus, é algo tão central e essencial à vida que se o perdêssemos, a vida dificilmente valeria a pena." Atualmente os deuses do sucesso, dinheiro, status, beleza, fama, sexo e família clamam por nossa lealdade.

"Não adore outros deuses; adore somente a mim", diz o verdadeiro Deus (v.3). Não devemos substituí-lo por nada (v.4). As razões são claras: "...Não há nenhum outro deus, a não ser ele" (Dt 4:35). Só Ele pode nos salvar (Êx 20:2). Fomos feitos para viver em comunhão com este Deus (Gn 1:26-31; 3:1-24; Romanos 1:20-25). Nada mais é tão importante do que adorar somente a Ele. Em última análise, todos os substitutos são inadequados. *—Sheridan Voysey*

O Deus verdadeiro é digno de lealdade máxima, qualquer outro deus ferirá o nosso coração.

23 de junho

Ponderação cuidadosa

Leitura:
Provérbios 19:1-13

Há mais esperança para um tolo do que para uma pessoa que fala sem pensar. —PROVÉRBIOS 29:20

Você já teve uma conversa acalorada com alguém e impulsivamente disse algo ruim a essa pessoa, sabendo o impacto negativo que causaria a ela? Percebeu, na hora, que havia desembainhado uma "espada" que já não poderia recolher? Fez algo apressadamente sem poder retroagir? A Bíblia descreve este tipo de comportamento como precipitação: agir sem avaliar cuidadosamente as possíveis consequências e riscos.

Embora nem tudo o que é dito ou feito precipitadamente sempre seja pecado, isto demonstra falta de sabedoria (19:2), envolve a rapidez em se irar (14:29) e é um convite aberto à vergonha (25:8). Há muitos exemplos bíblicos deste tipo de comportamento e suas consequências.

Jefté agiu precipitadamente quando fez o voto de sacrificar a primeira pessoa ou animal que visse saindo de sua casa para encontrá-lo (Juízes 11:31-39). Uzá estendeu a mão e segurou a arca da aliança (2 Samuel 6:6,7). Moisés precipitou-se ao bater na rocha (Números 20:10-12). Tiago e João invocaram o fogo contra os samaritanos (Lucas 9:53,54), Pedro cortou a orelha de Malco (Mateus 26:51-53).

Aqui estão os antídotos contra a precipitação: Reconheça e submeta-se a Deus: Confie em Sua presença para guiá-lo e aprecie a importância do discurso e das ações bem pensadas. Quando estamos cheios do Espírito Santo e experimentamos o Seu fruto (Gálatas 5:22,23), nossa precipitação vai embora. *—Marvin Williams*

...cada um esteja pronto para ouvir, mas demore para falar e ficar com raiva. —Tiago 1:19

24 de junho

Fome de Deus

Leitura:
Deuteronômio 4:9-14

...a Escritura Sagrada é inspirada por Deus e é útil para ensinar a verdade, condenar o erro, corrigir as faltas e ensinar a maneira certa de viver. —2 TIMÓTEO 3:16

A-poe-la-pi é um membro idoso dos Akha, uma tribo que vive nas montanhas da província de Yunnan, na China. Quando o visitamos em uma viagem missionária, A-poe-la-pi nos disse que perdeu o estudo bíblico semanal por causa das fortes chuvas. Em seguida, nos implorou: "Vocês poderiam compartilhar a Palavra de Deus comigo?"

A-poe-la-pi não sabe ler; por isso, o encontro semanal é vital para ele. Quando lemos a Bíblia, ele a ouviu atentamente. Sua atitude honesta lembrou-me de que honramos o Senhor, quando ouvimos atentamente a história das Escrituras inspiradas.

Em Deuteronômio 4, Moisés exortou os israelitas a ouvirem atentamente as regras e ordenanças que ele lhes ensinava (v.1). Ele os lembrou de que a fonte e inspiração por trás do ensino não era outra senão o próprio Deus, que havia falado com eles "...do meio do fogo..." do Sinai (v.12). Moisés disse: "Deus lhes anunciou a aliança que estava fazendo com vocês e mandou que obedecessem aos dez mandamentos, que depois escreveu em duas placas de pedra..." (v.13).

Que a fome de A-poe-la-pi por ouvir a Palavra de Deus incentive desejo semelhante em nós. Como o apóstolo Paulo nos lembra em 2 Timóteo 3:15,16, as Escrituras foram inspiradas e dadas para o nosso bem e crescimento — para nos tornar sábias na salvação e nos caminhos de Deus. *—Poh Fang Chia*

Conhecer a Cristo, a Palavra Viva, é amar a Bíblia, a Palavra escrita.

25 de junho

Como Jesus

Leitura:
Colossenses 3:12-14

Assim o amor em nós é totalmente verdadeiro [...] a nossa vida neste mundo é como a vida de Cristo. —1 João 4:17

Precisei dar referências pessoais sobre um amigo a uma agência de missões. Enquanto o "avaliava", fiquei imaginando como meus pares me avaliariam como cristão. Fiquei imaginando que notas eu teria nestes oito indicadores de santidade: misericórdia, bondade, humildade, delicadeza, paciência, tolerância, perdão e amor.

Misericórdia é compaixão que entra na dor do outro com empatia. Bondade é tratar os outros com respeito e dignidade, dando valor e honra ao outro. Humildade, a virtude mais rara e também principal de um cristão por se opor ao orgulho (o pior dos pecados); é não fazer nada que seja egoísta, interesseiro, ou por autopromoção. Delicadeza e brandura: capacidade de colocar de lado os seus direitos pelo bem do outro e disposição de sofrer o prejuízo em vez de causá-lo. Paciência é autocontrole; é resignação, é não explodir de raiva, é ter temperança (v.12).

Tolerância e perdão representam a habilidade de aguentar sem retaliar, mas orando: Pai, não faça isso contra ele ou ela (v.13). É o amor o manto que envolve e unifica todas estas virtudes (v.13,14).

Vemos nisso a pessoa de Jesus, e devemos desenvolver as "...qualidades que o Senhor Jesus Cristo tem..." (Romanos 13:14; Gálatas 3:27). Ser santo é ser como Cristo — "...é como a vida de Cristo" (1 João 4:17), até nos tornarmos como Ele (Romanos 8:29; 1 Coríntios 15:49). *—K. T. Sim*

Quando o amor domina, há beleza, harmonia e maturidade. —1 Coríntios 13

26 de junho

A paz de Jesus

Leitura:
João 20:11-23

...Que a paz esteja com vocês!
—JOÃO 20:19

Estava escuro. O jardim e o humor estavam sombrios. Jesus tinha ressuscitado, mas a Luz ainda não havia se difundido... ainda não. João e Pedro viram o túmulo vazio e os lençóis dobrados. Maria Madalena declarou que tinha visto Jesus. A maioria dos discípulos talvez pensasse que as lágrimas, a aflição e as sombras da manhã a tivessem confundido. Os discípulos estavam reunidos, fechados numa sala, encolhidos de medo.

Mas por que estavam amedrontados, desfalecidos, assustados? A revolução havia acabado, os líderes religiosos exigiam vingança e os romanos puniam com mão de ferro!

E Jesus apareceu! Lá estava Ele, em pé dentre os medrosos. Ele não estava lá — e depois estava. Suas palavras foram diretas: "...Que a paz esteja com vocês!" (v.19). Paz. Quando Jesus apareceu a Maria, Ele perguntou: "...Mulher, por que você está chorando" (v.15)?

Jesus trouxe a paz. Para Jesus, paz é a atmosfera do reino de Deus, e o reino de Deus era o que Ele estava afirmando e proclamando. Paz!

O próximo passo de Cristo foi abrir Seu manto e oferecer Suas mãos perfuradas e Seu lado transpassado.

Esta cena é estranha, está relacionada à proclamação de paz? A paz de Jesus não é um modo de evitar o que é abominável ou perturbador. A paz que Jesus oferece foi conquistada numa cruz brutal. *—Winn Collier*

Jesus está vivo e com as mãos perfuradas e estendidas, trazendo a Sua paz!

27 de junho

Justificativas

Leitura:
1 Samuel 13:1-22

Aí eu pensei: "Os filisteus vão descer a Gilgal para me atacar […]" Então achei que tinha de oferecer o sacrifício.

—1 Samuel 13:12

O ciclista Tyler Hamilton tinha avançado por entre as fileiras da equipe, e faltava pouco para ser incluído no grupo que correria na Turnê da França. Hamilton e o médico da equipe avaliaram sobre o uso da droga ilícita que dá resistência para as subidas da montanha.

Mais tarde o ciclista contou: "Eu estava tão perto do alvo, tinha que fazer isso […] me senti como se devesse isso a mim mesmo, olhar para o outro lado e seguir em frente", Hamilton admitiu. Outro membro da equipe, Frankie Andreu, alegou que drogar-se era a única maneira de manter o ritmo com os outros ciclistas trapaceiros. "Você não tinha escolha", ele disse. "Se não tomasse a droga, não venceria."

O rei Saul recuou sob estresse e desobedeceu. Esses homens também se convenceram a si mesmos de fazer algo que sabiam estar errado. Haviam atingido o nível mais alto de seu esporte, mas suas desculpas para trapacear pareciam infantis. Cederam à pressão dos colegas: "Todos fazem isso, não podemos competir sem fazer o mesmo", e para seu próprio egoísmo: "Eu mereço vencer, devo a mim mesmo fazer o que for possível para vencer."

A pressão dos companheiros e o egoísmo contribuíram para o pecado de Saul: "Quando vi que os soldados estavam se dispersando […] eu não busquei o SENHOR" (1 Samuel 13:11,12 NVI). Muitas vezes essas mesmas questões nos tentam. Imitamos os que nos cercam? Seguimos os outros ou a Cristo? *—Mike Wittmer*

Se você realmente quer seguir a Jesus, deve estar disposto a ser diferente.

28 de junho

Um pouco é muito

Leitura:
Provérbios 20:15-25

Não ande espalhando mentiras no meio do povo...
—LEVÍTICO 19:16

Há algo tentador na iguaria antissocial da fofoca. Gostamos dela, mesmo quando nos sentimos culpados ou envergonhados. De acordo com pesquisadores, porém, não mais precisamos nos sentir envergonhados porque uma "fofoquinha" é saudável. Eles dizem que a fofoca mantém a dinâmica da cultura e lubrifica a máquina social. "É uma habilidade social, não uma falha de caráter", diz um professor de psicologia. "Somente quando você não a usa direito é que surgem os problemas." A Bíblia é muito clara ao afirmar que elas são doentias e quebram a comunhão.

Salomão disse que a fofoca poderia ter efeitos desastrosos. Ela é usada como tática de intimidação contra líderes de Deus (Neemias 6:5-8; Salmo 41:5-8; 3 João 9,10), separa amigos próximos (Provérbios 16:28), trai a confiança (11:13), envergonha e sela o que fala com má reputaçao (25:9,10) e alimenta a discussão (26:20).

Deus não a tolera, pois não podemos desfazer o estrago que as fofocas causam ao próximo (Êxodo 23:1; Salmo 101:5). Mesmo uma pequena fofoca é sempre demais e não é saudável, pois pode destruir a comunidade santa de Deus (Levítico 19:16).

Também devemos escolher nos aliar somente aos que usam suas palavras para animar outros (Provérbios 20:19), que se mantêm ocupados em trabalhar e fazer o bem (1 Timóteo 5:13) e falam a verdade sobre outros em amor (Salmo 141:3; Provérbios 10:19). *—Marvin Williams*

Que Deus nos ajude a colocar um guarda na porta de nossos lábios para que falemos somente o que o agrada.

29 de junho

Somente a multa

Leitura:
Efésios 1:1-10

Pois, pela morte de Cristo na cruz, nós somos libertados, isto é, os nossos pecados são perdoados... —Efésios 1:7

Quando um policial parou uma mulher porque a sua filha estava andando em um carro sem o assento infantil exigido, ele poderia ter-lhe dado uma multa por infração de trânsito. Em vez disso, ele pediu à mãe e à filha para que o encontrassem numa loja próxima, e ali ele comprou pessoalmente o assento exigido. A mãe estava passando por um momento difícil e não tinha dinheiro para comprar esse equipamento de segurança.

Embora a mulher merecesse ter recebido uma multa por seu delito, em vez disso, ela recebeu um presente. Qualquer pessoa que conhece a Cristo já passou por algo semelhante. Todos nós merecemos uma penalidade por violar as leis de Deus (Eclesiastes 7:20). Contudo, por causa de Jesus, recebemos o favor imerecido de Deus. Este favor nos isenta da consequência final de nosso pecado, que é a morte e a separação eterna de Deus (Romanos 6:23): "...pela morte de Cristo na cruz, nós somos libertados, isto é, os nossos pecados são perdoados" (Efésios 1:7).

Alguns se referem à graça como "amor em ação". Quando a jovem mãe experimentou esse favor imerecido, disse ao policial: "Serei eternamente grata! E, assim que eu puder financeiramente, passarei adiante esse favor." Esta reação cheia de gratidão e generosidade por ter recebido o presente do policial é um exemplo inspirador para os que já receberam a dádiva da graça de Deus! *—Jennifer Benson Schuldt*

O presente de Deus é a graça imerecida da salvação quando cremos em Cristo, o Seu Filho.

30 de junho

Tornando-se

Leitura:
Lucas 2:41-52

Conforme crescia, Jesus ia crescendo também em sabedoria, e tanto Deus como as pessoas gostavam cada vez mais dele.

—LUCAS 2:52

Cresci numa cidade pequena. Ninguém lá era famoso. Nenhuma rua era movimentada. Não havia muita coisa para fazer. Contudo, sempre fui grata por minha criação calma e descomplicada.

Certa noite, quando meu marido e eu participávamos de um jantar de negócios, uma nova conhecida me perguntou de onde eu era. Quando lhe contei, ela disse: "Você não fica constrangida de admitir isso?"

Não sabendo se ela estava brincando, simplesmente respondi: "Não".

Embora, às vezes, minha cidade fosse menosprezada por sua falta de sofisticação, não lhe faltavam coisas significativas. Minha família fazia parte de uma igreja na qual os pais criavam os filhos "...na disciplina e os ensinamentos cristãos" (Efésios 6:4).

Jesus também cresceu numa cidade pequena: Nazaré. Um homem chamado Natanael perguntou: "...E será que pode sair alguma coisa boa de Nazaré?..." (João 1:46). Jesus provou que a resposta é sim. Embora tivesse crescido num lugar insignificante, Ele foi a pessoa mais significante de toda a história.

A experiência me ensinou e as Escrituras confirmam que não importa onde você cresceu, mas como cresceu. Às vezes, sentimo-nos insignificantes em comparação a pessoas sofisticadas de lugares proeminentes. Mas, temos valor para Deus e Ele pode nos fortalecer no espírito e encher-nos com a Sua sabedoria. *—Julie Ackerman Link*

O que nos tornamos é mais importante do que o local de onde viemos.

1.º de julho

Dureza na crítica

Leitura:
Provérbios 25:11-13

Quem fala a verdade convence,
mas a acusação de vocês não prova nada. —Jó 6:25

Você tem uma amiga que a critica? Como reagir nessa situação? Em meu caso, sei que minha amiga quer o meu bem, mas com frequência faz comentários muito críticos sem saber se os quero receber. Por isso, aprecio muito como Paulo buscou o consentimento de Filemom, seu amigo (Filemom 1:14).

Quando minha amiga me enviou um e-mail enumerando minhas falhas, sugerindo que eu tivesse apenas duas áreas talentosas, fiquei triste. Em vez de orar e pedir a Deus sabedoria para lidar com os insultos, busquei ajuda na internet. Procurei por *bullying* e outros sinônimos que a descreviam como arrogante e cheia de opinião.

Foi fácil encontrar palavras e artigos confirmando que ela agia errado comigo, mas ainda assim eu não havia encontrado a solução. Em seguida, liguei para outra amiga, que me sugeriu que buscasse a Deus. "Peça a Deus que a ajude a filtrar a carta e ajudá-la a apegar-se ao que é verdade e a expor-lhe as mentiras. Peça-lhe para entender se o inimigo está tentando provocá-la com mentiras que você acredita sobre si mesma."

Provérbios afirma: "A palavra certa na hora certa é como um desenho de ouro feito em cima de prata" (25:11). É bom que ouçamos conselhos, mas devemos pedir a Deus que nos ajude a discernir se a crítica é ou não válida. Se o mensageiro é confiável, mesmo se a mensagem trouxer a convicção e apontar áreas que necessitem mudança, produzirá novo ânimo. *—Roxanne Robbins*

A resposta delicada acalma o furor,
mas a palavra dura aumenta a raiva. —Provérbios 15:1

2 de julho

Criando sua vida

Leitura:
Marcos 10:35-45

...e quem quiser ser o primeiro, que seja o escravo de todos.
—MARCOS 10:44

Parecia bom o conselho que li num livro de autoajuda: Faça somente aquilo em que você for bom, pois assim você se sentirá mais realizado. O autor estava tentando ajudar os leitores a criar o tipo de vida que eles queriam. Não sei sobre você, mas se eu fizesse somente aquilo em que eu fosse bom, não faria muito!

Em Marcos 10, lemos a respeito de dois discípulos, Tiago e João, que tinham alguns planos para o tipo de vida que desejavam para si um dia. Eles pediram para estar à direita e à esquerda de Jesus em Seu reino (v.37). Os outros 10 discípulos estavam "muito zangados" com eles por tal pedido (v.41). (Possivelmente porque queriam essas posições para si mesmos!)

Mas Jesus aproveitou a oportunidade para ensinar aos Seus seguidores sobre outro tipo de vida; de serviço às pessoas. Ele disse: "...quem quiser ser importante, que sirva os outros, e quem quiser ser o primeiro, que seja o escravo de todos" (vv.43,44). Parece que o projeto de Deus para nós é que sirvamos às pessoas.

Mesmo Jesus, o Filho de Deus, "...não veio para ser servido, mas para servir..." (v.45). Ao olharmos para o exemplo de Cristo e dependermos da ajuda do Espírito Santo, também podemos ser servos e viver de maneira plena. —*Anne Cetas*

As grandes ocasiões para servir a Deus são raras, mas as pequenas ocorrem diariamente.

3 de julho

Tornando-se invisível

Leitura:
Êxodo 2:11-22

Tudo neste mundo tem o seu tempo;
cada coisa tem a sua ocasião. —Eclesiastes 3:1

No país onde moro, esta é a época do ano em que as plantas desafiam a morte permanecendo sob o solo até que seja seguro sair de novo. Antes de o inverno chegar e o solo congelar, os jardins ficam sem as suas belas flores que "hibernam" e descansam para poupar energia para a próxima estação de crescimento. Ao contrário do que parece, elas não estão mortas: estão dormentes. Quando a primavera vem e o solo degela, elas voltam a levantar-se para o céu, saudando o seu Criador com cores brilhantes e doces fragrâncias.

Certos momentos na vida exigem que, por vezes, entremos em um período de dormência. Não morremos, mas podemos sentir que nos tornamos invisíveis. Nessas ocasiões, podemos nos sentir inúteis e nos perguntar se Deus voltará a nos usar. Mas períodos como este são úteis para nossa proteção, preparação e renovação. Quando for o momento certo e as condições forem seguras, Deus nos chamará mais uma vez ao serviço e à adoração.

Moisés passou por um período de tempo como este. Após matar um egípcio que feriu um hebreu, ele teve de lutar por sua vida fugindo para a distante terra dos midianitas (Êxodo 2:11-22). Ali, Deus o protegeu e o preparou para a maior atribuição de sua vida (3:10).

Então, sinta-se encorajada, pois jamais somos invisíveis para Deus.

—Julie Ackerman Link

Ninguém é invisível para Deus.

4 de julho

Deixando ir

Leitura:
1 Coríntios 15:20-24,42-58

Mas agradeçamos a Deus, que nos dá a vitória por meio do nosso Senhor Jesus Cristo! —1 Coríntios 15:57

Estando no hospital, conheci Kathy, que nos falou de sua grave doença e sua fé e confiança inabalável em Cristo. Ela o amava e sabia que logo iria para casa para passar seus últimos dias. Seu tempo aqui estava terminando. Minha esposa e eu conversamos com ela, e soubemos de sua tristeza em deixar o filho adolescente e o marido. A alegria de logo estar com Jesus misturava-se à tristeza da partida.

A menos que Jesus retorne, todos nós teremos de encarar o dia quando nossa vida terminará. E "como ficam aqueles que não têm esperança" (1 Tessalonicenses 4:13)? O apóstolo Paulo nos dá razões excelentes para cultivarmos a esperança em 1 Coríntios 15:

- Jesus morreu, mas ressuscitou! — Nossa fé firma-se naquele que conquistou a morte (vv.4,21,57). Paulo disse: "...ele apareceu também a mim..." após a Sua ressurreição (v.8).
- Após a morte vem a nova vida! — A fé em Jesus conduz à vida eterna com Ele. "...por estarem unidos com Cristo, todos ressuscitarão" (vv.22,42).
- Jesus nos concede a vitória! — Em vez de tristezas e medo, podemos experimentar a paz, o poder sobrenatural e a perspectiva que somente Jesus nos dá (vv.55,57,58).

Há esperança para os que estão diante da morte. Vi isso no semblante de Kathy e o ouvi em suas palavras. A fé firme e inabalável geralmente é formada nas labaredas da dor e adversidade. Que Deus nos ajude a deixar quem amamos ao Seu fiel cuidado. —*Tom Felten*

Podemos confiar nosso futuro e nosso presente a Ele.

5 de julho

Permanecer firme

Leitura:
Marcos 8:1-12

Alguns fariseus [...] queriam conseguir alguma prova contra ele e por isso pediram que ele fizesse um milagre... —Marcos 8:11

O autor, John Eldredge, escreveu: *Um Mestre fora da lei* (CPAD, 2013). Uma das coisas que chamou a sua atenção ao escrever, foi perceber como Jesus era firme. Ele afirma: "Jesus tinha a habilidade de lidar com elogios, ódio, falsa lisonja, multidões adoradoras, calúnias e pessoas que simplesmente não se importavam, com graça e senso de personalidade impressionante. Ele era um homem firme!".

Os dias de Jesus eram cheios de altos e baixos. Pense numa das vezes que os líderes religiosos o testaram — pressionando-o por mais um sinal para provar a si próprio (Marcos 8:11,12). Ele tinha acabado de vir do outro lado do mar da Galileia, onde havia alimentado 4.000 pessoas com alguns peixes e poucos pães (vv.1-10). Ainda assim aquele milagre e muitos outros não era prova suficiente para eles. Queriam mais, porém Jesus sabia que não tinha sentido realizar mais, pois seus corações e mentes estavam longe dele.

Alguém menos firme teria cedido diante da pressão e se rendido às exigências, mas Jesus não. Ele não debateu. Somente Ele era capaz disso.

Para ficarmos firmes, Eldredge sugere o seguinte: "Livre-se de negócios insensatos. Não viva para tweets, mensagens, *Facebook*, ou e-mails. Desligue a TV. Leia autores cristãos [...]. Passe momentos a sós com Deus. Volte para as Escrituras."

Centrar-nos intencionalmente na verdade e na graça de Jesus é o melhor lugar para começar. —*Jeff Olson*

Permanecer nele nos ajudará a honrar os Seus caminhos e a nos mantermos firmes.

6 de julho

Ajuda externa

Leitura:
Jeremias 17:7-13

Pois, se o nosso coração nos condena, sabemos que Deus é maior do que o nosso coração e conhece tudo. —1 João 3:20

Em uma viagem de negócios, meu marido havia acabado de se acomodar em seu quarto de hotel quando ouviu um barulho incomum. Ele saiu para o corredor para investigar e ouviu alguém gritando de um quarto próximo. Com a ajuda de um funcionário do hotel, ele descobriu que um homem ficara preso no banheiro. A fechadura da porta do banheiro quebrou e o homem preso no interior dele começou a entrar em pânico. Ele se sentia como se não conseguisse respirar e começou a gritar por socorro.

Na vida, às vezes nos sentimos presos. Estamos batendo na porta, acionando a maçaneta, mas não conseguimos nos livrar. Precisamos de ajuda externa, como o hóspede daquele hotel.

Para obter essa ajuda externa, temos de admitir que somos incapazes por nós mesmas. Às vezes, buscamos dentro de nós as respostas para os nossos problemas, mas a Bíblia diz: "Quem pode entender o coração humano? Não há nada que engane tanto como ele..." (Jeremias 17:9). Na verdade, frequentemente somos a fonte de nossos próprios problemas.

Felizmente, "...Deus é maior do que o nosso coração e conhece tudo" (1 João 3:20). Assim, Ele sabe exatamente como nos ajudar. A transformação duradoura em nosso interior e a verdadeira solução dos nossos problemas originam-se somente em Deus: Confiar no Senhor e viver para agradá-lo, significa que podemos amadurecer e sermos verdadeiramente livres. *—Jennifer Benson Schuldt*

Admitir quão fracas e incapazes somos de nos livrar do pecado é o primeiro passo para receber ajuda de Deus.

7 de julho

A canção de nossa vida

Leitura:
Jó 29:1-6; 30:1-9

Deus é o meu Salvador; eu confiarei nele e não terei medo. Pois o SENHOR me dá força e poder, ele é o meu Salvador. —ISAÍAS 12:2

Cada pessoa tocada por uma música, ouve-a de modo diferente. O compositor a ouve na imaginação. O público, com seus sentidos e emoções. Os membros da orquestra ouvem melhor o som dos instrumentos mais próximos deles.

Somos os membros da orquestra de Deus. Com frequência, ouvimos apenas a música mais próxima de nós. Por não ouvirmos a obra em sua harmonia, somos como Jó, que lamentou ao sofrer: "Mas agora [...] para eles eu não passo de uma piada" (Jó 30:9).

Jó recordou-se sobre como os príncipes e autoridades o respeitavam antes. Sua vida era: "Em casa sempre havia leite à vontade e também azeite, tirado das oliveiras plantadas entre as pedras" (29:6). Mas, agora, ele se tornara alvo de escarnecedores. "Eu costumava ouvir a música alegre de liras e flautas, mas agora só escuto gente chorando e soluçando", lamentou-se (30:31). Havia, porém, muito mais na sinfonia. Jó apenas não conseguia ouvir toda a harmonia da música.

Talvez hoje você só consiga ouvir as notas tristes de seu próprio violino. Não desanime. Todo detalhe de sua vida faz parte da composição de Deus. Ou talvez você esteja ouvindo uma flauta alegre. Louve a Deus por isso e compartilhe a sua alegria com alguém.

A obra-prima da redenção divina é a sinfonia que estamos tocando e, no fim, tudo cooperará para os Seus bons propósitos. Deus é o compositor de nossa vida. Sua música é perfeita e podemos confiar nele. *—Keila Ochoa*

Confiar na bondade de Deus
coloca uma canção em nosso coração.

8 de julho

Luzes suaves

Leitura:
1 Pedro 3:13-17

...a luz de vocês deve brilhar para que os outros vejam as coisas boas que vocês fazem e louvem o Pai de vocês, que está no céu.
—Mateus 5:16

A senhora Wang Xiaoying vive na China. Doente, o marido dela não conseguia encontrar trabalho, causando dificuldades para a família. A sogra dela atribuía essas dificuldades à fé de Wang em Deus. Por esse motivo, ela maltratava a sua nora e exigia que ela voltasse a praticar a religião de seus antepassados.

Ao ver a vida de Wang transformada, seu marido disse: "Mãe, não basta só ela crer em Deus; nós também devemos ter fé nele!" Devido à mudança perceptível na vida de sua esposa, ele agora considera as boas-novas de Jesus.

As pessoas observarão as nossas ações antes de ouvirem as nossas palavras. O melhor testemunho combina as ações com as palavras, refletindo a diferença que Cristo faz em nossa vida.

O apóstolo Pedro instruiu os cristãos do primeiro século, e a nós, sobre como podemos apresentar Jesus a um mundo hostil. Ele desafiou os seus leitores a serem zelosos do que é bom, obedientes a Cristo, terem boa consciência e estarem preparados para explicar aos outros o porquê de nossa esperança: "Se, de fato, vocês quiserem fazer o bem, quem lhes fará o mal" (1 Pedro 3:13,15)? Se fizermos isto, não temos razão para temer ou nos envergonharmos quando nos maltratarem ou nos difamarem por nossa crença.

Em qualquer situação, resplandeçamos por Jesus onde estivermos. Ele pode proporcionar a graça necessária para alcançarmos até mesmo os que não concordam conosco. *—Poh Fang Chia*

Quanto mais vivermos como Jesus, mais os outros se achegarão a Ele.

9 de julho

Além da reciprocidade

Leitura:
Romanos 5:7,8

Mas Deus nos mostrou o quanto nos ama: Cristo morreu por nós quando ainda vivíamos no pecado. —ROMANOS 5:8

A lei da reciprocidade está espalhada pelo mundo. Essa troca mútua e de retorno justo é a base de muitas interações sociais: nos negócios, na política e na justiça, Inclusive na Bíblia (Mateus 7:12).

A sociedade não poderia funcionar sem essa lei, no entanto, ela é limitada. O que acontece quando não há benefício mútuo? Quando um amigo não pode retribuir nosso cuidado, ou um país pobre nada tem a oferecer à superpotência? O que fazemos com os que podem oferecer pouco à sociedade — os pobres, os intelectualmente incapazes, os mentalmente enfermos? Às vezes, não conseguimos contribuir com nossa justa participação. A Bíblia diz que a reciprocidade deve ser temperada com a misericórdia (Mateus 5:7; Tiago 2:13).

Porém, a fé cristã vai um passo adiante, ela ensina o amor ágape. Esta é a palavra grega que descreve o amor imerecido, incondicional e sacrificial. A natureza de Deus é amor ágape (1 João 4:8). Ele concede coisas boas mesmo aos não merecedores (Mateus 5:44,45). Devemos doar sem a expectativa de retorno (Lucas 6:32-36). Jesus descreveu o verdadeiro amor como aquele que dá a vida pelos outros (João 15:12,13), e o que ganhamos fazendo isso? Jesus viveu o Seu ensino, sofreu uma morte cruel e amou os Seus perseguidores até o fim (Lucas 23:34).

Precisamos do amor ágape. Com a força de Deus podemos expressar esse amor também. Desejo doar sem exigir nada em troca. —*Sheridan Voysey*

Precisamos do amor ágape
para irmos além da reciprocidade.

10 de julho

Senhorio libertador

Leitura:
Apocalipse 19:1-16

Na capa e na perna dele estava escrito este nome: "Rei dos reis e Senhor dos senhores". —1 Coríntios 15:16

O filme *O discurso do rei* retrata a surpreendente ascensão ao poder do príncipe Albert, que se tornou o rei George VI da Inglaterra, quando o seu irmão Edward abdicou do trono para casar-se com uma mulher divorciada. Albert não queria ser rei, em parte porque era gago, o que o inibia para falar em público. E falar seria algo importante, pois ele teve a infelicidade de ser rei durante o bombardeio de Hitler a Londres. Nesse período, a Inglaterra precisou de forte liderança.

Com o tempo, Albert superou sua limitação e convocou a resistência dos ingleses contra a Alemanha. Ele foi bem-sucedido, no entanto, o seu reinado frágil ilustra bem o jugo da liderança.

Nós o aplaudimos por seu serviço à Grã-Bretanha, mas, às vezes, a liderança pode ser um fardo desnecessário que colocamos sobre nós. Mesmo sendo líder de um grupo, aproveite a verdadeira liberdade por ser um seguidor de Jesus. É um alívio saber que Jesus é o Senhor de nossa vida (Apocalipse 19:3,4). Se Jesus é o seu Senhor, então você não é senhor de sua vida (v.5).

O único fardo pior do que ser senhor de sua vida é a frustração de fingir ser responsável. Você já teve um emprego que lhe exigiu responsabilidade, mas não lhe deu verdadeira autoridade? Foi considerado responsável por ações que não tinha forças para mudar? Com o tempo você desiste! Faça o que Jesus ensina, e se isso não funcionar como deseja, confie na direção dele. *—Mike Wittmer*

Jesus possui "toda a autoridade no céu e na terra"

(Mateus 28:18; Apocalipse 19:15,16).

11 de julho

Erva seca, flor murcha

Leitura:
Isaías 43:3-13

...Anuncie que todos os seres humanos são como a erva do campo e toda a força deles é como uma flor do mato. —Isaías 40:6

Elton Trueblood escreveu 33 livros e foi educador, filósofo, teólogo, ex-capelão de duas universidades e conselheiro de dois ex-presidentes. Ele alerta para os perigos de uma "civilização das flores colhidas", ao escrever: "Tão belas quando podem ser as flores colhidas, morrem por terem sido cortadas das raízes de seu sustento." Sem Deus, a vida humana é efêmera e temporária.

Trueblood não foi o primeiro a associar o ser humano às flores. Quase 2.700 anos antes, Deus disse a Isaías para anunciar que "...todos os seres humanos são como a erva do campo e toda a força deles é como uma flor do mato" (v.6). A fragilidade e brevidade da existência humana são representadas pela metáfora da erva e das flores. Deus alertou que a vida humana é frágil e efêmera. "A erva seca, e as flores caem..." (v.7).

E Isaías anunciou: a humanidade é transitória e mortal. A morte é iminente e inevitável. O ser humano é impotente. "O seu Deus está chegando", para governar porque Ele se importa com vocês (vv.6-11). O Deus eterno, onipotente, vitorioso e soberano está vindo para resgatar e reinar sobre Seu povo (v.10), para ser o Bom Pastor que apascenta Suas ovelhas, que as leva em Seus braços, liderando-as mansamente, cuidando delas e protegendo-as (vv.9-11).

Podemos secar e murchar, mas somos mais permanentes e valiosos do que as simples ervas e flores (Mateus 6:26-30). *—K. T. Sim*

Deus nos concedeu valor imensurável, importância, indestrutibilidade, imortalidade e glória eterna.

12 de julho

Tempo em uma garrafa

Leitura:
João 1:1-5

A Palavra era a fonte da vida, e essa vida trouxe a luz para todas as pessoas. —JOÃO 1:4

Daniil Korotkikh, um menino russo de 13 anos, encontrou uma garrafa antiga enterrada na areia da praia. Ele a abriu e descobriu que dentro dela havia uma carta escrita 24 anos antes. Frank, um menino alemão, que na época estava com sua família num navio que ia para a Dinamarca, tinha escrito a carta, incluído seu endereço para possível resposta, colocando-a numa garrafa e lançando-a no oceano. Após duas décadas e meia, Korotkikh encontrou-a, e surpreendentemente, conseguiu contato com Frank. Agora eles são amigos.

A carta era um tesouro para o menino. Aquelas palavras escritas o conectaram com outra pessoa e forjaram uma amizade. O mesmo é verdade em relação à Palavra de Deus, mas geralmente ela não parece ser um tesouro. Talvez sejamos lentos em admitir isso, e ela nos pareça mais como uma obrigação: um peso. Devemos ler a Bíblia e incorporar as Suas verdades. Essas admoestações em geral nos deixam cansados, vazios, com sentimento de culpa.

As Escrituras são um encontro com a pessoa de Jesus Cristo — presente conosco pelo Espírito de Deus. Jesus é "a Palavra" e engloba tudo o que as Escrituras contêm (João 1:1). Esta Palavra (Jesus) é "fonte de vida" e traz "luz a todas as pessoas" (v.4). É a Palavra que "brilha na escuridão" (v.5).

Neste mundo cheio de palavras, temos um convite para encontrar a Palavra que vive, ama e se oferece a nós. Vamos ouvir? Vamos escutar?

—Winn Collier

Ao conhecer e ouvir a Palavra de Deus descobrimos um verdadeiro tesouro.

13 de julho

Uma bela comunidade

Leitura:
Atos 2:42-47

...continuavam firmes, seguindo os ensinamentos [...], vivendo em amor cristão, partindo o pão juntos e fazendo orações. —Atos 2:42

No livro *Maravilhosa e boa comunidade* (Ed. Vida, 2012), James Bryan Smith cita a Carta a Diogneto (120–200 d.C.): "Embora sejam residentes em seu próprio país, seu comportamento é mais parecido ao de transeuntes [...] obedecem às leis, mas em sua vida particular, as transcendem. Demonstram amor a todos — e todos os perseguem. São mal-entendidos e condenados, mas ao serem mortos são rapidamente levados à vida. São pobres e enriquecem a muitos. Necessitam de todas as coisas, e têm tudo em abundância. Retribuem maldições com bênçãos e abusos com cortesia." Isso confirma a narração de Lucas sobre a Igreja Primitiva.

Lucas a sintetiza como uma boa e bela comunidade marcada pelo louvor: Dedicavam-se aos ensinos dos apóstolos, à comunhão, a reunir-se para o partir do pão, na comunhão e oração (At 2:42). Era marcada pela reverência à presença de Deus e por milagres, sinais e maravilhas (v.43). E também pela venda voluntária de seus bens (para não faltar nada a ninguém), pelo louvor diário no Templo, e por comerem uns nas casas dos outros (vv.44-47). A presença permanente de Deus era testemunho a todas as pessoas.

Dependamos do Espírito Santo para criar uma cultura de interdependência por meio do ensino e da submissão em conjunto às palavras de Jesus. Seremos, então, uma bela comunidade, que experimenta a presença permanente de Deus e testemunha com eficácia para o mundo. —*Marvin Williams*

Que nossa comunhão em repartir os alimentos e em oração nos torne testemunhas eficazes ao mundo.

14 de julho

Ervas daninhas

Leitura:
1 Samuel 19:1-7

...a religião é uma fonte de muita riqueza, mas só para a pessoa que se contenta com o que tem. —1 TIMÓTEO 6:6

Passei minha infância em Gana, na África, e ajudava meus pais na horta. Até hoje o cheiro dos tomates me traz saudades de climas tropicais e vida simples.

Meu pai era agrônomo e me ensinava: "A erva daninha é qualquer planta que não está onde você quer", dizia. Então, apesar de um perfeito pé de milho crescer entre as batatas doces, eu o arrancava. Ele entendia que a planta fora do seu lugar prejudicava as outras.

Meu pai já se foi, mas as ervas daninhas não. Hoje, trabalho com meus filhos na horta esperando que a maior parte do que plantamos irá para a nossa mesa. E relembro o conselho dele.

"Floresça onde você está plantado", diz um velho ditado. Mas, será que almejamos florescer onde não era a intenção de Deus? Construímos nossos planos sobre motivos egoístas. Invejamos os que têm posição e influência, apesar das habilidades diferentes. Mas Deus nos colocou no lugar exato para Seus bons propósitos.

Jônatas, príncipe guerreiro de Israel, escolheu florescer onde foi plantado. Como filho do rei Saul tinha toda razão de esperar ser rei. Porém, aceitou o fato de Deus ter escolhido Davi. Ao invés de agarrar aquilo que não era seu, Jônatas tornou-se amigo de Davi e sua ajuda salvou a vida do futuro rei. Podemos até pensar que Jônatas abriu mão de muitas coisas. Mas, considere isto: O Messias veio da linhagem de Davi. E se? E se...? No final os planos de Deus prosperarão.

—Tim Gustafson

Podemos ser plantas úteis que dão frutos no jardim de Deus. Ele deixa a escolha conosco.

15 de julho

Podemos confiar nele

Leitura:
Mateus 10:32-38

Mas eu lhes digo: amem os seus inimigos e orem pelos que perseguem vocês. —MATEUS 5:44

Sei muito pouco a respeito de perseguição. Meu bem-estar físico nunca foi ameaçado por minha fé ou minhas palavras. O pouco que conheço acerca do assunto vem daquilo que ouço e leio. Mas, isso não se aplica a muitos de nossos irmãos e irmãs ao redor do mundo. Alguns deles vivem em perigo todo dia, simplesmente por amarem Jesus e quererem que outros também o conheçam.

Existe outra forma de perseguição que pode não ameaçar a vida, mas é dolorosa. É a perseguição que vem dos familiares não-cristãos. Quando entes queridos ridicularizam a nossa fé e zombam de nós pelo que cremos e como expressamos nosso amor por Deus, sentimo-nos rejeitados e não amados.

Paulo alertou os cristãos de que seguir a Jesus resultaria em perseguição: "Todos os que querem viver a vida cristã unidos com Cristo Jesus serão perseguidos" (2 Timóteo 3:12), e sabemos que, às vezes, a rejeição virá daqueles que amamos (Mateus 10:34-36). Mas, quando as pessoas que amamos rejeitam o Deus que amamos, a rejeição parece ser pessoal.

Jesus nos disse para orarmos por aqueles que nos perseguem (Mateus 5:44), e isso inclui mais do que os desconhecidos que nos odeiam. Deus é capaz de nos dar graça para perseverarmos através da perseguição, mesmo quando vem daqueles que amamos. —*Julie Ackerman Link*

As pessoas podem zombar de nossa mensagem, mas não podem impedir-nos de orar.

16 de julho

Visão eterna

Leitura:
2 Coríntios 4:16–5:8

Porque nós não prestamos atenção nas coisas que se veem, mas nas que não se veem... —2 CORÍNTIOS 4:18

No mês passado, recebi uma boa notícia no meu exame de vista — a minha visão à distância melhorou. Bem, pensei que era uma boa notícia até que um amigo me informou: "A visão à distância pode melhorar à medida que envelhecemos, mas a visão de curta distância pode diminuir."

O relatório me fez pensar em outro tipo de melhor visão à distância, a qual observo em alguns cristãos. Aqueles que conhecem o Senhor por um longo tempo ou que já passaram por grandes provações parecem ter uma melhor visão celestial do que o restante de nós. A visão à distância "eterna" deles ficou melhor e a visão de perto "terrena" está diminuindo.

Como o apóstolo Paulo teve esse tipo de visão eterna, ele encorajou a igreja em Corinto: "E essa pequena e passageira aflição que sofremos vai nos trazer uma glória enorme e eterna, muito maior do que o sofrimento [...]. Pois o que pode ser visto dura apenas um pouco, mas o que não pode ser visto dura para sempre" (2 Coríntios 4:17,18).

Por enquanto nós lutamos com a nossa "visão limitada". Há uma tensão entre desfrutar tudo o que Deus nos tem dado nesta vida, mas ainda acreditar no que o teólogo Jonathan Edwards disse sobre o nosso futuro: "Ir para o Céu, para apreciar a Deus totalmente, é infinitamente melhor do que as acomodações mais agradáveis aqui". Vê-lo nos trará a visão perfeita. *—Anne Cetas*

À medida que você segue a Cristo, a sua visão do eterno se amplia e a perspectiva terrena diminui.

17 de julho

O amor em primeiro lugar

Leitura:
1 João 4:7-19

Nós amamos porque Deus nos amou primeiro.
—1 João 4:19

Certa noite, minha amiga me mostrou uma das três placas decorativas que fariam parte de um arranjo de parede em sua sala de estar. "Veja, eu já tenho Amor", disse ela, segurando a placa com a palavra escrita nela. "Fé e Esperança vêm em seguida."

Então o amor vem em primeiro lugar, pensei. A fé e esperança vêm logo em seguida!

O amor veio mesmo primeiro. Na verdade, ele se originou em Deus. A primeira carta de João 4:19 nos lembra de que: "Nós amamos porque Deus nos amou primeiro". O amor de Deus, descrito em 1 Coríntios 13 (conhecido como o "capítulo do amor"), explica uma característica do amor verdadeiro ao dizer: "O amor é eterno..." (v.8).

A fé e a esperança são essenciais ao cristão. Somente por sermos justificados pela fé "...temos paz com ele [Deus] por meio de nosso Senhor Jesus Cristo" (Romanos 5:1). E a esperança é descrita como: "...a âncora [que] mantém seguro o barco" (Hebreus 6:19).

Algum dia, não teremos necessidade de fé e esperança. A fé se tornará visível e a nossa esperança se concretizará, quando virmos o nosso Salvador face a face. Mas o amor é eterno, porque o amor vem de Deus e Deus é amor (1 João 4:7,8). "Portanto, agora existem estas três coisas: a fé, a esperança e o amor. Porém a maior delas é o amor". Ele é o primeiro e o último (1 Coríntios 13:13). *—Cindy Hess Kasper*

Nós amamos o Senhor,
porque Ele nos amou primeiro.

18 de julho

Fugaz e ilusório

Leitura:
Eclesiastes 6:1-6

...isto vem da mão de Deus, pois, separado deste, quem pode comer ou quem pode alegrar-se? —ECLESIASTES 2:24,25

Salomão estabeleceu os padrões de sucesso: riqueza, honra, propriedades, família grande e vida longa (vv.2,3). Hoje, a família grande e a vida muito longa podem ser vistos mais como fardos do que sucesso. Mas riqueza, propriedades e honra ainda são padrões contemporâneos de êxito.

Mesmo que nos esforcemos bastante para acumular, Salomão nos adverte para uma "grave aflição" (v.2) que pode acontecer: mesmo os ricos lutam para desfrutar de suas riquezas. Não têm prazer e têm pouca alegria. Estão insatisfeitos e nunca felizes com o que têm. O contentamento é fugaz e ilusório. Salomão diz: "...o prazer não serve para nada" (v.2). Como explicar isto?

Este sábio nos alerta de que a riqueza, família e vida longa não nos trazem automaticamente a alegria e o contentamento. Você pode até ter tudo isto, mas não poderá desfrutar de nada se Deus não lhe der permissão e capacidade para tal. Talvez por isto alguns cristãos ricos são infelizes, insatisfeitos e descontentes.

Precisamos orar e pedir a Deus que nos conceda, em Sua misericórdia, a capacidade e a oportunidade de aproveitar o que temos. Salomão conclui: "...No entanto, vi também que isto vem da mão de Deus, pois, separado deste, quem pode comer ou quem pode alegrar-se" (vv.24,25)?

Agradeçamos a Deus por tudo (Ef 5:20) por todas as circunstâncias (1 Ts 5:18). Sem gratidão, a alegria da vida é fugaz e ilusória (Jó 1:21). *—K. T. Sim*

Sem Deus é impossível usufruir da verdadeira alegria da vida.

19 de julho

O retorno do Rei

Leitura:
2 Pedro 3:3-18

...vão aparecer homens dominados pelas suas próprias paixões. Eles vão zombar de vocês, dizendo: "Ele prometeu vir, não foi? Onde está ele?... —2 PEDRO 3:3,4

Harold Camping recebeu atenção por declarar que o Dia do Julgamento seria no dia 21 de maio de 2011. Poucos acreditaram nele, pois "...ninguém sabe nem o dia nem a hora..." (Mateus 24:36). Muitos se divertiram planejando festas de sobrevivência apocalípticas. Mesmo os que o entrevistaram não o levaram a sério. Uma âncora de telejornal encerrou sua matéria com um sorriso, dizendo: "Esperemos que ele esteja errado."

Os cristãos devem discordar. Somos os primeiros a dizer que esse homem estava errado. Ninguém pode prever quando Jesus voltará; e o argumento complicado e implausível quanto a data escolhida não era particularmente promissor. Estávamos certos em declarar que Camping estava errado, mas deveríamos ter desejado que não estivesse.

Deveríamos sentir uma pontada de tristeza, antes de dormirmos, pois vivemos mais um dia sem a volta do nosso Rei. A Oração do Senhor inclui a frase: "Venha o teu reino" (Lucas 11:2). Por mais improvável que tenha sido aquela previsão, seu erro deve nos fazer reavaliar os nossos anseios mais profundos. Apenas zombaremos desse delírio ou nos lembraremos do quanto desejamos a volta de Jesus?

Talvez não estejamos animados com o retorno de Jesus, pois nos agradamos facilmente do presente. É difícil orar: "Venha o teu reino" quando o nosso reino teve um bom ano? Agradeça a Deus pelas bênçãos diárias que Ele lhe concede atualmente. —*Mike Wittmer*

Que as Suas bênçãos não o distraiam de orar: "Vem, nosso Senhor!" (1 Coríntios 16:22).

20 de julho

Vida e submissão

Leitura:
João 15:9-17

Ninguém tem mais amor pelos seus amigos do que aquele que dá a sua vida por eles. —João 15:13

Jesus ensinou como renunciar à nossa vida em favor de outros. Creio que isso acontece em quatro estágios. O primeiro é o reconhecimento. Somos colocados diante de uma necessidade ou pessoa e precisamos decidir pela submissão.

O segundo é a deliberação. A submissão custa tempo ou dinheiro. Em casos extremos — a própria vida. Quase sempre envolve os nossos planos e aspirações.

O terceiro é a renúncia. Se Deus nos chama para o sacrifício temos que colocar nossa vida, tempo, dinheiro ou sonhos em Suas mãos. Espere por lutas. A batalha será ferrenha por aquilo que você estiver prestes a renunciar.

Os dois últimos estágios são importantíssimos para atingirmos a submissão. Se os descartamos, arriscaremos privar alguém do amor de Deus e nos arriscaremos a desobedecê-lo. Se nos submetermos sem ponderar os custos, correremos o risco de oferecer um compromisso sem substância.

No Getsêmani, Jesus não fez uso do privilégio de ser divino e sentiu a dor da humanidade. Ele disse que entregar a vida é a verdadeira marca do amor e que estava com a Sua alma "triste até a morte" (v.38). Suou para pagar o preço da submissão, entregou Seu corpo a uma cruz cruel e aos pregos, passou horas lutando para submeter-se naquele jardim (Mateus 26:36-46).

Para o cristão, a submissão traz vida. Renuncie a sua vida por amor a Jesus e a encontrará (10:39). A semente que morre produz a colheita (João 12:24). —*Sheridan Voysey*

Após submeter-se a Deus, Cristo ressuscitou.
A submissão é a semente de uma vida nova.

21 de julho

A Palavra de Deus é viva

Leitura:
1 Reis 19:11-13

Quando Elias ouviu o sussurro, cobriu o rosto com a capa. Então saiu e ficou na entrada da caverna… —1 Reis 19:13

Certa manhã de domingo, enquanto eu dirigia, sentia-me deprimido por vários motivos, pois passava por um vale emocional e espiritual. Orei, tentando dizer a Deus onde eu me encontrava emocional e espiritualmente, mas as palavras não me vinham com facilidade.

Enquanto eu lutava, a canção do grupo *Mercy Me*, começou a tocar no rádio. É uma canção que já ouvi dezenas de vezes, mas dessa vez, os versos da primeira estrofe me tocaram:

Faltam-me as palavras, e o engraçado é que está tudo bem.
Não preciso ser ouvido, mas preciso ouvir o que tens a me dizer.

Sorri ao refletir em mensagem tão oportuna. Sim, há momentos em que necessitamos descarregar e tirar as coisas do peito. Contudo, no final, ser ouvido não é tão essencial quanto ouvir o que Deus está nos dizendo.

Após parar o carro no estacionamento da igreja, lembrei-me do versículo "Parem de lutar e fiquem sabendo que eu sou Deus…" (Salmo 46:10). Passei alguns minutos sozinho em meu carro antes de entrar no culto e acalmei o meu coração, enquanto escutava o "suave sussurro" do Espírito (1 Reis 19:12,13). O que ouvi me revigorou. Aquilo era tudo o que o meu coração incerto necessitava.

E a canção continua assim: *Estou me encontrando em meio a ti, além da música, além do ruído. Tudo o que preciso é estar contigo e, no silêncio, ouvir a Tua voz.*

Jesus nos ensina a investir tempo a sós em oração e comunhão com o Pai (Lucas 5:16). —*Jeff Olson*

Escolha uma página da Palavra de Deus e dedique um tempo a ouvi-lo falando ao seu coração.

22 de julho

Seguro em Seus braços

Leitura:
Isaías 66:5-13

Como a mãe consola o filho, eu também consolarei vocês...
—ISAÍAS 66:13

Sentei-me ao lado da cama de minha filha em uma sala de recuperação, após ela ter passado por uma cirurgia. Quando seus olhos se entreabriram, ela sentiu-se desconfortável e começou a chorar. Tentei tranquilizá-la acariciando o seu braço, mas ela só ficou mais incomodada. Com a ajuda de uma enfermeira, tirei-a da cama e a segurei em meu colo. Enxuguei as lágrimas em seu rosto, lembrando-a de que logo iria sentir-se melhor.

Por meio do profeta Isaías, Deus disse aos israelitas: "Como a mãe consola o filho, eu também consolarei vocês..." (Isaías 66:13). Deus prometeu dar a paz a Seus filhos e levá-los como uma mãe leva o filho ao seu lado. Essa terna mensagem foi para as pessoas que tinham reverência por Deus, e que temiam a Sua Palavra (v.5).

A capacidade e a vontade de Deus de consolar o Seu povo aparecem novamente na carta de Paulo aos cristãos de Corinto. Paulo disse que o Senhor é aquele que "...nos auxilia em todas as nossas aflições..." (2 Coríntios 1:3,4). Deus é bondoso e solidário conosco quando estamos em apuros.

Um dia, todo o sofrimento terá fim. Nossas lágrimas secarão permanentemente e estaremos seguros nos braços de Deus para sempre (Apocalipse 21:4). Até então, podemos depender do amor do Senhor para nos suster quando sofremos. *—Jennifer Benson Schuldt*

Em momentos de dificuldades,
o consolo de Deus é inigualável.

23 de julho

Arte com pó

Leitura:
Gênesis 2:1-7

Então, do pó da terra, o SENHOR formou o ser humano. O SENHOR soprou no nariz dele uma respiração de vida, e assim ele se tornou um ser vivo. —GÊNESIS 2:7

Quando Deus escolheu o pó como o Seu material artístico para criar Adão (Gênesis 2:7), Ele não teve de se preocupar em ficar sem a matéria-prima. De acordo com Hannah Holmes, autora de *The Secret Life of Dust* (A vida secreta do pó, inédito), "Entre 1 e 3 bilhões de toneladas de pó do deserto são lançados para o céu anualmente. Um bilhão de toneladas encheria 14 milhões de vagões fechados de um trem que desse seis voltas à Terra pela linha do Equador."

Ninguém precisa comprar pó, pois todos nós temos mais do que desejamos. Em minha casa, ignoro-o quanto posso. Raciocino assim: se eu não o perturbar, não será perceptível. Mas, finalmente, ele se acumula até o ponto de não poder mais fingir que ele não está lá. Então, pego meus produtos de limpeza e começo a removê-lo de onde quer que ele tenha se assentado.

Ao remover o pó, vejo-me refletida na superfície lisa. Então, vejo outra coisa: vejo que Deus tomou algo sem valor, o pó, e o transformou em algo de valor incalculável — você, eu e todas as outras pessoas (Gênesis 2:7).

O fato de Deus ter utilizado o pó para criar os seres humanos me faz pensar duas vezes a respeito de rotular alguém ou algo como sem valor. Talvez, exatamente a coisa que eu queira me livrar — uma pessoa ou um problema que me importuna — seja o material artístico que Deus utilizará para exibir a Sua glória. *—Julie Ackerman Link*

Tendo sido criados do mesmo pó, sejamos misericordiosos e justos. —Longfellow

24 de julho

Entregando

Leitura:
Isaías 59:9-15

Temos pecado muito contra ti, ó Deus,
e os nossos pecados nos acusam... —ISAÍAS 59:12

Ele ansiava pela verdade e reconheceu que o caminho para sair do abismo da mentira começa com a compreensão da verdadeira ofensa. E Isaías diz: "Temos pecado muito contra ti, ó Deus, e os nossos pecados nos acusam [...] temos nos revoltado contra ti e nos afastado de ti..." (vv.12,13). Nós também nos sentimos culpados por nossos pecados, porém, até reconhecermos que a raiz deles está em nossa rebelião contra Deus, não teremos compreendido a verdade completa.

O autor e especialista bíblico, A. W. Tozer, em seu livro *Esse cristão incrível* (Ed. Mundo Cristão, 2007), relata sobre o que significa reconhecer a nossa condição perante Deus. Durante muito tempo, ele acreditou que a verdade, para ser compreendida, precisa ser vivida; que a doutrina da Bíblia é ineficaz se não for digerida e assimilada individualmente. Afirma que nas Escrituras, a verdade é mais do que um fato. Um fato pode ser destacado, ser impessoal, frio e totalmente dissociado da vida. A verdade, por outro lado, é ardente, viva e espiritual. Ele compreendia bem o que significa reconhecer a nossa condição perante Deus.

Ao nos aprofundarmos na Palavra de Deus, descobrimos que ela penetra fundo em nosso coração. Não mais vemos o pecado apenas como mau ou feio. Começamos a vê-lo como o resultado de desobedecermos a Deus e nos rebelarmos contra Ele. Confesse a Deus a sua rebelião. —*Tom Felten*

Viva em Sua verdade hoje,
leve tudo a Deus e nada retenha.

25 de julho

Lugares desérticos

Leitura:
Isaías 48:16-22

Quando Deus guiou o seu povo pelo deserto, ninguém ficou com sede... —Isaías 48:21

Seco. Empoeirado. Perigoso. Um deserto. Um lugar com pouca água, hostil à vida. Não surpreende que a palavra "desértico" descreva um lugar inabitável. A vida no deserto é difícil. Poucas pessoas o escolhem. Mas, algumas vezes, não há como evitar.

Nas Escrituras, o povo de Deus estava familiarizado com a vida no deserto. Grande parte do Oriente Médio, inclusive Israel, é deserto. Mas há exceções suntuosas, como o vale do Jordão e áreas ao redor do mar da Galileia. Deus escolheu "criar Sua família" num lugar cercado pelo deserto, onde Ele poderia tornar conhecida a Sua bondade aos Seus filhos, conforme eles confiassem nele para receber proteção e provisão diária (Isaías 48:17-19).

Hoje, a maioria de nós não vive literalmente em lugares desérticos, mas geralmente passamos por desertos. Algumas vezes, como ato de obediência. Outras, nos encontramos lá sem ter feito uma escolha ou atitude consciente. Quando alguém nos abandona, ou a doença invade o nosso corpo, nos encontramos num deserto, onde os recursos são escassos e torna-se difícil viver.

Porém, o objetivo de passar por um deserto, literalmente ou não, é nos lembrar de que dependemos da provisão de Deus e que Ele nos sustenta — uma lição que precisamos lembrar mesmo quando vivemos em lugares abastados. *—Julie Ackerman Link*

Quando passamos por "desertos", Deus, por Sua graça nos proporciona um oásis da Sua provisão.

26 de julho

Cansado

Leitura:
Gênesis 39:1-23

Os inimigos o atacam [...]. Porém o seu arco ficou firme, e os seus braços continuaram fortes pela força do Poderoso...

—Gênesis 49:23,24

Eu o achava cansativo. Ele compartilhava seus males pessoais com quem o ouvisse e, comecei a evitá-lo. Sei que isso não é o que Jesus faria. Mas foi o que fiz.

Conheço pessoas que enfrentam circunstâncias muito difíceis e é uma delícia estar com elas. Exalam alegria! Estão feridas e sabem disso, mas não se afundam nessas mágoas e somos atraídos a elas por sua alegria. Sentimo-nos repelidos por uma atitude e atraídos por outra.

O povo deve ter se sentido atraído por José. Seus patrões o apreciavam. Lemos sua história épica em Gênesis 35–50. Vendido como escravo por seus irmãos, José impressionou tanto a Potifar, que este lhe deu o controle de todos os negócios de sua casa (39:1-6). Injustamente acusado de ataque sexual, foi preso (vv.10-20). Mesmo estando no fundo do poço, ele atingiu o topo. Finalmente, Faraó o nomeou seu braço direito no governo de todo o Egito.

Deus abençoou a vida de José (39:2,3). Note que ele não recebeu essas bênçãos por reclamar das injustiças feitas a ele. José fez por merecer o respeito. Décadas depois, a bênção dada a José por seu pai no leito de morte lembrou os atos perversos perpetrados contra ele. "Os inimigos o atacam com violência e o perseguem com os seus arcos e flechas. Porém o seu arco ficou firme..." (49:23,24). José nunca se entregou à derrota, e acabou salvando sua família e preservando a linhagem da qual Jesus descenderia. *—Tim Gustafson*

Não é errado lamentar as injustiças feitas contra nós. Contudo, não precisamos nos fixar nelas.

27 de julho

Oportunidade

Leitura:
João 11:1-44

...Lázaro morreu, mas eu estou alegre por não ter estado lá com ele, pois assim vocês vão crer... —João 11:14,15

Numa mina de cobre e ouro ao norte do Chile, 33 homens soterrados lutaram em desespero durante as primeiras horas, quando a poeira sufocou seus pulmões e deixou a mina sob a escuridão. Oravam para que alguém os encontrasse nos 17 dias que se seguiram. E, 69 dias após o início da sua provação foram trazidos à luz do dia através de um novo poço. A vitória foi doce, e imenso o desafio que haviam superado.

Ninguém procura problemas nem quer ser viciado em álcool ou drogas. Ninguém quer estar desempregado, sem dinheiro para o aluguel e alimento dos filhos, nem pede a Deus para ter parentes arrogantes, amigos que apunhalam pelas costas, ou doenças.

Mas, quando essas coisas nos acontecem, podemos escolher queixar-nos como Marta: "...Se o senhor estivesse aqui..." (João 11:21), ou podemos ver o obstáculo como uma oportunidade. Jesus disse a ela: "O seu irmão vai ressuscitar!" (vv.21-23).

Os problemas podem demonstrar o poder de Deus. Se não ficarmos doentes, não saberemos que o nosso Deus cura. Se não passarmos necessidades, não saberemos que Deus provê. E, se nunca morrermos, não saberemos que o nosso Deus ressuscita os mortos.

Qual é o seu problema? Você sofreu alguma injustiça? Use o privilégio de descobrir a liberdade do perdão. Você está lutando contra um vício? Aproveite a oportunidade de experimentar o poder de Cristo. Está sem dinheiro? Descubra o quanto o Pai celestial a ama. —*Mike Wittmer*

Se você está com Jesus, Ele é o começo da oportunidade que transforma a vida.

28 de julho

Conforto compartilhado

Leitura:
Josué 1:1-9

...Seja forte e corajoso! Não fique desanimado, nem tenha medo, porque eu, o S*ENHOR*, *seu Deus, estarei com você...* —JOSUÉ 1:9

Alguns anos atrás, fui submetido a um transplante de medula óssea (TMO). Os familiares e amigos me acompanharam ao longo dos meses de recuperação subsequentes. Contudo, alguém mais me acompanhou — Sydnie. Essa preciosa criança, filha de amigos nossos, também precisou de um TMO. Estávamos a algumas horas de distância e nos falávamos pelo Skype. Mesmo assim, a conexão emocional e espiritual era real. Atravessamos juntos algumas águas escuras e turbulentas até chegar à praia — um lugar promissor de saúde renovada e vida nova.

Os israelitas, perderam o seu líder Moisés e tiveram de atravessar as águas do rio Jordão para começar uma nova vida na Terra Prometida. Deixaram para trás o conhecido, em troca do desconhecido. Colocaram um pé à frente do outro e, corajosamente, entraram na nova terra e num novo modo de vida.

Deus confortou e encorajou Josué e todo o povo de Israel prometendo-lhes que:

- A Terra Prometida lhes pertenceria (Josué 1:3). Quando Deus o levar a um novo lugar, novo trabalho, novo modo de vida, Ele proverá o necessário.
- Não iriam sós (v.5). Deus estará conosco como esteve com Moisés e Josué. Ele nunca "falhará" ou nos "abandonará".
- A Palavra de Deus os guiaria e levaria ao sucesso (vv.7,8).

Quais águas Deus permite que você atravesse hoje? Lembre-se: "...eu, o SENHOR, seu Deus, estarei com você em qualquer lugar para onde você for!" (v.9). —*Tom Felten*

Conhecer e praticar a sabedoria transformadora da Palavra Deus nos faz experimentar o verdadeiro sucesso.

29 de julho

Não toque na cerca!

Leitura:
Jeremias 18:1-12

O Senhor [...] continuou a avisá-los por meio dos seus profetas porque tinha pena do seu povo... —2 Crônicas 36:15

Quando era menininha, fui com meus pais visitar minha bisavó, que vivia perto de uma fazenda. O quintal dela era cercado por uma cerca eletrificada, que impedia as vacas de pastarem em sua grama. Quando perguntei aos meus pais se eu poderia brincar lá fora, eles consentiram, mas explicaram que tocar a cerca me daria um choque elétrico.

Infelizmente, ignorei a advertência deles, pus um dedo no arame farpado e recebi a descarga de uma corrente elétrica suficientemente forte para dar uma lição a um animal de grande porte. Eu sabia que meus pais haviam me avisado porque me amavam e não queriam que eu me ferisse.

Quando o Senhor viu os israelitas em Jerusalém esculpindo e adorando ídolos, Deus lhes falou: "...porque tinha pena do seu povo..." (2 Crônicas 36:15). Deus falou por intermédio do profeta Jeremias, mas o povo disse: "Não adianta; nós vamos seguir os nossos planos..." (Jeremias 18:12). Por causa disso, Deus permitiu que Nabucodonosor destruísse Jerusalém e capturasse a maioria de seus habitantes.

Talvez, hoje, Deus a alerte sobre algum pecado em sua vida. Se assim for, sinta-se encorajada. Essa é a prova da Sua compaixão por nós (Hebreus 12:5,6). Ele vê o que está adiante e quer que evitemos os problemas que virão. *—Jennifer Benson Schuldt*

As advertências de Deus são para nos proteger, não para nos punir.

30 de julho

Guarde sua marca

Leitura:
Colossenses 3:1-14

E, acima de tudo, tenham amor, pois o amor une perfeitamente todas as coisas. —COLOSSENSES 3:14

Uma conhecida loja de roupas exige que seus vendedores se vistam como os manequins que expõem as suas roupas nas vitrines da loja. Esta prática é denominada "guardar a marca". A ideia por detrás dela é que os compradores terão mais probabilidade de comprar roupas porque desejarão se parecer com as pessoas que veem vestidas, usando-as.

Numa cultura orientada ao consumo, é fácil pensar que podemos "comprar" aceitação vestindo as mesmas coisas que as pessoas bonitas vestem. Os lojistas querem nos fazer crer que ter boa aparência nos tornará desejáveis.

Às vezes, até nos convencemos de que podemos conquistar seguidores para Deus tornando-nos atraentes ao mundo. Mas, a Bíblia é clara a respeito do que é realmente importante para Deus. Ele deseja que sejamos parecidos com Jesus em nosso caráter. De certo modo, Jesus é a nossa "marca", pois estamos sendo conformados à Sua imagem (Romanos 8:29). Atraímos outras pessoas para Cristo quando nos revestimos dos Seus atributos que incluem misericórdia, bondade, humildade, mansidão, longanimidade (Colossenses 3:12) e, acima de tudo, amor (v.14).

Em vez de polir e proteger a nossa própria imagem, precisamos guardar e refletir a imagem de Deus, que está sendo aperfeiçoada em nós por intermédio de Cristo. —*Julie Ackerman Link*

Uma das tarefas do Espírito Santo é modelar a semelhança de Cristo em nós.

31 de julho

O pior dia de sua vida

Leitura:
Jó 7:11-21

...Estou aflito, tenho de falar, preciso me queixar, pois o meu coração está cheio de amargura. —Jó 7:11

Em maio de 2011, uma jovem abrigou-se numa banheira durante um furacão que devastou sua cidade. Seu marido cobriu o corpo da moça com o dele e recebeu as pancadas dos escombros atirados pelo vento. Ele morreu e ela sobreviveu graças ao seu heroísmo. Ela, naturalmente, luta com a pergunta: "Por quê?". No entanto, um ano após o tornado, ela diz que se sente consolada porque mesmo no pior dia de sua vida, foi amada.

Quando penso em "piores dias", imediatamente penso em Jó. Um homem que amava Deus, perdeu seus animais, seus servos e seus dez filhos num único dia! (Jó 1:13-19). Jó lamentou profundamente e também perguntou "por quê?". Ele queixou-se: "Se pequei, que mal te fiz a ti [...]? Por que fizeste de mim o alvo das tuas flechas?" (7:20). Os amigos de Jó o acusaram de ter pecado e acharam que ele merecia suas dificuldades, mas Deus disse sobre esses amigos: "...vocês não falaram a verdade a meu respeito, como o meu servo Jó falou" (42:7). Deus não lhe disse quais eram as razões para o sofrimento por qual passara, mas ouviu Jó e não o culpou pelas perguntas que fez. Deus garantiu-lhe que tinha controle sobre tudo e Jó confiou nele (42:1-6).

O Senhor pode não nos dar razões para as nossas provações. Mas, felizmente, mesmo nos piores dias de nossa vida, temos a certeza de que somos amados por Ele (Romanos 8:35-39). —*Anne Cetas*

O amor de Deus não nos impede de passarmos por provações, mas nos ampara em meio a elas.

1.º de agosto

Visão interior

Leitura:
1 Samuel 16:1-7

Mas o SENHOR disse: [...] Elas olham para a aparência, mas eu vejo o coração. —1 SAMUEL 16:7

O físico aposentado Arie van't Riet cria obras de arte de maneira incomum. Ele dispõe as plantas e animais mortos em várias composições e, depois os radiografa, digitaliza essas radiografias num computador e, depois, adiciona cor a certas partes de seus quadros. Suas obras de arte revelam a complexidade interior de flores, peixes, aves, répteis e macacos.

Frequentemente, a visão interior de algo é mais fascinante e mais importante do que uma visão exterior. À primeira vista, Samuel pensou que Eliabe poderia ser o próximo rei de Israel (1 Samuel 16:6). Mas Deus advertiu o profeta a não olhar para os traços físicos de Eliabe. O Senhor disse a Samuel: As pessoas "...olham para a aparência, mas eu vejo o coração" (v.7). Deus escolheu Davi, em vez de Eliabe, para ser o próximo rei de Israel.

Quando Deus olha para nós, Ele está mais interessado em nosso coração do que em nossa altura; no estado de nossa alma do que no formato do nosso rosto. Ele não nos vê como velhos demais, jovens demais, pequenos demais ou grandes demais. Ele se concentra naquilo que importa — nossa resposta ao Seu amor por nós e o nosso amor por outras pessoas (Mateus 22:37-39). Lemos em 2 Crônicas 6:30 que somente Deus conhece o coração humano. Quando Deus, que fez tanto por nós, olha para o nosso coração, o que Ele vê? *—Jennifer Benson Schuldt*

A verdadeira medida de uma pessoa é o que ela abriga em seu coração.

2 de agosto

Levante suas mãos

Leitura:
João 4:7-15,28-30

Pois Deus mandou o seu Filho para salvar o mundo e não para julgá-lo. —JOÃO 3:17

Aprecio muito um renomado coral por sua bela música, e pela excelência do seu processo de seleção. Os candidatos são escolhidos com base no quão bem cantam, e em como soam dentro do conjunto todo. Outra razão é o fato de que todos os membros concordam em fazer do coral sua prioridade número um e se comprometem com uma agenda rigorosa de ensaios e espetáculos.

Uma das coisas que mais me intriga neste grupo é o que acontece durante os ensaios. Sempre que os componentes cometem um erro, eles levantam a mão. Em vez de tentar escondê-los, eles chamam a atenção para os seus próprios erros! Isto permite que o regente ajude cada um, individualmente, a aprender a parte difícil e assim, ele aumenta a possibilidade de uma execução impecável.

Creio ser este o tipo de comunidade que Jesus estava estabelecendo ao dizer a Nicodemos que Deus enviou Seu Filho ao mundo para salvar e não para condená-lo (João 3:17). Logo após esta conversa, Jesus encontrou uma samaritana no poço comunitário. Ao lhe prometer um modo de vida melhor em que ela pudesse usufruir de Seu perdão, Jesus criou uma situação e foi fácil para ela admitir o seu fracasso (João 4).

Como membros do Corpo de Cristo, não temamos admitir os nossos erros, mas, sim, recebê-los como a oportunidade de experimentarmos juntos o perdão de Deus e nele nos regozijarmos. —*Julie Ackerman Link*

Não conseguiremos abandonar os nossos pecados, se não os enfrentarmos.

3 de agosto

Ajuda de crocodilo

Leitura:
Ester 4:1–5:3

...irei falar com o rei, mesmo sendo contra a lei; e, se eu tiver de morrer por causa disso, eu morrerei. —ESTER 4:16

Quando Alexis Dunbar voltou para casa teve uma enorme surpresa. Um crocodilo de 1,80 m estava à espreita em seu quarto de hóspedes! Ele tinha saído de um lago nos fundos do quintal de sua casa e entrara pela pequena abertura feita para os gatos de Dunbar! Os especialistas em fauna silvestre o encurralaram e o libertaram em seu habitat, e nenhum gatinho foi devorado pelo feroz visitante.

A rainha Ester precisou enfrentar face a face o que poderia ser sua sentença de morte. Hamã engendrou um plano maligno, e todo o povo judeu estava em vias de ser eliminado (3:8-11). Ester podia calar-se e permitir que todos fossem mortos, ou ir à presença do rei e implorar por misericórdia (4:8). Apresentar-se ao rei sem ser chamado, no entanto, significava que a rainha seria sentenciada à morte caso o rei não estendesse para ela o seu cetro (v.11).

Arriscando a vida por seu povo, Ester disse: "...irei falar com o rei, mesmo sendo contra a lei; e, se eu tiver de morrer por causa disso, eu morrerei" (v.16). Timidamente, a moça entrou na sala do trono e o rei estendeu seu cetro de ouro, indicando que ela era bem-vinda. No fim, o povo de Ester foi salvo por causa de sua disposição em vir ao seu auxílio.

Há cristãos em sua vida que, hoje, necessitam de sua ajuda. Eles não têm reis ou crocodilos para enfrentar, no entanto, estão lutando contra escolhas perigosas, vícios ou pecados graves que os ameaçam.

—Tom Felten

Auxilie quem precisa de encorajamento e fale a verdade em amor.

4 de agosto

Por que fé?

Leitura:
1 Pedro 3:13-18

...Estejam sempre prontos para responder a qualquer pessoa que pedir que expliquem a esperança que vocês têm. —1 Pedro 3:15

A cantora pop Katy Perry afirmou que não se sentia muito feliz com a rígida educação cristã que recebera. "Não tive infância, sempre perguntava o porquê de tudo, disse ela, mas em minha religião espera-se apenas que a pessoa tenha fé. E eu sempre me perguntava o porquê? No momento, estou meio à deriva, aberta às possibilidades."

Suas palavras são reveladoras: "...espera-se apenas que a pessoa tenha fé". Diante disso, pergunto: "Por quê?". Afinal, a fé simplesmente pela fé é uma busca vazia. A fé em Jesus, porém, é algo verdadeiro e transforma a vida.

E digo porque: a fé apenas na fé leva a crermos em algo sem substância. É como se agarrar a uma corda e descobrir que ela está solta, sem amarras. A verdadeira fé cristã, no entanto, é acreditar confiantemente em Jesus.

Pedro disse aos seus leitores que sofriam por sua fé para estar sempre preparados para responder a todo aquele que lhes pedissem a razão da esperança deles (v.15). Pedro tinha andado com Jesus, visto Seus milagres, testemunhado Sua morte na cruz e convivido com Ele após Sua ressurreição. Sua fé era racional e razoável.

Podemos ter essa mesma fé. Não estamos nos agarrando a uma corda falsa. Estamos firmados naquele que tem se mostrado verdadeiro e digno de confiança. Como Pedro escreveu, cremos que: "...Cristo sofreu uma vez por todas pelos pecados, um homem bom em favor dos maus, para levar vocês a Deus..." (v.18). —*Tom Felten*

Podemos depositar a nossa fé em uma Pessoa, Jesus!

5 de agosto

Fé e obras

Leitura:
1 Coríntios 3:5-9

Pois não existe diferença entre a pessoa que planta e a pessoa que rega. Deus dará a recompensa… —1 Coríntios 3:8

Uma de minhas frases favoritas de John Wesley é: "Ore como se dependesse de Deus; trabalhe como se dependesse de si mesmo." Nem sempre ajo assim, mas isso ecoa o que um antigo rei sábio disse certa vez.

Ao se aproximar o seu fim, o rei Davi percebeu que não seria capaz de construir o Templo para Deus em Jerusalém. Deus lhe disse que o seu filho e sucessor Salomão o concluiria (1 Crônicas 28:6). Então, Davi instruiu Salomão: "…Seja forte e corajoso e mãos à obra! Não desanime, nem tenha medo, pois o Senhor, meu Deus, estará com você. Ele não o abandonará, mas ficará com você até terminarem todas as obras da construção do Templo" (1 Crônicas 28:20).

Davi passou para Salomão o que ele tinha aprendido em primeira mão — que a fé e o esforço andam de mãos dadas. A tarefa proposta a Salomão exigiria muito trabalho, mas ele precisaria depender de Deus para fazer a obra.

Você exercita a sua fé? Por exemplo, se você busca um emprego, você ora a Deus enquanto preenche os formulários de emprego e envia currículos aos potenciais empregadores? Ao buscar amizades, ora a Deus para trazê-las à sua vida e, em seguida, intencionalmente investe nessas pessoas?

Deus é Deus; tudo o que temos ou realizamos vem, em última análise, dele. Ele não fará todo o trabalho por nós. Deus respeita a dignidade que colocou em todos nós, chamando-nos a arregaçar as mangas e fazer o que pudermos. *—Jeff Olson*

Unamo-nos com o Senhor para realizar a tarefa que Ele nos apresenta.

6 de agosto

Uma casa dividida

Leitura:
Mateus 10:34-39

E assim os piores inimigos de uma pessoa serão os seus próprios parentes. —Mateus 10:36

Janice é uma mulher atraente, de 30 e poucos anos, tem amigos e uma carreira de sucesso. Tornou-se cristã há pouco tempo, para o horror de seu pai ateu. Desde então, suas visitas aos seus pais têm sido mais e mais difíceis. Ele a ofende para que abandone a sua fé de "conto de fadas".

Esta perseguição implacável para Janice não seguir a Cristo, não é de todo egoísta. A moça deseja se casar, mas decidiu que só se casará com um cristão. Seu pai quer vê-la realizada e vê sua fé como um obstáculo. "Você acredita numa mentira que a afasta de homens disponíveis para o casamento." Janice sente-se esgotada.

Jesus foi claro sobre o impacto que Ele causaria nas famílias. Sua vinda colocaria filho contra pai, filha contra mãe e dividiria famílias inteiras pelas fronteiras da fé (Mateus 10:35). Ele disse: "...os piores inimigos de uma pessoa serão os seus próprios parentes" (v.36). Ironicamente, seguir ao Príncipe da Paz pode resultar em guerra.

Se houver divisão, Jesus revelou qual lado devemos escolher. "Quem ama o seu pai ou a sua mãe mais do que ama a mim não merece ser meu seguidor..." (v.37). Somente isto conduz à verdadeira vida (v.39).

Admiro a minha amiga Janice. Ela enfrentou a oposição familiar à sua fé por seu desejo de seguir a Jesus. Ela ama seus pais e suporta os ataques à sua fé. Continua a esperar por um marido cristão enquanto permanece fiel ao seu primeiro amor. —*Sheridan Voysey*

...mas os que confiam no Senhor recebem sempre novas forças... —Isaías 40:31

7 de agosto

Proteja esta casa

Leitura:
1 Coríntios 6:1-11

Só o fato de existirem questões entre vocês já mostra que vocês estão falhando [...]. Não seria melhor ficar com o prejuízo?
—1 Coríntios 6:7,8

Uma empresa de roupas esportivas anunciou sua nova marca que utiliza tecidos que absorvem o suor, com o slogan: "Proteja esta casa". Foi sucesso imediato, por implicar que isso transformava os atletas em gladiadores e defensores do seu torrão natal.

Pensei nisso ao ler sobre uma comoção numa igreja próxima. Os membros conversavam acaloradamente com o seu pastor, e quando este virou-se para sair, apressado, trombou com uma senhora idosa, que tropeçou por mais de um metro antes de equilibrar-se segurando-se no banco da igreja. Ela o processou por ataque e agressão. O jornal relatava que o júri inocentara o pastor, mas os paroquianos ainda discutiam sobre a culpabilidade.

Essa tolice, egoísta, refere-se ao que Paulo nos adverte: "Quando algum de vocês tem uma queixa contra um irmão na fé, como se atreve a pedir justiça a juízes pagãos, em vez de pedir ao povo de Deus que resolva o caso" (v.1)? Vale a pena destruir a reputação e o ministério da sua igreja apenas para resolver uma disputa pessoal?

A maioria de nós nem pensaria em destruir a igreja local, mas somos capazes de dilacerá-la de muitas outras maneiras que são igualmente destrutivas. Nenhuma igreja é perfeita, até porque nós fazemos parte dela. Sempre haverá algo para criticar. É perigoso criticar a Igreja, pois ela representa o Corpo de Cristo. Se falharmos, é possível que "o próprio Jesus Cristo seja criticado, atacado, condenado e, talvez, rejeitado". —*Mike Wittmer*

Evite ventilar suas frustrações na igreja com pessoas que não são parte dela. Proteja esta casa.

8 de agosto

Transplante de coração

Leitura:
Ezequiel 36:25-27

O Senhor, nosso Deus, dará a vocês [...] corações dispostos a obedecer, a fim de que o amem com todo o coração...
—Deuteronômio 30:6

Dan Olson é maratonista e ciclista de longas distâncias, e tem o coração transplantado. Ele pensava que seu estilo de vida lhe asseguraria um corpo saudável, mas aos 38 anos foi diagnosticado com cardiomiopatia — o enfraquecimento e espessamento do músculo do coração. Danificado e sem conserto, Olson precisou de um transplante. O doador foi uma menina de 15 anos, vítima de acidente de carro. Os pais da adolescente, com a generosa decisão de doar os órgãos da filha, deram-lhe uma nova vida. "Penso em minha doadora todos os dias, e quero mostrar à sua família o que o seu presente me permite fazer", diz Olson.

Antes de sermos cristãos, tínhamos uma doença espiritual: o endurecimento do coração (Ef 4:17,18). O Médico dos médicos chamou esta condição de "...coração de pedra..." (Ez 36:26). De acordo com Seu prognóstico, nosso coração de pedra era incapaz, e sem vontade de obedecer a Deus (11:19,20; 36:26,27). Sem tratamento estaríamos mortos, desprovidos de vida (Ef 2:1,5; Cl 2:13).

Mas também somos transplantados por um Cirurgião divino (Dt 30:6; Cl 2:11).

Ele disse: "Eu lhes darei um coração novo [...]. Tirarei de vocês o coração de pedra, desobediente, e lhes darei um coração bondoso, obediente. Porei o meu Espírito dentro de vocês e farei com que obedeçam às minhas leis e cumpram todos os mandamentos que lhes dei" (Ez 36:26,27). Sem isso, não poderíamos ser crentes em Jesus. *—K. T. Sim*

*Deus deu-lhe um novo coração e uma nova vida.
Honre-o diariamente por isso!*

9 de agosto

Lugares surpreendentes

Leitura:
Números 11:24-30

Aí Josué [...] foi logo dizendo: — Moisés, meu chefe, não deixe que eles façam isso! —NÚMEROS 11:28

Um jogador de hóquei estava no Canadá com sua namorada quando passou por duas pessoas que pediam carona. Ele as reconheceu e disse: "É o Bono!" A namorada não acreditou e ele a convenceu a retornar. De fato era o vocalista do U2 e seu assistente. O casal lhes deu carona e Bono agradeceu com ingressos para o seu show na mesma noite.

A graça e a bênção vêm de todos os tipos de lugares surpreendentes. Moisés soube disso quando se sentiu sobrecarregado com suas responsabilidades. Deus o instruiu a reunir 70 anciãos das tribos, e eles o ajudariam "...no pesado trabalho de cuidar do povo" (Números 11:17). O líder reuniu os 70 e Deus "...tirou uma parte do Espírito que tinha dado a Moisés e deu aos setenta líderes..." (v.25).

Dois outros líderes israelitas, porém, não estavam presentes e mais tarde profetizaram por conta própria. Josué, enfurecido por este desafio à liderança de Moisés, protestou. Moisés, calma e sabiamente, respondeu: "Por que você está preocupado com os meus direitos, quando eu é que deveria estar? Eu gostaria que o SENHOR desse o seu Espírito a todo o seu povo e fizesse com que todos fossem profetas!" (v.29).

Nós queremos manipular as pessoas que Deus usa e como Ele as usa. Sentimos inveja daqueles que não parecem seguir o mesmo caminho que temos seguido. Como Moisés, devemos nos alegrar cada vez que Deus age — não importando como ou com quem Deus escolhe fazê-lo. —*Winn Collier*

A natureza humana não pode controlar a graça de Deus.

10 de agosto

Além dos padrões

Leitura:
Mateus 5:20-48

...só entrarão no Reino do Céu se forem mais fiéis em fazer a vontade de Deus do que os mestres da Lei e os fariseus.
—MATEUS 5:20

Anos atrás um artigo, escrito pelo Coronel William Draper, foi publicado sob o título: "Transporto o presidente". Muitos lhe perguntavam como era ter a vida do presidente em suas mãos. Ele dizia: "Requer uma dedicação especial. Os padrões da aeronáutica já não são suficientes para satisfazer aqueles que transportam o presidente."

Quando seguimos a Jesus, apenas aderir aos padrões não é o suficiente. Ele quer que os Seus seguidores busquem mais do que isso. Após dizer que havia vindo para cumprir a Lei (Mateus 5:17), Jesus usou seis partes desta Lei para ensinar verdades essenciais. Em cada exemplo, Ele citou uma passagem bíblica e depois usou métodos de ensino comuns para explicar o que a passagem realmente significava.

Jesus estabeleceu a Sua autoridade e conclamou os Seus seguidores à justiça que ia além daquela dos fariseus. Ele não contradisse a Lei, mas corrigiu interpretações erradas. Ele podia fazer isso porque Sua autoridade era maior.

Como cristãos, Jesus nos chama para irmos além dos padrões ao lidarmos com a ira. Fazemos isso ao buscarmos a reconciliação (5:21-26), ao não usarmos nossos sentidos para incitar desejos anormais e proibidos (vv.27-30), quando nos entregamos à santidade e seriedade do casamento (vv.31,32), sendo verdadeiros mesmo que isso seja doloroso (vv.33-37), e quando lidamos com os ossos inimigos cobrindo-os com muita graça e amor (vv.38-48). *—Marwin Williams*

Portanto, sejam perfeitos, assim como é perfeito o Pai de vocês, que está no céu. —Mateus 5:48

11 de agosto

"Não se preocupe, Papai!"

Leitura:
Êxodo 14:19-25

...e a presença do SENHOR Deus os protegerá por todos os lados.
—ISAÍAS 58:8

No verão passado, meu marido e eu promovemos um concerto beneficente para a pesquisa de câncer infantil. Planejávamos fazer o evento no quintal de casa, mas, a previsão do tempo era péssima. Horas antes do evento, telefonamos aos mais de 100 convidados para informá-los sobre a alteração de local. Quando os amigos e familiares transportavam os alimentos, decorações e equipamentos de nossa casa para o ginásio de esportes da igreja, nossa filha parou por um momento para abraçar o seu pai e lembrá-lo, em nome dos filhos e netos, de que eles estavam lá para ajudá-lo: "Não se preocupe, Papai! Somos a sua retaguarda."

Ouvir isso foi reconfortante, porque nos lembrou de que não estamos sós. Alguém está dizendo: "Estou aqui. Cuidarei do que você possa se esquecer. Serei um segundo par de olhos e mãos para você."

Quando os israelitas estavam fugindo de uma vida de escravidão, Faraó enviou ao seu encalço um exército de carros e cavaleiros (Êxodo 14:17). "Então o Anjo de Deus [...] mudou de lugar e passou para trás. Também a coluna de nuvem saiu da frente deles e foi para trás" (v.19). Desta maneira, Deus os escondeu e protegeu durante toda a noite. No dia seguinte, Ele abriu o mar Vermelho para que eles pudessem atravessar em segurança.

"Se Deus está do nosso lado, quem poderá nos vencer" (Romanos 8:31)? Nossa tarefa é demonstrar o cuidado; a obra de Deus é cuidar e proteger! *—Cindy Hess Kasper*

Deus é o nosso Pai celestial e em Seu eterno amor Ele nos cuida e nos protege.

12 de agosto

Histórias que contamos

Leitura:
2 Timóteo 3:10-17

...continue firme nas verdades que aprendeu e em que creu de todo o coração... —2 TIMÓTEO 3:14

Os livros de histórias bíblicas para crianças costumam decepcionar, pois apresentam a Bíblia como um livro muito seguro e administrável. Apresentam uma coleção de breves moralismos e com essa postura, as verdades da Palavra perdem seu impacto; não precisam da cruz, da ressurreição ou do reino de Deus. O Senhor está na periferia. A alimentação dos 5.000 destaca apenas um menino que compartilha. Quando o povo de Israel atravessa o mar Vermelho enfatiza o grande líder Moisés, "irado" dividindo a água do mar com um cajado. A parábola que apresenta Deus como o Pai bom que inunda o mundo com generosidade se torna um conto sobre o dever de obedecer aos pais.

O problema é que aprendemos a ler a Bíblia sem colocar Deus sob os holofotes. Ensinamos os nossos filhos como se fosse uma história na qual somos os personagens centrais, e isso é totalmente errado.

Paulo lembrou seu pupilo, o jovem Timóteo, a permanecer fiel ao ensinamento espiritual que recebera "...desde menino..." (2 Timóteo 3:15). Esse ensinamento era centrado na "...salvação, por meio da fé em Cristo Jesus..." e em verdades inspiradas por Deus (vv.15,16).

A mãe e a avó de Timóteo lhe ensinaram o mais essencial a respeito de Deus. É fácil esquecer que as Escrituras se tratam de Deus. A Bíblia nos conta a história de Deus em primeiro lugar, e só encontramos o nosso mais verdadeiro significado quando descobrimos a nossa história na história do Pai. —*Winn Collier*

As histórias que contamos a nossos filhos e a nós mesmos realmente importam. Contemos a história de Deus.

13 de agosto

Perguntas pesadas

Leitura:
Jó 4:1-11

Você lembra de alguma pessoa inocente que tenha caído na desgraça ou [...] honesta que tenha sido destruída? —Jó 4:7

Se constranger o seu convidado é medida de sucesso, então certo entrevistador foi magnífico. Referindo-se ao terremoto e tsunami no Japão, o repórter perguntou ao líder religioso: "Ou Deus é Todo-poderoso e não se importa com o sofrimento dos japoneses ou Ele se importa, mas não é realmente poderoso. Qual é o certo"? A pergunta contém um engano lógico. A pressuposição de que Deus é A ou B — não reflete a realidade.

Na Bíblia, as provações de Jó se agravaram com uma pequena "ajuda" de seus amigos. Elifaz pensava que suas tribulações eram merecidas e perguntou: "Você lembra de alguma pessoa inocente que tenha caído na desgraça...? [...] os que aram campos de maldade e plantam sementes de desgraça só colhem maldade e desgraça" (vv.7,8). Jó tinha que ter feito algo mau, ou não estaria sofrendo. A verdade era muito mais complexa.

No filme *O Todo-Poderoso*, "Deus" deixa um repórter descontente assumir o papel de Deus, mas lhe diz para não interferir no livre-arbítrio, pois Ele não o faz. Ao criar a raça humana, colocou duas árvores no Éden —, uma delas com a instrução: Não coma frutos dessa árvore! Adão e Eva desobedeceram e a criação foi amaldiçoada desde então (Gênesis 3:1-7,14-19).

As escolhas têm consequências e por intermédio de Adão, nos rebelamos contra Deus (Rm 5:6,12-19; 8:20), e fomos amaldiçoados. Porém, Deus não nos abandonou — Ele é o Deus de amor e redenção. *—Tim Gustafson*

O Senhor permite que o rejeitemos ou aceitemos.

14 de agosto

Segurando-me

Leitura:
Salmo 34:1-7

Eu sou o SENHOR, o Deus de vocês; eu os seguro pela mão e lhes digo: Não fiquem com medo, pois eu os ajudo.

—ISAÍAS 41:13

Depois que parei de viajar com meus pais, tornou-se raro visitar meus avós que viviam a centenas de quilômetros de distância de nós. Então, certo ano, decidi visitá-los num fim de semana prolongado. Enquanto íamos até o aeroporto para o meu voo de regresso, vovó, que nunca havia viajado de avião, começou a expressar-me os seus medos: "Esse avião em que você voou era tão pequeno... Não há nada realmente segurando você lá em cima, não é? ...Eu ficaria com muito medo de ir tão alto."

No momento em que entrei no pequeno avião, eu estava tão amedrontada quanto na primeira vez em que tinha viajado. Afinal, exatamente o que está segurando esse avião?

Medos irracionais, ou até mesmo legítimos, não precisam nos aterrorizar. Davi viveu como fugitivo, com medo do rei Saul que o perseguia, implacavelmente, por ciúmes da popularidade do salmista junto ao povo. Davi só encontrava o verdadeiro consolo e conforto em seu relacionamento com Deus. No Salmo 34, ele escreveu: "Eu pedi a ajuda do SENHOR, e ele me respondeu; ele me livrou de todos os meus medos" (v.4).

Nosso Pai eterno é totalmente sábio e amoroso. Quando o medo começa a nos subjugar, precisamos parar e nos lembrar de que Ele é o nosso Deus e sempre vai nos amparar. *—Cindy Hess Kasper*

Quando cremos que Deus é bom, podemos aprender a eliminar os nossos medos.

15 de agosto

Quem é o meu vizinho?

Leitura:
Lucas 10:30-37

...Pois vá e faça a mesma coisa.
—Lucas 10:37

Maria gostava de sua célula da igreja no meio da semana, quando ela e várias amigas se reuniam para orar, adorar e discutir questões do sermão da semana anterior. No encontro seguinte, elas falariam acerca da diferença entre "ir" para a igreja e "ser" a igreja em um mundo decaído. Ela estava ansiosa por ver suas amigas e ter uma discussão animada.

Ao pegar as chaves do carro, a campainha tocou. "Sinto muito incomodá-la", disse sua vizinha Susana, "mas você está livre hoje?" Maria estava prestes a dizer que estava saindo, quando Susana continuou: "Eu tenho de levar meu carro à oficina. Normalmente, vou a pé ou de bicicleta para casa, mas machuquei as costas e não posso pedalar no momento." Maria hesitou por um instante e, em seguida, sorriu. "Claro", disse ela.

Maria conhecia sua vizinha apenas de vista. Mas ao levá-la para casa, soube da batalha do marido de Susana com a demência e do extremo esgotamento que o cuidador de pessoas nessa condição, pode sofrer. Ela a ouviu, condoeu-se, prometeu orar por eles, e se ofereceu para ajudar de qualquer maneira que pudesse.

Maria não foi à sua célula na igreja naquela manhã para falar sobre como compartilhar a fé. Em vez disso, ela levou um pouco do amor de Jesus à sua vizinha que estava em uma situação difícil. *—Marion Stroud*

A fé se materializa por meio de nossas ações.

16 de agosto

Não é de admirar!

Leitura:
Cântico dos Cânticos 1:1-4

Nós amamos porque Deus nos amou primeiro.
—1 João 4:19

"Ele é perfeito para você", disse minha amiga. Ela estava falando de um sujeito que ela havia acabado de conhecer. E descreveu seus olhos, seu sorriso, e seu bondoso coração. Quando eu o conheci, tive de concordar. Hoje ele é meu marido, e não é de admirar que eu o amo!

Em Cântico dos Cânticos, a noiva descreve o homem que ama. O amor dele é melhor do que o vinho e mais perfumado do que unguentos. O nome dele é mais doce do que qualquer coisa deste mundo. Então, ela conclui que não é de admirar que ele seja amado.

Mas há Alguém muito maior do que qualquer ser humano querido, Alguém cujo amor também é melhor do que o vinho. Seu amor satisfaz todas as nossas necessidades. Sua "fragrância" é melhor do que qualquer perfume porque, quando Ele se entregou a si mesmo por nós, o Seu sacrifício se tornou o doce aroma de Deus (Efésios 5:2). Finalmente, Seu nome está acima de todo o nome (Filipenses 2:9). Não admira que o amemos!

É um privilégio amar Jesus. É a melhor experiência da vida! Nós dedicamos tempo a dizer-lhe isso? Expressamos com palavras a beleza de nosso Salvador? Se demonstrarmos a Sua beleza com a nossa vida, os outros dirão: "Não é de admirar que vocês o amem!" *—Keila Ochoa*

A Palavra de Deus nos fala de Seu amor por nós; as nossas falam do nosso amor por Ele.

17 de agosto

Não é minha preocupação

Leitura:
Isaías 40:25-31

Entregue os seus problemas ao SENHOR*, e ele o ajudará; ele nunca deixa que fracasse a pessoa que lhe obedece.* —SALMO 55:22

Um homem se preocupava com tudo, constantemente. Certo dia, seus amigos o viram assobiando feliz e com uma aparência perceptivelmente relaxada. "O que aconteceu?", perguntaram-lhe, atônitos. Ele disse: —Estou pagando a um homem para preocupar-se em meu lugar.

—Quanto você lhe paga?, perguntaram.

—O equivalente a uns 7 salários mínimos por semana, respondeu ele.

—Uau! Como você consegue pagar isso?

—Não consigo, mas a preocupação é dele.

Embora essa maneira bem-humorada de lidar com o estresse não funcione na vida real, como filhos de Deus, podemos lançar nossas preocupações em Alguém que tem tudo sob perfeito controle, e, especialmente, quando para nós não está.

O profeta Isaías nos relembra de que Deus criou as estrelas e chama a todas pelo nome (40:25,26). "A sua força e o seu poder são tão grandes", nenhuma delas falta (v.26). E, assim como conhece as estrelas pelo nome, Deus nos conhece pessoal e individualmente. Estamos sob os Seus vigilantes cuidados (v.27).

Se somos propensas às preocupações, podemos lançá-las sobre o Senhor. Ele nunca está demasiadamente fatigado ou excessivamente cansado para prestar atenção em nós. Ele tem toda a sabedoria e todo o poder, e ama usá-los para o nosso bem. O Santo Deus que conduz as estrelas tem os Seus braços amorosos em torno de nós. *—Poh Fang Chia*

As preocupações terminam onde começa a fé.

18 de agosto

O odor da morte

Leitura:
Marcos 16:1-8

...Maria Madalena, Salomé e Maria, a mãe de Tiago, compraram perfumes para perfumar o corpo de Jesus. —Marcos 16:1

Anos atrás, embarquei num avião na Ucrânia, a caminho de Moscou e os oficiais me disseram que o visto russo especial era desnecessário. Estavam errados. Os militares russos me pararam na porta do avião, na chegada, fui detido durante toda a noite até embarcar de regresso na manhã seguinte. Enquanto isso, minha família estava num hotel a pouca distância, sem a menor ideia de onde eu estava. Eu não conseguia me comunicar, nem me alimentar, estava preso e nada podia fazer a respeito.

As três mulheres que chegaram na madrugada do domingo ao túmulo de Jesus também se sentiam desamparadas. Horas antes, a esperança delas fora sepultada naquele lugar. Elas tinham visto Jesus morrer (Marcos 15:40). Talvez houvesse outras pessoas presentes, mas Marcos enfatizou que elas viram tudo, desde o último suspiro de Jesus até a tumba onde Seu corpo jazia sem vida. O que fazer quando nos sentimos impotentes contra a morte? Essas mulheres levaram azeite e ervas para colocar no corpo de Jesus, mas eram incapazes de impedir a ruína e a morte. Só podiam tentar minimizar o odor.

Vivenciamos algo semelhante sempre que um casamento, emprego ou sonho se finda. Não conseguimos deter certos fatos. O melhor a fazer é tentar fazer essa "morte" cheirar um pouco melhor, enquanto clamamos por misericórdia.

O anjo no túmulo vazio de Jesus, disse: "...ele não está aqui, pois já foi ressuscitado..." (16:6). —*Winn Collier*

Quando clamamos por misericórdia, clamamos Aquele que já venceu a morte.

19 de agosto

Aprenda com a história

Leitura:
1 Coríntios 10:1-13

Tudo isso aconteceu a fim de nos servir de exemplo, para nós não querermos coisas más como eles quiseram. —1 Coríntios 10:6

Segundo as autoridades de ensino, os alunos sabem muito pouco sobre a história do país. Um teste revelou que a maioria das crianças com 10 anos não consegue explicar a importância do Imperador D. Pedro I para a história do Brasil. E o fracasso de um povo em conhecer a sua história e em aprender com ela pode levá-lo a repetir os mesmos erros.

Paulo disse isso aos coríntios e os incentivou a aprender com o exemplo de Israel. Por terem sido libertos da escravidão do pecado, eles presumiram que Deus não os disciplinaria por se associarem a ídolos. Porém, para situá-los, Paulo citou a geração do deserto. Embora Israel tivesse recebido libertação sobrenatural, provisões divinas e a presença de Deus, Ele os disciplinou por violarem suas obrigações da aliança — uma das quais era servi-lo com exclusividade (Êxodo 20:2,3). Como Israel, eles supunham que sua posição espiritual diante de Deus, e correspondente liberdade, lhes dava licença para participarem de festas pagãs. Mas estavam errados! A queda de Israel era um alerta!

Ao andarmos com o nosso Pai celestial, tenhamos o cuidado de aprender com os exemplos do passado e de sermos responsáveis com a nossa liberdade cristã. Recusemo-nos a ansiar pelos prazeres anteriores, a adorar coisas, ser sexualmente imorais, murmurar contra o plano e propósito de Deus, e falar com rebeldia contra os líderes que Ele designou (1 Coríntios 10:6). *—Marvin Williams*

Fomos libertos da escravidão do nosso passado e embarcamos numa viagem rumo à Terra Prometida.

20 de agosto

Fora de contexto

Leitura:
Lucas 4:1-13

Que eles sejam teus por meio da verdade;
a tua mensagem é a verdade. —João 17:17

Quando um amigo começou a fazer declarações aleatórias desesperadoras, as pessoas se preocuparam com ele e começaram a dar conselhos e a oferecer encorajamento. Acabamos descobrindo que ele estava simplesmente se divertindo ao repetir letras de canções fora de contexto para iniciar uma conversação. Amigos que tentaram ajudar desperdiçaram seu tempo oferecendo a ajuda que ele não precisava e conselhos que ele não queria. As consequências das declarações desorientadoras de meu amigo não foram sérias, mas poderiam ter sido. Ao dedicar tempo para reagir a sua falsa necessidade, alguém poderia ter negligenciado a necessidade legítima de outra pessoa.

Algumas pessoas que usam palavras fora de contexto querem apenas chamar a atenção ou vencer uma discussão. Mas, outras são mais sinistras. Elas distorcem a verdade para obter o poder sobre os outros. Elas colocam em perigo não apenas vidas, mas também almas.

Quando pessoas usam palavras para manipular os outros, de modo que estes se comportem de determinadas maneiras — ou pior, quando elas citam a Bíblia fora de contexto para convencer outras a fazerem coisas erradas — só existe uma defesa: Precisamos saber o que Deus realmente diz em Sua Palavra. Jesus foi capaz de resistir à tentação com a verdade (Lucas 4). Nós dispomos do mesmo recurso. Deus nos deu a Sua Palavra e Espírito para nos guiar e impedir de sermos enganadas ou confundidas. —*Julie Ackerman Link*

Se nos apegarmos à verdade de Deus, não cairemos nas armadilhas das mentiras de Satanás.

21 de agosto

De onde eu vim?

Leitura:
Atos 17:22-31

De um só homem ele criou todas as raças humanas para viverem na terra... —Atos 17:26

Tobias, meu amigo afro-americano de 7 anos me fez uma pergunta instigante: "Já que Adão e Eva eram brancos, de onde as pessoas negras vieram?" Quando eu lhe disse que não sabemos de que "cor" eles eram e perguntei por que a ideia de que eles fossem brancos, ele me disse que foi isso que sempre viu nos livros de histórias bíblicas na igreja e na biblioteca. Meu coração ficou apertado. Questionei-me se isso o teria feito pensar que era inferior ou possivelmente que nem mesmo fora criado pelo Senhor.

Todos os povos têm suas raízes no Deus Criador e são, portanto, iguais. Foi isso que o apóstolo Paulo disse aos atenienses: De um só homem ele criou todas as raças humanas para viverem na terra..." (Atos 17:26). Somos todos descendentes "de um só". Darrell Bock, em seu comentário do livro de Atos, diz: "Esta afirmação seria difícil para os atenienses, que se orgulhavam por ser um povo superior, chamando o restante de bárbaros." No entanto, pelo fato de descendermos de nossos primeiros pais, Adão e Eva, nenhuma raça ou etnicidade é superior ou inferior a outra.

Maravilhamo-nos diante de nosso Criador, que nos fez e a todos deu "...vida, respiração e tudo mais" (v.25). Semelhantes aos olhos de Deus, todos juntos o louvamos e honramos. —*Anne Cetas*

Deus ama a cada uma de nós como se fôssemos as únicas.

22 de agosto

Palavras descuidadas

Leitura:
1 Pedro 2:13-25

Quando foi insultado, não respondeu com insultos. Quando sofreu, não ameaçou, mas pôs a sua esperança em Deus, o justo Juiz. —1 PEDRO 2:23

Eu estava dirigindo havia quase meia hora quando, de repente, minha filha chorou no banco de trás. Quando perguntei: "O que aconteceu?", ela disse que o seu irmão havia agarrado o braço dela. Ele alegou ter agarrado o braço dela porque tinha sido beliscado. A irmã disse que o beliscou porque ele havia dito algo agressivo.

Infelizmente, esse padrão, comum entre as crianças, pode aparecer também em relacionamentos adultos. Uma pessoa ofende a outra e a pessoa ferida responde com verborragia. O agressor inicial revida com outro insulto. Em pouco tempo, a raiva e as palavras cruéis já danificaram o relacionamento.

A Bíblia diz que: "As palavras do falador ferem como pontas de espada..." e que "...a palavra dura aumenta a raiva", mas "...a resposta delicada acalma o furor..." (Provérbios 12:18; 15:1). E, às vezes, não responder é a melhor maneira de lidar com palavras ou comentários agressivos ou cruéis.

Antes da crucificação de Jesus, as autoridades religiosas tentaram provocá-lo com suas palavras (Mateus 27:41-43). Contudo: "Quando foi insultado, não respondeu com insultos. Quando sofreu, não ameaçou, mas pôs a sua esperança em Deus, o justo Juiz" (1 Pedro 2:23).

O exemplo de Jesus e a ajuda do Espírito Santo nos oferecem uma maneira de responder às pessoas que nos ofendem. Confiando no Senhor, não precisamos usar as palavras como armas. *—Jennifer Benson Schuldt*

Frequentemente, uma resposta branda tem sido o meio de abrandar o coração endurecido.

23 de agosto

Nova maneira de falar

Leitura:
Efésios 4:17-31

Não digam palavras que fazem mal aos outros, mas usem apenas palavras boas, que ajudam os outros a crescer na fé…

—EFÉSIOS 4:29

Certa mulher passou por uma cirurgia na boca e acordou da anestesia com um resultado inesperado. As palavras lhe saíam com um som estranho. Sua pronúncia tinha se transformado num sotaque estrangeiro. Ela sofrera a Síndrome do Sotaque Estrangeiro, enfermidade neurológica rara. Aconteceu algo entre a anestesia e o momento em que ela acordou e é possível que isso se torne permanente.

Paulo apresentou uma nova maneira de falar aos cristãos. Pediu-lhes que falassem de forma santa, agradável e cheia de graça: "Não digam palavras que fazem mal aos outros, mas usem apenas palavras boas, que ajudam os outros a crescer na fé…". Por quê? Para transmitir graça aos que ouvem (Efésios 4:29; 5).

As palavras que você diz o identificam com Jesus e "a verdade que está em Jesus" (vv.21; 5:2) ou não? Quando você escolhe poluir sua linguagem com palavras sujas ou agressivas (4:29), duras ou maldizentes (v.31), piadas obscenas, conversas tolas e piadas grosseiras (5:4), revela um coração em trevas e não a luz de Cristo (5:8).

Paulo afirma: "pois a luz produz uma grande colheita de todo tipo de bondade, honestidade e verdade" (5:9). Essa luz, não provém de meios próprios, mas é produzida pela renovação de nosso entendimento no Espírito (4:23). Só Ele pode tornar nosso falar correto e dedicado a Ele (v.24).

Como vai sua nova linguagem? Suas palavras refletem a luz de Cristo ou expõem as trevas de seu coração? *—Tom Felten*

Permita que o Espírito Santo aja sobre o seu falar hoje.

24 de agosto

Viagens inesperadas

Leitura:
Salmo 23

Ainda que eu ande por um vale escuro como a morte, não terei medo de nada. Pois tu, ó SENHOR Deus, estás comigo... —SALMO 23:4

A vida é cheia de viagens inesperadas. Uma rápida ida ao supermercado pode se transformar num acidente de carro, ferimentos e vários meses de recuperação. Um trajeto rotineiro pode se transformar numa longa espera pelo guincho. Um telefonema pode trazer a notícia de uma perda significativa. Um check-up médico pode revelar um diagnóstico desesperador.

Somos capazes de lidar com as pequenas viagens inesperadas da vida — em sua maioria. Contudo, as grandes podem virar a nossa vida de cabeça para baixo. Nesses momentos, alguns de nós têm uma fé que permanece sólida, e genuinamente nos identificamos com o que Davi escreveu: "Ainda que eu ande por um vale escuro como a morte, não terei medo de nada. Pois tu, ó SENHOR Deus, estás comigo; tu me proteges e me diriges."

Outros dentre nós passam por mais lutas. Atravessamos tempos em que como Davi dizemos: "Meu Deus, meu Deus, por que me abandonaste? Por que ficas tão longe? Por que não escutas quando grito pedindo socorro" (Salmo 22:1)?

A sua fé pode ser medida pelo Salmo 23? Ou você se encontra como Davi falou no Salmo 22? Onde quer que você estiver, não finja para Deus. Saiba que Ele é misericordioso e a encontra onde quer que você estiver.

Deus não quer que nos sintamos desamparados. O livro de Salmos nos mostra que durante as difíceis e imprevistas viagens da vida existem momentos para fé ardente e dor sincera. —*Jeff Olson*

O Senhor é o meu Pastor, nada me faltará.

—Salmo 23

25 de agosto

Resgatados da morte

Leitura:
Provérbios 13:14

Os ensinamentos das pessoas sábias são uma fonte de vida; eles ajudam a evitar as armadilhas da morte. —PROVÉRBIOS 13:14

No Egito, os médicos declararam a morte de Hamdi Hafez al-Nubi, com 28 anos — jovem demais para morrer de infarto. Sua família seguiu os ritos islâmicos, banhando e preparando-o para o seu funeral. O hospital enviou uma médica à casa da família para atestar o óbito, mas, ao chegar, ela descobriu que o corpo estava quente. Hamdi estava vivo. A mãe desmaiou, mas com a ajuda da médica, al-Nubi e sua mãe foram despertados e começaram a celebrar com quem estava presente.

É sempre uma boa notícia quando a vida vence. Provérbios fala sobre como a morte perde repetidamente seu poder: sempre que a sabedoria fala, a morte se retira. Em Provérbios, a sabedoria é a verdade que provém da fonte definitiva de verdade — Deus. E o Senhor é também a fonte definitiva de vida. Então, quando ouvimos e obedecemos à verdade de Deus (o que Provérbios chama de viver sabiamente), nos encaminhamos para a vida. Aproximamo-nos da "fonte de vida" (v.14).

Ao nos aproximarmos da vida, nos afastamos da morte. Descobrimos estar automaticamente afastando o que nos distrai da provisão de Deus e de Seu cuidado, de todas as Suas boas intenções para nós. Ao seguirmos a sabedoria que vem do alto, somos tirados das "armadilhas da morte" (v.14).

Provérbios e o restante da Bíblia repetem essas ideias: "Quem insiste em fazer o mal morrerá" (11:19), e também: "quem procura ter sabedoria ama a sua vida" (19:8). —*Winn Collier*

Seguir a Deus é sábio e nos livra de armadilhas.

26 de agosto

Chuva de milagres

Leitura:
1 Reis 18:1,41-45

*...e reconheçam que só eu sou Deus,
que não há nenhum outro como eu.* —Isaías 46:9

A vida é difícil para os moradores da província chinesa de Yunnan. Sua principal fonte de alimento é milho e arroz. Mas em maio de 2012, uma forte seca atingiu a região e as plantações secaram. Todos ficaram preocupados e muitos se utilizaram de práticas supersticiosas para tentar acabar com a seca. Quando nada parecia funcionar, eles começaram a culpar os cinco cristãos da aldeia por ofenderem os espíritos dos antepassados.

Estes fiéis se reuniram para orar. E logo, o céu escureceu e ouviram-se trovões. Uma forte chuva durou toda a tarde e noite. As safras foram salvas! A maioria dos moradores não acreditou que Deus enviara a chuva, mas alguns creram e desejaram saber mais acerca dele e de Jesus.

Lemos em 1 Reis 17–18 o relato de uma forte seca em Israel. Mas nesse caso, sabemos que foi consequência do julgamento de Deus sobre o Seu povo (17:1). Eles haviam começado a adorar Baal, o deus dos cananeus, acreditando que essa divindade enviaria a chuva para as suas plantações. Então, por meio do profeta Elias, o Senhor mostrou que Ele era o único e verdadeiro Deus que determina quando a chuva cai.

Nosso Deus Todo-Poderoso deseja ouvir as nossas orações e responder às nossas súplicas. E, embora nem sempre entendamos o Seu tempo ou os Seus propósitos, Ele sempre responde com o Seu melhor para a nossa vida. *—Poh Fang Chia*

*Por meio da oração, entregamos ao Senhor
as nossas inquietações e recebemos paz.*

27 de agosto

Abandono

Leitura:
Salmo 55

Não era um inimigo que estava zombando de mim; se fosse, eu poderia suportar; [...]. Porém foi você mesmo, meu [...] amigo íntimo! —SALMO 55:12,13

Meu amigo passou por um divórcio terrível. Sua esposa o traiu, o difamou, e esgotou suas economias nas várias instâncias do processo litigioso. Cada gesto de carinho foi desprezado, e muitas vezes acompanhado de ofensas ou na tentativa de arrancar mais dinheiro de indenização.

Mesmo assim, apesar de o seu casamento e família desmoronarem, ele se aproximou mais de Deus. Não acusou o Senhor por seu sofrimento nem pelas injustiças, e dependeu dele em tudo que dizia respeito aos seus filhos, finanças e sua própria sanidade. Ele usou essas experiências como oportunidade para amar mais e aproximar-se de Deus.

C. H. Spurgeon explicou que o abandono dói profundamente e, nos oferece uma oportunidade inigualável de declarar nossa lealdade a Deus: "Quando você confia em Deus e no amigo, fica a dúvida se você está confiando em Deus ou no seu amigo. Quando o amigo o abandona e só Deus permanece ao seu lado, as dúvidas se vão. Se estivermos andando juntos e um cachorro nos seguir, ninguém saberá quem é o dono dele, mas se nos separarmos em direções opostas, todos saberão de quem é o cachorro observando a quem ele seguirá".

Nesse salmo, Davi afirma que queria ter asas como as da pomba para voar e encontrar abrigo (v.6). No entanto, Davi decidiu colocar-se nas mãos de Deus mesmo sabendo que não poderia escapar da tribulação, e disse: "...chamo a Deus, e o SENHOR, [...] e ele me salva" (v.16). —*Mike Wittmer*

Se você verdadeiramente depender somente de Deus, sem dúvida, você é cristão. —Charles Spurgeon

28 de agosto

Significado da vida

Leitura:
Eclesiastes 2:1-25

Então resolvi me divertir e gozar os prazeres da vida. Mas descobri que isso também é ilusão. —ECLESIASTES 2:1

"O sentido da vida é aquele que você lhe dá", escreveu o filósofo A. C. Grayling. Ele sugere criar sentido para a vida pela busca de relacionamentos e objetivos, desenvolvimento de talentos e interesses, e mediante as esperanças e desejos. Conclui que a vida é ilusão e que o único sentido que podemos encontrar é o que elaboramos.

As palavras dele parecem lembrar-nos de algumas passagens encontradas na Bíblia. O próprio autor de Eclesiastes é um filósofo (1:13; 12:9-11), pesquisou sobre: a natureza (1:5-7); os ciclos da história (3:1-8; 5:8,9; 6:7); as injustiças da vida e suas riquezas (8:14) e concluiu: "...Tudo é ilusão" (1:2).

Salomão buscou no sexo, por meio de esposas e concubinas (2:8; 9:9); no trabalho, (2:4-6,17-23); nos prazeres, satisfazendo o desejo de seus olhos (2:1,10); o materialismo (2:7-9) e a filosofia (2:12-16). O que ele achou de tudo isso? Que eram ilusões. Nenhuma delas o livrava da morte, tragédia ou injustiça (5:13-17). De fato, Salomão era quase tão pessimista quanto os filósofos niilistas de hoje!

Mas surgem raios de luz em suas reflexões. Encontramos satisfação quando Deus faz parte de nosso comer, beber, e trabalhar: "Sem Deus, como teríamos o que comer ou com que nos divertir?" (2:25). Lembre-se do seu Criador (12:1). Em vez de nos cansarmos ao descobrir a vida, Salomão nos aconselha: "...tema a Deus e obedeça aos seus mandamentos..." (12:13). —*Sheridan Voysey*

A vida tem muitos prazeres e tristezas, mas o seu sentido é sempre encontrado em Deus.

29 de agosto

Alheios à realidade

Leitura:
Romanos 12:14-21

Não paguem a ninguém o mal com o mal. Procurem agir de tal maneira que vocês recebam a aprovação dos outros.

—Romanos 12:17

Chuck Colson conta que John Greer, um ex-presidiário reabilitado por meio de seu ministério *Prison Fellowship* (filiada no Brasil–FBAC), tornou-se pastor após cumprir sua pena. Certa vez, ele foi interrompido por ativistas gays enquanto dirigia um culto. Eles foram desrespeitosos e agressivos: gritaram obscenidades e urinaram no chão dos banheiros, e chegaram ao ponto de jogar preservativos no altar.

Ele pregava sobre como o comportamento homossexual contradiz a Bíblia, mas parou e sorriu enquanto o protesto desrespeitoso prosseguia. Questionado pela imprensa por sua reação, respondeu: "Eu teria tantos motivos para ter raiva deles quanto de um cego que pisasse em meu pé".

A resposta dele lembra a reação de Jesus aos soldados romanos. Se houvesse um momento para ficar irado e insultar, era este. Porém, Jesus orou: "Pai, perdoa-lhes..." (Lucas 23:34).

Como Jesus, esse pastor reconheceu que quem nos ataca verbalmente por causa do que cremos, muitas vezes está alheio à realidade e em tal estado de autoengano que se opõe a Deus e a nós. São almas desorientadas, carentes da graça e verdade divina. Devemos responder-lhes com amor se quisermos ganhá-los para Jesus e levá-los à verdade que os libertará.

Guardemo-nos de tomar atitudes defensivas e agressivas contra os que nos atacam por nossas convicções. Ficar irado e revidar não é a maneira de Jesus lidar com as situações (v.17). —*Jeff Olson*

Devemos honrar Jesus fazendo o bem perante todos os homens para vencer "o mal com o bem" (Romanos 12:21).

30 de agosto

Desligue

Leitura:
Marcos 6:30-32,45-47

—Venham! Vamos sozinhos para um lugar deserto a fim de descansarmos um pouco. —MARCOS 6:31

Quando os nossos filhos eram pequenos, fomos visitar meus avós. O sinal de recepção da televisão não era muito bom, mas a TV nem era uma grande prioridade para eles. Após observar o nosso filho mexendo no televisor durante algum tempo, ele me perguntou, frustrado: "O que você faria se conseguisse sintonizar um só canal e não gostasse do que é exibido nele?".

"Tente desligá-lo", disse eu, com um sorriso. Aquele não era exatamente o conselho que ele desejava ouvir. É ainda mais difícil fazer isso agora, especialmente quando há tantos dispositivos que nos entretêm, informam e distraem.

Às vezes, realmente precisamos apenas desligar tudo e descansar a nossa mente durante algum tempo; precisamos simplesmente "desconectar". Com frequência, Jesus se afastava durante algum tempo — especialmente quando queria dedicar um tempo para orar (Mateus 14:13). Ele também incentivava os discípulos a se afastarem — mesmo que por um breve tempo (Marcos 6:31). Esse tipo de solidão e tempo para reflexão é benéfico para cada um de nós. Nesses momentos, somos capazes de nos aproximar de Deus.

Siga o exemplo e a sabedoria de Cristo. Afaste-se dos outros e "descanse um pouco". Será bom para o seu corpo, sua mente e seu espírito.

—Cindy Hess Kasper

Diminuir o volume do ruído da vida lhe permite ouvir a Deus com mais atenção.

31 de agosto

Devedor

Leitura:
2 Coríntios 5:12-17

Porque somos dominados pelo amor que Cristo tem por nós...
—2 Coríntios 5:14

Dizem as histórias que, quando jovem, Robert Robinson (1735–90) gostava de envolver-se em confusão com os seus amigos. Aos 17 anos, porém, ouviu uma pregação de George Whitefield baseada no evangelho de Mateus 3:7 e reconheceu a sua necessidade de salvação em Cristo. O Senhor transformou a vida de Robinson e ele se tornou um pregador. Ele também compôs vários hinos, incluindo o mais conhecido, "Fonte és Tu de toda bênção", HCC 17.

Ultimamente, tenho ponderado sobre a maravilhosa graça de Deus para nós e a última estrofe desse hino: "Devedor à Tua graça, cada dia e hora sou!" O hino traz à mente as palavras do apóstolo Paulo: "Porque somos dominados pelo amor que Cristo tem por nós [...] para que os que vivem não vivam mais para si mesmos, mas vivam para aquele que morreu e foi ressuscitado para a salvação deles" (2 Coríntios 5:14,15).

Não podemos conquistar o amor e a graça de Deus. Mas, porque Ele a deu liberalmente a nós, só podemos amá-lo, em retribuição, vivendo por Ele! Não tenho bem certeza de como é isso, mas, deve incluir o aproximar-se dele, ouvir a Sua Palavra, servir e obedecê-lo por gratidão e amor.

Como devedoras, somos chamadas a viver cada dia para Jesus, que se entregou por nós. *—Anne Cetas*

Quem conhece a maravilhosa graça de Deus a demonstra em sua maneira de viver.

1.º de setembro

O vale da visão

Leitura:
Jonas 2:1-10

Quando senti que estava morrendo, eu lembrei de ti, ó SENHOR; e a minha oração chegou a ti, no teu santo Templo.
—JONAS 2:7

A oração puritana "O vale da visão" fala da distância entre um homem pecador e seu Deus santo. O homem diz a Deus: "Tu me trouxeste ao vale da visão... cercado por montanhas de pecado, contemplo Tua glória." Ciente de seus erros, o homem ainda tem esperança. Ele continua: "As estrelas podem ser vistas dos poços mais profundos, e quanto mais profundos os poços, mais as Tuas estrelas brilham." O poema termina com um pedido: "Deixa-me encontrar Tua luz em minha escuridão... Tua glória em meu vale."

Jonas encontrou a glória de Deus durante seu tempo nas profundezas do oceano. Ele se rebelou contra Deus e acabou no estômago de um enorme peixe, vencido por seu pecado. Ali, Jonas clamou a Deus: "Tu me atiraste no abismo, bem no fundo do mar [...]. Ali as águas me cercavam por todos os lados [...]. As águas vieram sobre mim e me sufocaram..." (Jonas 2:3,5). Apesar de sua situação, Jonas disse: "...eu me lembrei de ti, ó SENHOR; e a minha oração chegou a ti..." (v.7). Deus ouviu sua oração e fez o peixe vomitá-lo na praia.

Embora o pecado crie distância entre Deus e nós, podemos olhar para cima a partir dos pontos mais baixos de nossa vida e vê-lo — em Sua santidade, bondade e graça. Se nos convertermos de nosso pecado e o confessarmos a Deus, Ele nos perdoará. Deus responde às orações feitas no vale. *—Jennifer Benson Schuldt*

As trevas do pecado apenas tornam a luz da graça de Deus mais reluzente. Aproximemo-nos da luz.

2 de setembro

Tomando o volante

Leitura:
Josué 1:1-18

...Moisés está morto. [...] se preparem para atravessar o rio Jordão e entrar na terra que vou dar a vocês. —JOSUÉ 1:2

Jeremias estava no ônibus escolar com 11 alunos do Ensino Médio quando o motorista desmaiou. Jeremias saltou do seu assento e tomou o volante do homem inconsciente. Desviou do trânsito, desligou a ignição e parou. O garoto fez o seu melhor!

Quando Deus chamou Josué para substituir Moisés, o aprendiz teve que decidir rapidamente. Deus disse: "...Moisés está morto. Agora você e todo o povo de Israel se preparem para [...] entrar na terra que vou dar a vocês" (vv.1,2). Deus deixou claro: "você vai comandar este povo quando eles tomarem posse da terra" (v.6).

Como o jovem Jeremias, Josué agiu. Entregou a mensagem de Deus: preparem-se para entrar na Terra Prometida! — para os "líderes israelitas" (v.10) e então para "...as tribos de Rúben, de Gade e de Manassés do Leste" (v.12). Demonstrou excelente habilidade de liderar ao se dirigir aos dois grupos — líderes primeiro e depois todo o povo, e lhes disse que se lembrassem do que Moisés, o líder respeitado a quem substituía, dissera. Ele demonstrou sabedoria e humildade genuínas.

Como o povo respondeu? "Faremos tudo o que você mandou" (v.16). Josué conquistara os seus corações enquanto ele mesmo seguia os mandamentos de Deus (v.9).

Deus pode chamá-la para liderar. Quer seja um novo cargo ou responsabilidade. Esteja pronto para seguir o Seu chamado. Prepare-se hoje. Continue a crescer no conhecimento da Palavra de Deus (vv.7,8). E pegue o volante quando chegar a hora. —*Tom Felten*

Como Josué, sigamos o exemplo piedoso dos bons líderes que o Senhor pôs em nossa vida.

3 de setembro

Antes do tempo

Leitura:
Gênesis 2:1-17

—Você pode comer as frutas de qualquer árvore do jardim, menos da árvore que dá o conhecimento do bem e do mal… —Gênesis 2:16,17

Há alguns anos, despedi-me de meu amigo Davi, que lutou com problemas físicos por toda a sua vida, e tinha apenas 50 anos quando faleceu de insuficiência renal.

Por que algumas pessoas morrem tão cedo? Por que alguns pais precisam enterrar seus filhos? Esses questionamentos são feitos até por pessoas que acreditam que os seres humanos e o mundo apenas evoluíram. Em tais momentos, buscamos uma explicação do por quê, como seres criados, intuitivamente sabemos que deve haver alguma razão.

O livro de Gênesis revela que os seres humanos viveram num mundo perfeito no passado como parte do plano original de Deus, sem a morte para temer. Tudo o que Deus criou inicialmente era "muito bom" (1:31), até o mal e o pecado entrarem no mundo causando desordem permanente (Gênesis 3). Desde então, a vida nesse planeta está longe de ser perfeita.

C. S. Lewis diz em seu livro *O Peso da Glória* (Ed. Vida, 2011), que em cada pessoa há um anseio inconsolável por um mundo melhor, livre de enfermidade e morte. Para os crentes em Jesus esse mundo está chegando. Por meio de Cristo, Deus um dia restaurará o mundo à condição que Ele planejara originalmente (Apocalipse 21:5). Lewis continua dizendo: "No presente momento estamos fora do mundo, do lado errado da porta, mas todas as páginas do Novo Testamento murmuram um rumor de que não será assim para sempre. Algum dia, se Deus quiser, entraremos nele". *—Jeff Olson*

Todos nós ansiamos pelo Éden,
até mesmo aqueles que nunca abriram uma Bíblia.

4 de setembro

De segunda à sexta

Leitura:
Lucas 5:1-11

...Jesus disse a Simão: —Leve o barco para um lugar onde o lago é bem fundo. E então [...] joguem as redes para pescar. —LUCAS 5:4

A noite fora longa, exaustiva e inútil, Pedro sonhava com a refeição quente e o descanso, e não precisava de um rabino querendo lhe ensinar o seu ofício. Era bem cedo e Simão Pedro, André, Tiago, João e outros discípulos retornavam de uma noite de pescarias, infrutífera, e limpavam suas redes. Jesus pregava de dentro do barco deles, pois desde as primeiras horas do dia a multidão já o rodeava.

Então veio a estranha ordem de Jesus: Leve o barco para um lugar onde o lago é bem fundo" (v.4). Eles tinham trabalhado a noite toda, sem resultados, os peixes simplesmente não estavam lá. Jesus era um carpinteiro que tinha se tornado um rabino, e Simão Pedro já era pescador de longa data. Mesmo assim, Pedro o obedeceu e logo o seu barco estava cheio de peixes saltitantes (vv.6,7). Jesus é o "Senhor de todos" (Atos 10:36) e de nossas carreiras também. Em Jesus, Pedro encontrou alguém que suplantava a sua autoridade vocacional.

Pescaria, culinária, arquitetura, engenharia, matemática, biologia, marketing e criação de filhos — Jesus é o Senhor. Aquele que criou o Universo (Efésios 4:10) e prontamente lhe concede sabedoria (Provérbios 2:6; Tiago 1:5) quer direcionar o seu trabalho dia a dia.

A história termina com Pedro se prostrando diante da autoridade de Jesus (Lucas 5:8,11). Jesus é Senhor de sua vida profissional de segunda à sexta tanto quanto o é de seu domingo de adoração? —*Sheridan Voysey*

Seja qual for o seu chamado,
Jesus é a maior autoridade no assunto.

5 de setembro

Clame

Leitura:
Romanos 8:15-30

...o Espírito torna vocês filhos de Deus; e pelo poder do Espírito dizemos com fervor a Deus: "Pai, meu Pai!" —Romanos 8:15

Em seu livro *Adopted for Life* (Adotado por toda a vida), Russel Moore descreve a adoção de dois meninos feita num orfanato estrangeiro. Ele relata sobre o estranho silêncio que envolvia o local. Havia filas de berços, no entanto, o único som era o dos bebês chupando os dedinhos e balançando-se até dormir. Elas aprenderam que não adiantava chorar, pois os funcionários estavam sobrecarregados demais para acudi-las. Gemiam baixinho e enterravam suas cabecinhas no travesseiro.

Porém, os filhos de Deus têm o privilégio de clamar ao Pai que os ouve. Paulo explica: "...sabemos que até agora o Universo todo geme e sofre como uma mulher que está em trabalho de parto. E não somente o Universo, mas nós, que temos o Espírito Santo como o primeiro presente que recebemos de Deus, nós também gememos dentro de nós mesmos enquanto esperamos que Deus faça com que sejamos seus filhos e nos liberte completamente" (Romanos 8:22,23).

Você já se uniu ao lamento de nosso mundo perdido? Clamou a Deus porque os caminhos desse mundo não são como deveriam? Implora a Deus em favor dos filhos de pais divorciados, pelas vítimas da infidelidade, da pornografia, da difamação e da avareza? "Aba Pai" não é o cumprimento alegre de uma criança feliz, mas o gemido infantil que implora ao Paizinho para colocar esse mundo no lugar.

É trágico ouvir falar de órfãos que não choram, todavia, éramos como a criança órfã que não sabia que Deus, nosso Pai, estava aguardando para nos adotar em Sua família. —*Mike Wittmer*

Se o pecado nesse mundo o incomoda, faça o que é natural às crianças: Clame ao Senhor.

6 de setembro

Persistência

Leitura:
Lucas 18:1-8

Jesus contou a seguinte parábola, mostrando aos discípulos que deviam orar sempre e nunca desanimar. —LUCAS 18:1

Henry W. Longfellow disse: "A perseverança é um importante elemento do sucesso. Se você bater à porta alto o suficiente e por muito tempo, com certeza acordará alguém." Não sei se Longfellow pensava na viúva persistente ao escrever essas palavras, mas concordo com ele. Moro em Singapura e aqui 85% da população vive em apartamento. Se você bater na porta alto o bastante acordará toda a vizinhança!

Na história de Jesus, a viúva persistente lidava com um juiz que podia ser comprado. Um absurdo um juiz ser desonesto. Esperamos que sejam íntegros, busquem a justiça e sejam compassivos (2 Cr 19:6,7). Esse, no entanto, "...não temia a Deus e não respeitava ninguém" (Lc 18:2).

As viúvas eram a síntese dos destituídos e desesperados na antiga sociedade judaica. Embora sua queixa fosse legítima (v.3), o juiz recusou-se a ajudá-la porque ela não lhe pagou suborno. Pobre demais para isso, seu único recurso era a persistência e ela insistiu até aborrecer o juiz! Jesus quer que aprendamos uma boa lição mediante um mau exemplo (vv.5,6).

A parábola consiste no argumento "do menor para o maior" (12:24,28). Se uma viúva pobre conseguiu de um juiz injusto e insensível o que tinha direito, quanto mais os filhos de Deus, que se aproximam do trono de graça, receberão do dedicado Pai celestial que ama a justiça e o Seu povo! (Hb 4:16; Mt 7:11).

Deus responde as orações. Ele é fiel (Lc 18:8; Rm 12:12). *—K. T. Sim*

Seremos fiéis na oração, mesmo nas circunstâncias mais injustas e difíceis da vida?

7 de setembro

Vento do espírito

Leitura:
Atos 2:1-14

De repente, veio do céu um barulho que parecia o de um vento soprando muito forte... —Atos 2:2

Devastação! O vento gera uma imensa fonte de poder. Sempre que se enfurece, torna-se uma força ameaçadora e destrutiva. Logo após um tornado passar, vi fotos aéreas de bairros inteiros arrasados. Madeiras e destroços pareciam palitos de dentes estilhaçados e espalhados, arremessados violentamente sobre uma vasta área urbana.

Lucas descreveu o som do Espírito de Deus como "...um vento soprando muito forte e esse barulho encheu toda a casa onde estavam sentados" (v.2). O Espírito Santo veio com poder e energia. Pessoas de todas as nações reunidas ouviram o evangelho em seu próprio idioma. Uns zombavam e outros se maravilhavam ao ouvir a explicação de Pedro para o fenômeno que ocorrera. Os apóstolos, cheios do poder do Espírito, começaram a fazer "...muitos milagres e maravilhas" (v.43).

Surgiu então uma comunidade radical que compartilhava os seus bens, pessoas que entregavam a sua vida ao ensino de Jesus, e a viver a ética exigida de todos os Seus discípulos (vv.43-47). Os membros dessa nova comunidade (que a seria reconhecida como igreja) faziam suas refeições, adoravam e louvavam a Deus juntos. Cuidavam dos enfermos. Começaram a ser imitadores de Jesus.

A escritora Inagrace Dietterich capturou bem isso: "Quando o Espírito Santo transforma a vida e a prática de comunidades cristãs, elas demonstram que o futuro prometido por Deus foi colocado em movimento." —*Winn Collier*

O vento do Espírito ainda sopra sobre nós e Ele nos convida a segui-lo.

8 de setembro

Deus não se importa?

Leitura:
Habacuque 1:1-11

O Senhor Deus diz: "Os meus pensamentos não são como os seus pensamentos, e eu não ajo como vocês. —Isaías 55:8

Por que o motorista embriagado escapou ileso de um acidente enquanto sua vítima sóbria está gravemente ferida? Por que os maus prosperam, enquanto os bons sofrem? Você tem ficado confusa com as coisas que acontecem em sua vida, a ponto de gritar: "Deus, o Senhor não se importa?".

Habacuque lutou com essa pergunta ao ver a situação angustiante de Judá, quando a maldade e a injustiça corriam soltas (Habacuque 1:1-4). Sua confusão o levou a perguntar a Deus quando Ele agiria para corrigir a situação. A resposta de Deus foi simplesmente desconcertante.

Deus disse que usaria os caldeus para correção de Judá. Os caldeus eram notórios por sua crueldade (v.7). Eram inclinados à violência (v.9), e adoravam somente suas proezas militares e seus falsos deuses (vv 10,11).

Quando não entendemos os caminhos de Deus, precisamos confiar em Seu caráter imutável. Foi exatamente isso o que Habacuque fez. Ele cria que o Senhor é o Deus de justiça, misericórdia e verdade (Salmo 89:14). No processo, ele aprendeu a olhar para as suas circunstâncias a partir do caráter de Deus, em vez de olhar para o caráter do Senhor a partir do contexto de suas próprias circunstâncias. Ele concluiu: "O Senhor Deus é a minha força. Ele torna o meu andar firme como o de uma corça e me leva para as montanhas, onde estarei seguro" (Habacuque 3:19). *—Poh Fang Chia*

Da perspectiva de Deus,
a nossa situação é muito diferente.

9 de setembro

Sequência

Leitura:
Atos 1:1-11

...por que vocês estão aí olhando para o céu? Esse Jesus que estava com vocês e que foi levado para o céu voltará... —Atos 1:11

Aparentemente, 2011 foi o ano das séries de filmes. Segundo uma revista especializada, Hollywood lançou 27 sequências naquele ano. O total abrange o maior número de filmes parte 2 (ou 3 ou 4 ou...) de todos os tempos. Foram feitas novas versões de *Missão Impossível* e *Piratas do Caribe*. Cinco séries foram feitas pela quinta vez, duas pela sétima e o oitavo filme de Harry Potter.

Lucas relata no livro de Atos, sobre dois homens vestidos de branco (anjos) que anunciaram uma futura sequência — a volta de Jesus. Ele registrou a descrição da ascensão de Jesus, que previu a Sua volta. Com essas palavras, os apóstolos foram assegurados de que, um dia, o mesmo Salvador, feito homem, voltará a Terra.

Como Jesus voltará? Em nuvem, à vista de todas as pessoas, ao descer sobre o monte das Oliveiras (Zacarias 14:4). Voltará da mesma maneira que foi visto subir. Quando Ele voltará? Jesus pediu que não especulassem acerca do Seu retorno. Eles deveriam contar aos outros sobre a Sua vida, morte e ressurreição, revestidos pelo poder do Espírito Santo para serem as Suas testemunhas ao mundo (Atos 1:6-8).

Haverá uma sequência: Jesus voltará à Terra. Não sabemos quando, nem devemos estabelecer datas. No entanto, sejamos ousados em anunciar sobre o poder salvador de Jesus, pelo poder do Espírito Santo. Enquanto o aguardamos, vamos compartilhar as Suas palavras vivificantes. *—Marvin Williams*

Deus completará a história da salvação com a volta de Jesus.

10 de setembro

O braço forte de Deus

Leitura:
Êxodo 6:1-8

...vos estenderei o braço poderoso [...] e salvarei vocês.
—Êxodo 6:6

Minha amiga Joana queria muito se tornar pianista clássica, viajar e apresentar-se como solista ou pianista de outra pessoa. Durante o curso superior de piano, ela teve tendinite no braço direito e ficou debilitada demais para participar do recital solo obrigatório. Acabou colando grau em história e literatura da música.

Ela conhecia Jesus como seu Salvador, mas tinha se rebelado contra Ele durante vários anos. Depois, por meio de outras circunstâncias difíceis, percebeu o Senhor estendendo-lhe a mão e voltou-se para Ele. Finalmente, seu braço se fortaleceu e seu sonho de viajar e tocar se realizou. Diz ela: "Agora, posso tocar para a glória de Deus, não para a minha própria. Seu braço estendido restaurou a minha vida espiritual e a força em meu braço, para capacitar-me a servi-lo com o dom que Ele me concedeu."

O Senhor prometeu a Moisés que o Seu braço estendido resgataria os israelitas do cativeiro no Egito (Êxodo 6:6). Ele cumpriu aquela promessa, embora o Seu povo frequentemente rebelde duvidasse (14:30,31). O poderoso braço de Deus está estendido também para nós. Independentemente do resultado de nossa situação, podemos confiar que Ele realizará a Sua vontade para cada um dos Seus filhos. Podemos depender do braço forte de Deus. *—Anne Cetas*

Com o poder de Deus na retaguarda e amparada em Seus braços, você pode enfrentar o futuro.

11 de setembro

Deus cuida de mim

Leitura:
Mateus 5:38-48

...ele faz nascer o seu sol sobre maus e bons e vir chuvas sobre justos e injustos. —MATEUS 5:45

Quando chuvas torrenciais caíram sobre minhas petúnias recém-plantadas, me senti mal por elas. Gostaria de trazê-las para dentro, e abrigá-las da tempestade. Quando a chuva parou, suas pequenas faces estavam arqueadas em direção ao chão, devido ao peso da água. Elas pareciam tristes e fracas. Dentro de poucas horas, porém, elas se recuperaram e miraram o céu. No dia seguinte, estavam aprumadas e fortes.

Que transformação! Após martelar suas pétalas em cheio, a chuva escorreu das suas folhas, infiltrou-se no solo e subiu por seus caules, dando-lhes a força para se manterem erguidas.

Por preferir a luz solar, fico irritada quando a chuva prejudica os meus planos para fazer algo fora de casa. Às vezes, engano-me ao pensar na chuva como algo negativo. Mas, qualquer pessoa que tenha experimentado a seca sabe que a chuva é uma bênção. Ela nutre a terra para o benefício do justo e também do injusto (Mateus 5:45).

Mesmo quando as tempestades da vida nos ferem fortemente ao ponto de quase quebrarmos por sua força, a "chuva" não é uma inimiga. Nosso Deus amoroso a permitiu para nos fortalecer. Ele usa a água que nos atinge exteriormente para edificar-nos interiormente e assim podermos permanecer firmes e fortes. *—Julie Ackerman Link*

Deus usará as tempestades que ameaçam nos destruir para nos fortalecer.

12 de setembro

Batalha do lápis

Leitura:
Juízes 2:11-22

...Iam atrás de outros deuses, e os serviam, e adoravam. Teimavam em continuar nos seus maus caminhos.

—JUÍZES 2:19

Enquanto eu aprendia a escrever, minha professora insistia para que eu segurasse o lápis de certa maneira. Quando ela me observava eu segurava o lápis como ela queria. Mas assim que ela se afastava, eu obstinadamente revertia o lápis para a posição que achava mais confortável.

Considerava-me a vencedora secreta nessa batalha das vontades e ainda seguro meu lápis do meu jeito peculiar. Décadas depois, entretanto, percebi que a minha sábia professora sabia de antemão que a minha teimosia em escrever do meu jeito, cansaria as minhas mãos mais rapidamente.

Os filhos pouco entendem sobre o que é bom para eles. E agem quase sempre focados no que desejam no momento. Talvez os filhos de Israel fossem sagazmente chamados assim, pois geração após geração insistiam obstinadamente em adorar os deuses das nações ao seu redor em vez de adorar o único Deus verdadeiro. Suas ações provocaram a ira do Senhor, porque Ele sabia o que era melhor e Deus retirou deles a Sua bênção (Juízes 2:20-22).

O pastor Rick Warren diz: "A obediência e a teimosia são dois lados da mesma moeda. A obediência traz alegria, mas nossa teimosia nos torna miseráveis."

Se um espírito rebelde está nos impedindo de obedecer a Deus, é a hora de mudar a atitude do coração. Volte-se ao Senhor, Ele é compassivo e misericordioso. *—Cindy Hess Kasper*

Primeiro desenvolvemos os nossos hábitos, depois eles nos afetam positiva ou negativamente.

13 de setembro

Do meu jeito

Leitura:
2 Reis 5:1-15

...Agora eu sei que no mundo inteiro não existe nenhum deus, a não ser o Deus de Israel... —2 Reis 5:15

Dois meninos pequenos estavam jogando um jogo complicado com gravetos e barbante. Após alguns minutos, o menino mais velho voltou-se para seu amigo e disse irritado: "Você não está fazendo do jeito certo. Este jogo é meu e vamos jogar do meu jeito. Você não pode mais jogar!" O desejo de que as coisas sejam do nosso jeito começa muito cedo!

Naamã era uma pessoa acostumada a ter tudo do seu jeito. Ele era comandante do exército do rei da Síria. Mas também tinha uma doença incurável. Certo dia a menina, serva de sua esposa, que havia sido capturada da terra de Israel, sugeriu que ele buscasse a cura com Eliseu, o profeta de Deus. Naamã estava desesperado o suficiente para fazê-lo, mas queria que o profeta viesse até ele. Ele esperava ser tratado com honrarias e reverência. Assim, quando Eliseu simplesmente enviou-lhe uma mensagem dizendo que ele deveria se banhar sete vezes no rio Jordão, Naamã ficou furioso e se recusou (2 Reis 5:10-12). Apenas quando finalmente se humilhou e agiu do modo que Deus havia estabelecido, ele foi curado (vv.13,14).

Todos nós provavelmente tivemos momentos em que dissemos para Deus: "Vou fazer do meu jeito". Mas o jeito do Senhor é sempre o melhor. Peçamos a Deus que nos dê corações humildes que deliberadamente escolham agir do Seu jeito e não do nosso. *—Marion Stroud*

Humildade é avaliar-se a si mesmo corretamente.

—Charles Spurgeon

14 de setembro

Os planos de Deus

Leitura:
Josué 5:13–6:2

...Não sou nem uma coisa nem outra — respondeu ele.
— Estou aqui como comandante do exército de Deus, o SENHOR.
—JOSUÉ 5:14

Um oficial do exército pode ter um plano geral, mas antes de cada batalha ele tem de receber e dar novas instruções. Josué, um líder dos israelitas, teve de aprender esta lição. Depois de o povo de Deus passar 40 anos no deserto, Deus escolheu Josué para levá-los à terra que Ele lhes prometera.

A cidade de Jericó foi o primeiro obstáculo que enfrentaram. Antes da batalha, Josué viu o "príncipe do exército do SENHOR" (provavelmente o próprio Senhor) de pé em frente a ele, com Sua espada desembainhada na mão. Josué se prostrou e o adorou. Em outras palavras, ele reconheceu a grandeza de Deus e sua própria pequenez. E perguntou: "...O que quer que eu faça?" (Josué 5:14). Josué foi vitorioso em Jericó porque seguiu as instruções do Senhor.

Em outra ocasião, porém, Josué e seu povo "...não pediram conselho a Deus, o SENHOR" (9:14). Como resultado, eles foram enganados e fizeram um tratado de paz com o povo de Gibeão, inimigos na terra de Canaã. Isso desagradou ao Senhor (vv.3-26).

Nós também somos dependentes do Senhor para enfrentarmos as lutas da vida. Ele anseia que, hoje, nos acheguemos a Ele em humildade. Deus nos ajudará novamente amanhã. *—Keila Ochoa*

Os que se humilham e buscam a vontade de Deus recebem vitória espiritual.

15 de setembro

Bom cristão, mau cidadão?

Leitura:
Marcos 12:13-17

...Deem ao Imperador o que é do Imperador e deem a Deus o que é de Deus... —MARCOS 12:17

Como povo conquistado, os judeus pagavam altos impostos aos romanos. O imposto anual de um denário (um dia de salário de um trabalhador comum) era odiado por lembrar-lhes de que estavam subjugados. Devia ser pago com a moeda romana com a estampa do imperador, que continha inscrições ofensivas que atribuíam divindade e autoridade espiritual a César. Seu uso era considerado um sacrilégio e era repugnante aos judeus devotos (Levítico 26:1).

Os inimigos de Jesus usaram esse imposto para tentar lhe armar uma emboscada (Marcos 12:13). Perguntaram-lhe: "...é ou não contra a nossa Lei pagar impostos ao Imperador romano?..." (v.14). A resposta negativa faria Roma retaliar, a positiva, o tornaria impopular entre as pessoas.

Jesus perguntou: "...De quem são o nome e a cara que estão gravados nesta moeda? Eles responderam: — São do Imperador" (v.16). Ele continuou: "...Deem ao Imperador o que é do Imperador..." Jesus revelou que o imperador deveria receber o que era seu por direito, "...e deem a Deus o que é de Deus..." (v.17). O imperador não deveria receber adoração ou a autoridade divina, pois essas pertencem somente a Deus (Êxodo 20:3-5; Atos 4:19). Como a moeda continha a imagem de César, esta deveria voltar a ele. As pessoas têm a imagem de Deus (Gênesis 1:26), então devem se entregar a Ele.

Jesus ensinou que o cristão que se entrega a Deus sabe o que significa ser um bom cidadão. *—K. T. Sim*

Jesus mostrou que um cristão verdadeiro é também um bom cidadão.

16 de setembro

O alto preço do perdão

Leitura:
Mateus 6:14-15

Porque, se vocês perdoarem as pessoas que ofenderem vocês, o Pai de vocês, que está no céu, também perdoará vocês…

—MATEUS 6:14

Em 2004, a iraniana Ameneh Bahrami rejeitou a proposta de casamento de Majid Movahedi. Dias depois, ele a atacou jogando ácido em seu rosto. Desfigurada e cega, ela levará para sempre essas cicatrizes. A justiça decidiu que a pena seria a "retribuição olho por olho, dente por dente". Ele seria imobilizado, anestesiado e cinco gotas de ácido seriam colocadas em cada olho. Contudo, Ameneh, que pingaria o ácido, o perdoou.

O crime foi hediondo e parece que nenhuma pena seria dura o suficiente, mas o que a retribuição custaria à jovem? Justiça ou vingança? O resultado lhe traria cura ou deixaria outro tipo de cicatriz? Certamente o perdão lhe custou muito, mas o que lhe custaria o não perdoar?

No centro da história cristã estão as boas-novas: por causa de Jesus e de Seu sacrifício, podemos ser perdoados. Esse perdão teve um alto preço. Jesus abandonou Seus privilégios divinos como Filho de Deus, humilhou-se a si mesmo e morreu como criminoso numa cruz (Filipenses 2:7,8). O perdão exigiu uma ação de Deus, o Seu autossacrifício. É de graça para nós, mas teve um custo astronômico para Deus.

Quando seguimos Jesus no caminho do perdão também pagamos um alto preço. Recusar o perdão, no entanto, sai ainda mais caro. Se não perdoarmos, bloquearemos nossa capacidade de experimentar o perdão de Deus e não teremos a alegria da misericórdia. Esses custos são altos demais para serem ignorados. *—Winn Collier*

O ato de perdoar alguém por uma ofensa, custa-nos o autossacrifício.

17 de setembro

O lembrete de uma mosca

Leitura:
Eclesiastes 9:4-12

Mas, enquanto se vive neste mundo, existe alguma esperança...
—ECLESIASTES 9:4

Quando comecei a trabalhar no pequeno escritório que agora alugo, os únicos habitantes eram algumas moscas apáticas. Várias delas tinham seguido o caminho de toda carne, e seus corpos se espalhavam pelo chão e janelas. Eliminei todas, menos uma, que deixei bem à vista.

Essa carcaça de mosca me lembra de viver bem cada dia. A morte é uma excelente lembrança da vida, e a vida é um presente. Salomão disse: "Mas, enquanto se vive neste mundo, existe alguma esperança..." (Eclesiastes 9:4). A vida nos dá a chance de influenciar e apreciar o mundo que nos rodeia. Podemos comer e beber alegremente e apreciar os nossos relacionamentos (vv.7,9).

Também podemos apreciar o nosso trabalho. Salomão aconselhou: "Tudo o que você tiver de fazer faça o melhor que puder..." (v.10). Seja qual for nossa vocação, trabalho ou papel na vida, ainda podemos fazer coisas que importam, e fazê-las bem. Podemos encorajar pessoas, orar e expressar amor com sinceridade a cada dia.

O autor de Eclesiastes diz: "...nem sempre são os corredores mais velozes que ganham as corridas; nem sempre são os soldados mais valentes que ganham as batalhas. Notei também que as pessoas mais capazes nem sempre alcançam altas posições. Tudo depende da sorte e da ocasião..." (vv.11,12). Mas a alegria e o propósito podem ser encontrados neste dia confiando na força de Deus e dependendo da promessa de vida eterna feita por Jesus (João 6:47). *—Jennifer Benson Schuldt*

Este é o dia que o Senhor fez.
Alegre-se e regozije-se nele.

18 de setembro

Chamando você

Leitura:
1 Samuel 3:1-10

Então o SENHOR Deus tornou a chamar Samuel...
—1 SAMUEL 3:6

Alguns colegas de trabalho e eu acabáramos de passar pela inspeção de segurança do aeroporto e nos dirigíamos ao nosso portão de embarque quando ouvi meu nome: "Chamando Anne Cetas. Chamando Anne Cetas." Por não ser um nome comum, sabíamos que só poderia ser o meu. Presumi que me distraíra e esquecera algo no balcão de serviços. Perguntei a um funcionário da empresa aérea, que me instruiu a pegar um telefone vermelho, dizer meu nome e perguntar por que estava sendo chamada. Procurei o telefone e liguei, mas, o atendente disse: "Não, nós não a chamamos." Eu disse: "Era, com certeza, o meu nome." Ele repetiu: "Não, nós não a chamamos." Eu nunca descobri por que fora chamada naquele dia.

Muito tempo atrás, o pequeno Samuel ouviu seu nome ser chamado (1 Samuel 3:4). As Escrituras dizem que: "Samuel não conhecia o SENHOR pois o SENHOR ainda não havia falado com ele" (v.7), então Eli, o sacerdote do TEMPLO, teve de ajudá-lo a entender quem o estava chamando (vv.8,9). Em seguida, Deus revelou o Seu plano para a vida de Samuel.

O Senhor tem um plano também para nós e Ele nos convida: "Venham a mim, todos vocês que estão cansados de carregar as suas pesadas cargas, e eu lhes darei descanso" (Mateus 11:28). Esse é o Seu chamado para recebermos o dom da Sua salvação, repouso e paz.

O Salvador nos chama para irmos a Ele. *—Anne Cetas*

Cristo chama os cansados a encontrarem o descanso nele.

19 de setembro

Perdoar e esquecer?

Leitura:
Jeremias 31:31-40

Pois perdoarei as suas iniquidades e dos seus pecados jamais me lembrarei. —JEREMIAS 31:34

Certo homem disse ao pastor: "Há 2 anos minha esposa me traiu e ainda não consegui superar. A dor está sempre à espreita, pronta para explodir nos momentos mais inesperados. Às vezes, quando estamos num restaurante, a tristeza e raiva me inundam e sinto que a desprezo. Como posso perdoar se não consigo esquecer?".

O pastor afirmou que é impossível esquecer o que ela fez, devido à importância dela para o marido. "Você já pediu perdão a alguém, e percebeu que a pessoa não se lembrava de você ou do que fizera? Não há nada pior do que se perceber tão irrelevante que o seu erro nem foi registrado. É um bom sinal você ainda se incomodar." E questionou: "A Bíblia não diz que o perdão exige esquecimento"?

"Esquecer quer dizer que Deus não sabe mais o que fizemos!", afirmou o pastor. "Deus sabe tudo o que já aconteceu ou acontecerá. Ele diz que "dos seus pecados jamais me lembrarei" e que "Quanto o Oriente está longe do Ocidente, assim ele afasta de nós os nossos pecados" (Sl 103:12). Isso significa que Ele não usa os nossos pecados contra nós, embora possa lembrar-se do que fizemos. O Seu perdão é pleno. Por você amar a sua esposa e o pecado dela tê-lo ferido tanto, o seu perdão não será um ato único. Toda vez que se lembrar do que aconteceu, você precisará liberar o débito moral dela. Mas enquanto estiver lutando pelo perdão, estará lutando por ela, e ela se tornará mais preciosa para você." *—Mike Wittmer*

Perdoar requer que lembremos e liberemos.
Não podemos perdoar o que já esquecemos.

20 de setembro

Utensílios limpo

Leitura:
2 Timóteo 2:20-22

Quem se purificar de todos esses erros de que tenho falado [...] está pronto para fazer tudo o que é bom. —2 Timóteo 2:21

Você já jantou em um restaurante, sentou-se diante de um prato apetitoso e, de repente, descobriu que sua louça e talheres estavam incrustados com comida do cliente anterior? Que nojo! A comida não parecia mais deliciosa. Chateada, irritada, você provavelmente esperou por louças limpas, substituição da comida, um pedido de desculpas ou até o reembolso.

Assim como não usamos utensílios sujos, Deus não nos usa se não estivermos "limpas". Paulo disse a Timóteo que a utilidade está ligada à limpeza. "Quem se purificar de todos esses erros de que tenho falado será usado para fins especiais porque é dedicado e útil ao seu Mestre e está pronto para fazer tudo o que é bom" (v.21). Nossa pureza deve preceder o serviço a Deus (Números 8:21,22; Isaías 6:5-8; Jeremias 15:19). A pureza precede a utilidade.

Para sermos utensílios puros, santificados e úteis, devemos fugir "...das paixões da mocidade..." (v.22). Estes desejos começam na juventude e não acabam na idade adulta. Não os abandonamos. Em vez disso, eles podem continuar a nos atormentar quando adultos, muitas vezes com mais regularidade e intensidade. João escreveu que devemos fugir de todos os desejos pecaminosos: a cobiça de prazeres, poder, posições, posses e orgulho (1 João 2:15,16).

Precisamos procurar "...viver uma vida correta, com fé, amor e paz, junto com os que com um coração puro pedem a ajuda do Senhor" (v.22). *—K. T. Sim*

Sejamos persistentes, fugindo continuamente do mal e buscando a vida piedosa (1 Timóteo 6:11).

21 de setembro

De desolado ao lindo

Leitura:
Jó 42:10-17

...O SENHOR abençoou a última parte da vida de Jó mais do que a primeira... —Jó 42:12

A primavera é a estação do ano em que Deus nos recorda que as coisas nem sempre são o que parecem. Em poucas semanas, o que parece desesperadamente morto retorna à vida. Bosques desolados transformam-se em paisagens coloridas. Árvores cujos galhos nus se estendiam ao céu no inverno, como se implorassem por vestimenta, de repente se adornam com trajes verdes rendados. Flores que murcharam e caíram ao chão rendendo-se ao frio se levantam lentamente da terra, desafiando a morte.

Nas Escrituras, lemos a respeito de algumas situações aparentemente sem esperança. Um exemplo é o de um homem rico chamado Jó, a quem Deus descreveu como íntegro (Jó 2:3). O desastre se abateu sobre ele, que perdeu tudo que lhe era importante. Na miséria, ele disse: "...meus dias passam mais depressa do que a lançadeira do tecelão e vão embora sem deixar esperança" (7:6). O que parecia a Jó e a seus amigos ser uma prova de que Deus se virara contra ele, era exatamente o oposto. Deus confiava tanto na integridade de Jó, que confiou nele, nesta batalha contra Satanás. Mais tarde, a esperança e a vida de Jó foram renovadas.

A chegada da primavera, sempre fiel, todo ano me conforta quando estou numa situação que parece não ter esperança. Com Deus, não existe tal coisa. Independentemente do quão desolada a paisagem da vida possa parecer, Deus pode transformá-la num glorioso jardim de cores e fragrâncias. *—Julie Ackerman Link*

Com Deus, existe esperança até mesmo nas situações mais desanimadoras.

22 de setembro

Exílio

Leitura:
1 Pedro 1:17-23

...Portanto, durante o resto da vida de vocês aqui na terra tenham respeito a ele. —1 PEDRO 1:17

Nossa cidade se tornou um abrigo para refugiados. Eles fogem de perseguições políticas ou abandonaram países devastados. Outros, querem oferecer uma vida melhor às famílias e vieram na esperança de encontrar paz. Próximo de minha casa, temos um belo mosaico de etnias, línguas, histórias e sabores e tragédias, pois todos estão longe de casa.

Pedro diz que os cristãos vivem espalhados (1Pe 1:1). Vivem hoje num exílio, numa peregrinação entre a redenção que Deus prometeu, iniciada com Jesus, e o momento em que tal redenção virá em plenitude. O exílio era familiar para o povo de Israel, pois vagaram em desertos, sofreram escravidão e esperaram que Deus os libertasse do opressor. Eles ansiavam por uma terra, por um lar.

Podemos pressupor que Pedro sugere que os cristãos devam acomodar-se e esperar pelo lar celestial. Ao contrário, ele os instrui sobre como deveriam viver: continuar alertas, pôr a esperança na volta de Cristo, ser santos em tudo que fizessem e demonstrar amor pelos irmãos (vv.13,15,22).

Pedro orienta os exilados a viver bem porque a redenção não é uma fuga, mas um chamado ao engajamento. Para o apóstolo, o Céu não é um acampamento de refugiados, mas um lugar onde a lei perfeita de Deus está francamente em vigor e todas as promessas de Deus estão reservadas para nós até que haja "um novo céu e uma nova terra" (1 Pedro 1:2-4; 2 Pedro 3:13). —*Winn Collier*

Somos estrangeiros vivendo no meio do caminho – mas não para sempre.

23 de setembro

Fora de época

Leitura:
Jeremias 3:1-5

Ele manda as nuvens subirem dos fins da terra. Ele faz o raio para a chuva e manda o vento sair dos seus depósitos.

—JEREMIAS 10:13

Certo ano, a primavera chegou atipicamente com temperaturas agradáveis, quebrando recordes e agitando os ânimos. Mas os dias de 30ºC tiveram um preço. Logo veio a onda de frio, secando todas as flores e devastando os pomares. Os preços dos alimentos subiram significativamente. O calendário anuncia a chegada da primavera, mas lá fora, o vento varre as folhas sem sinal de abrandamento. O natural seria reclamar, mas é melhor lembrar que no ano anterior o calor veio fora de época. Neste ano, o clima está normal.

Algumas pessoas encaram as variações climáticas, como julgamentos de Deus. Essa suposição é perigosa e errada, apesar de Deus usar os desastres naturais para chamar a atenção de Seu povo.

Mais de 2.500 anos atrás, por causa de sua má conduta, o povo de Judá enfrentou ameaças fatídicas de secas e forças hostis. Falando metafórica e literalmente, o profeta disse: "...Mas você, meu povo, tem tido muitos amantes..." (Jeremias 3:1). Essa acusação representava a infidelidade do povo de Judá a Deus —, eles estavam literalmente adulterando. "É por isso que não tem chovido, e as chuvas da primavera deixaram de cair..." (v.3).

Mas Deus não abandonou Seu povo apesar do comportamento repreensível deles. Ele ansiava por abençoá-los, mesmo não permitindo que explorassem os pobres e fracos e ignorassem os Seus mandamentos. Deus os amava demais para fingir que tudo estava bem. —*Tim Gustafson*

Todas as circunstâncias da vida, e as estações, devem nos conduzir em humildade ao nosso Deus Criador.

24 de setembro

Continuando com Cristo

Leitura:
1 Reis 19:19-21

...mas quem esquece a si mesmo por minha causa terá a vida verdadeira. —Mateus 16:25

Quando criança, minha semana favorita do verão era a que eu passava em um acampamento de jovens cristãos. No fim da semana, eu me sentava lado a lado de minhas amigas em frente a uma enorme fogueira. Lá, compartilhávamos o que tínhamos aprendido acerca de Deus e da Bíblia, e cantávamos. Uma canção que ainda me lembro muito bem falava sobre "decidir seguir a Jesus". O refrão continha uma frase importante: "atrás não volto, não volto não".

Quando Eliseu decidiu seguir o profeta Elias, ele fez algo incrível que lhe tornou difícil, verdadeiramente impossível, voltar à sua ocupação anterior de agricultor. Depois de ir para casa e fazer um banquete de despedida, Eliseu "...tomou a junta de bois, e os imolou..." (1 Reis 19:21). Deixando aquele modo de vida, ele queimou o seu equipamento de arar, assou a carne recém-abatida sobre a fogueira e alimentou todos os presentes. "...Então, se dispôs, e seguiu a Elias, e o servia" (v.21).

Entregarmo-nos a Deus, que merece a nossa dedicação, frequentemente tem um preço. Às vezes, significa tomar decisões difíceis acerca de relacionamentos, finanças e moradia. Porém, nada se compara ao que ganhamos, quando continuamos a andar com Cristo. Jesus disse: "...quem põe os seus próprios interesses em primeiro lugar nunca terá a vida verdadeira; mas quem esquece a si mesmo por minha causa terá a vida verdadeira" (Mateus 16:25). *—Jennifer Benson Schuldt*

Jesus está à procura de seguidores em tempo integral.

25 de setembro

Mistérios escondidos

Leitura:
2 Reis 6:15–23

—Não tenha medo, pois aqueles que estão conosco são mais numerosos do que os que estão com eles. —2 Reis 6:16

Jamais vemos a maior parte daquilo que ocorre no Universo. Muitas coisas são pequenas demais, se movem muito rápido ou muito lentamente de modo que não as percebemos. Contudo, utilizando a moderna tecnologia o cineasta Louis Schwartzberg exibe imagens formidáveis de algumas dessas coisas — a boca de uma lagarta, os olhos de uma mosca de frutas, o crescimento de um cogumelo.

Nossa pouca habilidade em enxergar detalhes incríveis e complexos no mundo físico nos lembra de que nossa capacidade de ver e entender o que está acontecendo no mundo espiritual é igualmente limitada. Deus está agindo ao nosso redor fazendo coisas mais maravilhosas do que podemos imaginar. Mas nossa visão espiritual é limitada e não conseguimos vê-las. O profeta Eliseu, contudo, conseguiu ver a obra sobrenatural que Deus estava fazendo. O Senhor também abriu os olhos do colega amedrontado desse profeta, para que ele também pudesse ver o exército celestial enviado para lutar a favor do Seu povo (2 Reis 6:17).

O medo nos faz sentir fracos e inúteis e nos faz pensar que estamos sozinhos no mundo. Mas Deus nos garantiu que o Seu Espírito em nós é maior do que qualquer poder desse mundo (1 João 4:4).

Sempre que ficamos desencorajados pelo mal que vemos, precisamos pensar na boa obra que Deus está executando e que não podemos ver. *—Julie Ackerman Link*

Pelos olhos da fé vemos Deus agindo em todas as situações.

26 de setembro

Abrindo-se

Leitura:
Filipenses 3:8-14

Não estou querendo dizer que já consegui tudo o que quero ou que já fiquei perfeito, mas continuo... —FILIPENSES 3:12

Há poucos anos, minha esposa e eu tivemos o privilégio de falar num retiro de casais de todas as idades. Um casal mais idoso abençoou os mais novos revelando-lhes com transparência algumas lutas vencidas em seu relacionamento. Eles reconheceram suas imperfeições, e afirmaram que tinham escolhido se apegar a Deus e a seus votos matrimoniais ao passarem por tempos difíceis.

Permitir que as pessoas vejam nossas "rugas" pode encorajar outros a virem a crer em Jesus. Paulo nos diz: "Não estou querendo dizer que já consegui tudo o que quero ou que já fiquei perfeito, mas continuo a correr para conquistar o prêmio, pois para isso já fui conquistado por Cristo Jesus" (3:12). Os relacionamentos dele também enfrentavam dificuldades, inclusive quando discutiu e brigou com Barnabé (Atos 15:38,39) e Pedro (Gálatas 2.11-13).

A Bíblia está repleta de relatos dos que conheciam a Deus, e mesmo assim pisaram em terreno arenoso, experiências de pessoas que estavam longe de serem perfeitas. Deveríamos viver pela fé sendo honestos sobre nossos fracassos e lutas. E, quando apropriado, deveríamos comunicar essas coisas para encorajarmos e edificarmos a vida de outras pessoas. Podemos simplesmente declarar: "...não penso que já consegui isso. Porém uma coisa eu faço: [...] Corro direto para a linha de chegada a fim de conseguir o prêmio da vitória [...] por meio de Cristo Jesus" (Filipenses 3:13,14). *—Tom Felten*

Nossa confiança não é na nossa carne, mas na justiça de Jesus (Filipenses 3:3,9).

27 de setembro

O Pai de Jesus

Leitura:
Mateus 18:10-14

Assim também o Pai de vocês, que está no céu, não quer que nenhum destes pequeninos se perca. —Mateus 18:14

Recentemente lia o evangelho de João, quando meus olhos pararam nessas palavras: "…vou subir para aquele que é o meu Pai e o Pai deles, o meu Deus e o Deus deles" (João 20:17). Jesus fez essa declaração a Maria Madalena, momentos depois de ela compreender que Ele havia ressuscitado dos mortos. As palavras de Jesus são boas-novas que falam à profunda necessidade que temos em nós. Precisamos de um pai.

Deus não jogou uma moeda para decidir se iria ou não se relacionar conosco como pai ou mãe. Isso foi intencional. Deus sabia que quando a humanidade saísse dos trilhos e caísse no pecado, o número de pais piedosos servindo suas famílias estaria em falta. E os resultados são devastadores.

As pesquisas demonstram que filhos de lares sem pais são 32 vezes mais inclinados a fugir de casa, 20 vezes mais propensos a ter distúrbios comportamentais, tendem 9 vezes mais a largar o Ensino Médio, têm 10 vezes mais a probabilidade de abusar de substâncias químicas e 20 vezes mais chances de ser presos.

Em seu livro *Faith of the Fatherless* (Fé dos orfãos), Paul Vitz destaca a ligação entre o ateísmo e a ausência da figura paterna e argumenta que uma das maiores fontes dos mais proeminentes militantes ateístas é a "ausência de um bom pai".

Deus quer que vivamos com a presença e o amor de um pai. Ele quer preencher os lugares em que nossos pais terrenos ficaram aquém das expectativas. —*Jeff Olson*

Deus quer que o conheçamos como nosso Pai, assim como Jesus o conhece.

28 de setembro

O verdadeiro valor

Leitura:
Lucas 16:1-13

Pois, se vocês não forem honestos com as riquezas deste mundo, quem vai pôr vocês para tomar conta das riquezas verdadeiras?
—Lucas 16:11

Johannes Gutenberg quis construir uma impressora, e, para financiá-la, seu vizinho, Johann Fust, lhe emprestou o dinheiro. No início, o dinheiro para pagar o empréstimo veio da impressão de indulgências para a Igreja Católica. O lucro era bom, mas Gutenberg queria imprimir Bíblias, com letras góticas semelhantes ao estilo dos escribas. Mas essas Bíblias de 1.200 páginas levavam muito tempo para serem produzidas e vendidas, e em 3 anos, ele faliu. Gutenberg entregou sua gráfica a Fust, que na sequência publicou muitos livros na Europa.

Embora ele possa ter-se entristecido ao ver outro lucrando com sua invenção, pôde alegrar-se com o modo como ele saiu do empreendimento. Pode ter sido um mau negócio imprimir Bíblias em vez de indulgências, mas ele reconhecia o que era o mais valioso (v.10). As mesmas Bíblias que o levaram à falência, hoje valem imensa fortuna.

Você valoriza a Palavra de Deus acima de tudo e já descobriu que há um custo para seguir a Cristo (v.13)? Talvez você tenha dado o seu melhor conselho, e perdeu seu cliente. Talvez tenha cobrado sua tarifa normal, sem tirar vantagem de quem poderia pagar mais. Talvez tenha decidido casar com quem já vivia, mesmo sabendo que isso reduziria os benefícios recebidos do governo.

Jesus disse que por ter sido fiel no "pouco" da "riqueza do mundo" lhe será confiada a "verdadeira riqueza" (v.11). Que grande negócio!

—Mike Wittmer

Não podeis servir a Deus e às riquezas.
—Lucas 16:13

29 de setembro

Voltando da morte

Leitura:
1 Reis 17:8-24

E o SENHOR *Deus respondeu à oração de Elias.*
O menino começou a respirar outra vez e tornou a viver.
—1 REIS 17:22

O casal chorava sobre a bebê, quando os médicos a declararam natimorta e a levaram. A mãe, anestesiada pelo parto, não tinha nem se despedido da filha. Doze horas depois, os pais foram ao necrotério para se despedir dela. Quando o funcionário puxou a gaveta onde ela estava, ouviram um choro. A bebê estava viva!

A viúva de Sarepta conhecia a dor da perda de um filho. O profeta Elias, sob direção divina, fora à sua casa pedir por comida e hospedagem. Ela tinha o suficiente para uma refeição e cria que, em seguida, ela e o filho morreriam de fome. Elias pediu que lhe preparasse uma refeição e que o trigo e óleo dela iriam se multiplicar milagrosamente. Ela o fez, e todas as manhãs havia trigo e óleo para as provisões.

A história tem uma trágica reviravolta. O filho adoeceu, morreu e a mulher clamou a Elias: "—Homem de Deus, o que o senhor tem contra mim?" (v.18). Aturdido, o profeta levou o corpo do menino escada acima e orou fervorosamente a Deus: "...faze com que esta criança viva de novo!" (v.21).

Imagine a alegria da mãe ao ver Elias trazendo seu filho e ao ouvi-lo dizer: "...Veja! O seu filho está vivo!" (v.23). Agora imagine a alegria quando, naquele domingo da ressurreição, Deus anunciou ao mundo: "Vê, [meu] filho vive"! Desde o Éden, as Escrituras afirmam que a morte é nosso maior inimigo. A ressurreição de Cristo anuncia o poder de Deus sobre a morte. *—Winn Collier*

Cristo desmantelou o poder da morte.

30 de setembro

Novos nadadores

Leitura:
Atos 14:19-23

Eles animavam [...] e davam coragem para ficarem firmes na fé. [...] para poder entrar no Reino de Deus. —ATOS 14:22

Em 2011, um pescador australiano foi lançado para fora do barco por uma grande onda. Sem o colete salva-vidas, mas cheio de adrenalina e tenacidade, enfrentou, a nado, as águas infestadas por tubarões. "Não ia parar, então segui em frente." Ele sobreviveu à provação com lesões de pouca gravidade. Um dos seus resgatadores comentou: "Foi bom ele ser forte." Não se pode dizer o mesmo dos discípulos em Listra, Antioquia e Icônio; de certa maneira, eles eram "nadadores" novatos e precisavam de mentores — Paulo e Barnabé — para fortalecer e incentivá-los a seguir em frente. Após ser submetido a um apedrejamento que quase resultou em morte, nas mãos de uma turba violenta, Paulo fez o inesperado. Ele e Barnabé voltaram exatamente às cidades onde suas vidas correram perigo!

Por que eles retornariam àquela ameaça em potencial? Poderiam ter continuado viagem a Tarso, à casa de Paulo. Contudo, não pensaram em si mesmos; queriam fortalecer os "cristãos novatos". Queriam se certificar de que os novos discípulos fossem espiritualmente saudáveis e tivessem uma sólida liderança espiritual.

Nós também temos responsabilidade com os seguidores de Jesus, novos ou inexperientes. Pelo poder do Espírito Santo, fortaleçamos suas almas. Devemos ajudá-los a depender de Deus ao enfrentarem a dor, e a seguirem em frente em meio às perigosas incertezas, provações e sofrimentos. —*Marvin Williams*

A perseverança é uma marca distintiva da verdadeira fé cristã e traz recompensas espirituais.

1.º de outubro

Massa na tigela

Leitura:
Rute 2:1-12

Ela me pediu que a deixasse ir atrás dos trabalhadores, catando as espigas que fossem caindo… —Rute 2:7

Minha filha e eu consideramos o bolo de chocolate chamado *brownie* maravilhoso. Certo dia, quando estávamos misturando os ingredientes do nosso bolo favorito de chocolate, minha filha perguntou se poderia deixar um pouco da massa na tigela após derramar quase tudo na assadeira. Ela queria saborear a sobra. Eu sorri e concordei. Então, disse-lhe: "Isso é chamado 'respigar ou rebuscar', você sabe, e não começou com o *brownie*".

Enquanto apreciávamos o restante do nosso projeto já no forno, expliquei-lhe que Rute havia recolhido restos de grãos para alimentar a si mesma e à sua sogra Noemi (Rute 2:2,3). Como o marido de Orfa e de Rute, ambos filhos de Noemi, haviam morrido, as duas viúvas tinham retornado à terra natal de sua sogra Noemi. Ali, Rute conheceu um rico fazendeiro chamado Boaz. E lhe pediu: "…que a deixasse ir atrás dos trabalhadores, catando as espigas que fossem caindo" (v.7). Boaz consentiu e, voluntariamente, instruiu os seus trabalhadores a deixar propositadamente grãos caírem para ela (v.16).

Como Boaz, que proveu Rute com a generosidade de seus campos, Deus nos provê de Sua abundância. Seus recursos são infinitos e Ele permite que as bênçãos "caiam" para o nosso benefício. Ele nos provê voluntariamente alimento físico e espiritual. Toda boa dádiva que recebemos vem do Senhor. *—Jennifer Benson Schuldt*

Nossas maiores necessidades nunca excedem os grandiosos recursos de Deus.

2 de outubro

Em uma palavra

Leitura:
Números 12:1-8

Era o varão Moisés mui manso, mais do que todos os homens que havia sobre a terra. —NÚMEROS 12:3

A data era significativa, minha esposa, Lynn estava completando aniversário. Decidi preparar-lhe uma festa e criei um jogo chamado: "Lynn numa só palavra". Pedi aos amigos para descreverem-na numa palavra em um cartão. No outro lado do cartão deveriam escrever seus nomes. Na festa, Lynn retiraria os cartões e os nomes sorteados teriam alguns momentos para justificar suas escolhas.

Em Números 12, Moisés é descrito como humilde (v.3). Seus irmãos, Arão e Miriã, pensaram que Moisés estava errado em se casar com uma mulher da Etiópia (v.1). Mas Deus rejeitou suas críticas (v.8) ao afirmar que Moisés era humilde, e dizer: "Com o meu servo Moisés é diferente, pois eu o coloquei como responsável por todo o meu povo" (v.7). Imagine se Deus usasse a palavra fiel como o melhor rótulo para você!

Pense em outras pessoas da Bíblia. Qual palavra Ele usaria para definir Abraão? Jacó? Débora? Rute? Davi? Jeremias? Maria? Pedro? E como o Senhor o descreveria?

Nosso caráter é revelado ao longo de nossa vida, pelos bons e maus momentos e tudo o que houver entre eles. Nas horas finais de Jesus antes de Sua morte, Ele disse aos Seus discípulos após ter a humildade de lavar-lhes os pés: "Pois eu dei o exemplo para que vocês façam o que eu fiz" (João 13:15).

Qual seria a melhor palavra que Deus poderia usar para descrevê-lo? "Humilde" seria bom, mas "à semelhança de Cristo" seria ainda melhor! *—Tom Felten*

...Calebe foi sempre fiel e obediente a mim, o Senhor, e por isso darei a ele [...] a terra por onde ele andou. —Dt 1:36

3 de outubro

Um jantar e um pecador

Leitura:
Lucas 7:36-50

...o fariseu [...] pensou assim: "Se [...] fosse, [...] profeta, saberia quem é esta mulher [...] e a vida de pecado que ela leva".

—Lucas 7:39

Alguns anos atrás, em férias nos EUA, vimos uma multidão se aglomerando em frente a um teatro popular. Dizia-se nas ruas que Collin Powell, o Secretário de Estado na época, iria àquele teatro assistir uma peça. Logo percebemos que acompanhar o ir e vir de celebridades era um dos passatempos favoritos dos turistas.

Acontecia o mesmo nos tempos de Jesus. Certa vez, Jesus compareceu a um jantar oferecido por Simão, o fariseu, e foi abordado por uma mulher, que lavou os Seus pés com lágrimas, secou-os com seus cabelos e os ungiu com um perfume caro (vv.36-39).

O gesto dela foi de belíssima humildade e amor, porém, Simão não os entendeu. Em seus pensamentos, desconsiderou Jesus por aparentemente não ter conhecimento da reputação imoral da mulher (v.39). Mal sabia ele que Cristo conhecia tudo sobre ela e que, antes que o jantar terminasse, misericordiosamente convidaria Seu anfitrião a entender que ele não era diferente daquela mulher.

Simão a considerava depravada. Mas Cristo mostrou-lhe que ele era igual a ela, pois também precisava ser perdoado. Estava espiritualmente tão falido quanto ela, exceto que ela havia se conscientizado de sua situação e humildemente se voltara a Jesus, oferecendo-lhe este gesto de amor (vv.41-47). Cego por seu egoísmo, Simão não enxergou sua necessidade de perdão nem entendeu quem era Jesus, o Perdoador dos nossos pecados. *—Jeff Olson*

Jesus é o Deus que oferece perdão e paz a todos, não importa o que tenham feito.

4 de outubro

Extravagante devoção

Leitura:
João 12:1-8

...Maria pegou um frasco cheio de um perfume muito caro, [...] derramou o perfume nos pés de Jesus e os enxugou com os seus cabelos... —JOÃO 12:3

O que Jesus representa para você? A maioria dos cristãos diria: "Tudo". E você venderia todos os seus bens para lhe fazer uma festa? Desfar-se-ia de uma joia de família para encher a casa dele de rosas? É difícil imaginá-lo aceitando tal gesto num mundo de pessoas famintas, mas, pelo menos, uma vez Ele aceitou.

Muitas vezes, os mestres itinerantes eram convidados para banquetes em sua honra. Certo dia, Jesus foi homenageado, e Maria, uma de Suas grandes amigas, preparou-lhe uma refeição. Ela trouxe um vaso de perfume cujo valor equivalia a um ano do salário de um trabalhador, quebrou o lacre e começou a derramar o precioso perfume sobre os pés de Jesus, enxugando-os com seus cabelos (v.3).

Os pés eram lavados com água e não ungidos. Da mesma forma, os cabelos de uma mulher deveriam ser mantidos ocultos dos olhares dos homens. No entanto, o pior pecado de Maria, de acordo com Judas, fora a extravagância à custa dos pobres (vv.4,5). Todos a reprovaram por isso (Mc 14:5).

"Deixe-a", replicou Jesus (João 12:7) "os pobres, sempre os tendes convosco, mas a mim nem sempre me tendes" (v.8). Jesus viera para os pobres (Lucas 4:18), os abençoara (6:20) e ensinara às pessoas a se lembrarem deles (11:41; 14:13), e algo relevante estava sendo ensinado aqui. Alguém muito mais importante que os pobres estava ali.

Maria preparou uma festa para Jesus e encheu a casa com perfume de rosas. —*Sheridan Voysey*

A atitude de entrega de Maria foi mais significativa do que ela poderia imaginar e tem muito a nos ensinar.

5 de outubro

Levante-se

Leitura:
1 Reis 21:1-29

Não houve ninguém, que tivesse se entregado tão completamente a fazer coisas erradas, que não agradam ao Senhor...
—1 Reis 21:25

Meia dúzia de pessoas cometeram os atos mais horríveis da história—, e foram apoiados por outros em seu pecado. A maioria dos alemães não perseguiu e matou os judeus, mas permitiu que seu governo o fizesse. A maior parte dos americanos não tinha escravos, mas não se incomodava que seus vizinhos os tivessem. O mal só precisa de uma maioria silenciosa que vê o que está acontecendo e nada faz.

Acabe era passivo e se encolhia diante de sua esposa Jezabel, rainha estrangeira que o fez louvar a Baal (16:31). Quando Elias matou os profetas de Baal no monte Carmelo, Acabe correu para contar o ocorrido. E Jezabel prometeu a Elias que se vingaria (19:1,2). Acabe a seguiu.

Quando Nabote se recusou a vender sua vinha, Acabe foi para casa "aborrecido e com raiva" e contou a Jezabel o que aconteceu (21:4-6). Ela lhe disse: "eu darei a você a plantação de uvas" (v.7). E assim o fez. Acabe apenas a apoiou.

Acabe era passivo, mas não inocente. Deus o declarou o mais perverso de todos os maus reis de Israel. Ele não puxou o gatilho, mas permitiu o assassinato de Nabote e a idolatria em Israel, entre outras maldades.

Que tipo de mal toleramos em silêncio? Cruzamos os braços quando outros são maltratados ou abusados? Posicionamo-nos quando cristãos professos descartam as verdades fundamentais de nossa fé? Podemos nos incomodar ao desafiá-los; mas como não anunciar Deus e Sua Palavra? *—Mike Wittmer*

Todas as vezes que você não se posiciona contra o mal, ele vence.

6 de outubro

Não sem pecado, mas...

Leitura:
Romanos 6:1-23

...Será que devemos continuar vivendo no pecado para que a graça de Deus aumente ainda mais? É claro que não!... —Romanos 6:1,2

Certo homem ao encontrar uma carteira cheia de dinheiro desejou mantê-lo para si. Como cristão, sabia que deveria devolvê-la ao dono. Mas começou a argumentar consigo mesmo: "Preciso desse dinheiro agora. Achado não é roubado! Ficarei com o dinheiro, e confessarei meu pecado e pedirei perdão a Deus." O que você teria feito?

Paulo fez uma pergunta prática e eterna: "...Será que devemos continuar vivendo no pecado para que a graça de Deus aumente ainda mais?" (Romanos 6:1). Quase podemos ouvi-lo gritar: "Não, é claro que não!" (v.2). E ele nos diz o porquê.

Eramos escravos do pecado (vv.6,14,17). Pecávamos porque tínhamos que fazer o que nossa natureza pecaminosa mandava (vv.16,20). No entanto, quando cremos em Jesus como Salvador, tudo muda. "Morremos para o pecado," de tal forma que não "...podemos continuar vivendo nele" (v.2). A morte de Cristo quebrou o poder do pecado, libertando-nos da sua escravidão (vv.5-10). Ele não tem mais poder sobre nós (v.22). Temos nova vida (vv.4,13), estamos servindo um novo Mestre. Tornamo-nos servos de Deus (v.22) e "...escravos de Deus..." (v.18). Agora podemos nos tornar santos (v.19).

Ser santo é uma escolha. É algo para ser vivido. Diga "não" ao pecado e "sim" para Deus (vv.12,13). Se você pecar, é por que escolheu obedecer ao pecado como seu mestre. Mas agir assim é subestimar a graça de Deus, abusando de Sua misericórdia e perdão (vv.1,15). *—K. T. Sim*

Ainda somos pecadores, mas como servos de Cristo devemos fugir do pecado (1 João 1:6-10).

7 de outubro

Fé e morte

Leitura:
Jonas 1:17–2:10

Ó SENHOR Deus, na minha aflição [...] gritei pedindo socorro, e tu ouviste a minha voz. —JONAS 2:2

O momento em que a irmandade deve passar pelas minas, nas cavernas escuras é uma das mais poderosas cenas da trilogia *O Senhor dos Anéis*. Eles descem a este mundo subterrâneo, onde muitos tinham morrido por causa dos poderes do mal, ocultos sob a terra. Temeroso, Frodo se questionava se deveriam viajar para este lugar angustiante. Gandalf disse-lhe que esse era o único caminho.

As Escrituras ensinam que, embora Deus planeje a vida para nós, a morte deve vir por primeiro. Jonas enfrentou esta realidade, quando fugia de Deus e foi atirado ao mar revolto. Porém, lemos que "O SENHOR ordenou que um grande peixe engolisse Jonas" (1:17).

Tendemos a pensar que Jonas sentiu alívio no momento do resgate, mas, ele não sabia o final da história. Sabia apenas que estava se afogando no oceano revolto e que tinha sido engolido por um enorme peixe. Não importa o quão revolto fosse o mar, poucos gostariam de ser engolidos por uma enorme criatura.

No entanto, foi esta a maneira de Deus cuidar de Jonas. Ele enviou a morte para engoli-lo, e Jonas orou a Deus das profundezas da morte. Orou do *sheol*; palavra do Antigo Testamento que descreve o lugar de onde a vida foi completamente arrancada: "...do fundo do mundo dos mortos, gritei pedindo socorro, e tu ouviste a minha voz" (v.2), disse Jonas. Deus o ouviu e o trouxe de volta à vida, de onde pôde orar: "A salvação vem de Deus, o SENHOR (v.9)"! —*Winn Collier*

Nossa fé não nos mantém na morte. Em vez disso, ela nos leva à morte, a domina e nos conduz de volta à vida.

8 de outubro

Reviravolta

Leitura:
Salmo 107

Então, na sua angústia, clamaram ao SENHOR, e ele os livrou das suas tribulações. —SALMO 107:6

Em uma penitenciária houve uma inversão de papéis nas relações entre guardas e prisioneiros, quando um destes apartou uma briga entre dois carcereiros que discutiam por causa de "salgadinhos"! Em geral, as pessoas apreciam muito as histórias em que os personagens passam de um extremo a outro e a Bíblia está repleta delas. No Salmo 107, o autor narra a saga de quatro grupos de pessoas que experimentaram circunstâncias adversas.

Alguns "andaram errantes pelo deserto" (vv.4-9). Outros se "assentaram nas trevas" (vv.10-16). Outros, por sua desobediência foram "afligidos" (vv.17-22), e "cambalearam" quando seus navios foram assolados pelo vento (vv.23-32).

Em cada história, as pessoas clamaram ao Senhor, e suas circunstâncias foram revertidas pela providência e intervenção divina. Deus conduziu os errantes, libertou os prisioneiros, curou os aflitos e trouxe os marinheiros cambaleantes a um porto seguro. A resposta a essa intervenção divina foi: confiança, gratidão e testemunho das poderosas obras de Deus.

Às vezes, a vida apresenta um quadro ameaçador aparentemente invencível e irreversível. Nós, como povo de Deus, porém, podemos confiar no mistério do amoroso cuidado e no governo que Ele exerce sobre o Universo e Seu povo. Confiamos que cada acontecimento faz parte do plano perfeito de Deus e que Ele pode reverter as circunstâncias adversas e as injustiças desse mundo. *—Marvin Williams*

Esteja preparado para os Seus caminhos inesperados!

9 de outubro

De cima a baixo

Leitura:
Tiago 1:19–2:4

Não se enganem; não sejam apenas ouvintes dessa mensagem, mas a ponham em prática. —Tiago 1:22

Ao entrar na casa, a sala é digna de revista de decoração e atrai o olhar. No entanto, ninguém se assenta nos sofás, as flores de sabão nunca lavam a mão de ninguém nem as toalhas na cozinha secam alguma louça ou mãos. É apenas uma vitrine. Rapidamente, a dona da casa nos conduz ao porão, onde a vida real acontece.

A maioria de nós mantém fachadas semelhante em nossa vida. Quando estou chateado com a minha mulher ou sou ríspido com meus filhos e toca o telefone, minha voz se suaviza, e vai à tona somente a pessoa no andar de cima da minha vida. Se faço alguém acreditar que minha vida espiritual possui só lutas menores, não demonstro o meu verdadeiro eu.

Tiago nos alerta contra o perigo do autoengano e para que não sejamos apenas ouvintes, mas praticantes da Palavra de Deus. E ele nos aponta algumas áreas em que caímos: "Alguém está pensando que é religioso? Se não souber controlar a língua, a sua religião não vale nada..." (v.26). Ele destaca outro aspecto da religião que reflete sobre as aparências: "...nunca tratem as pessoas de modo diferente por causa da aparência delas" (2:1). E continua: "...vocês estão fazendo diferença entre vocês mesmos e estão se baseando em maus motivos para julgar o valor dos outros" (v.4).

É triste ter uma casa bonita com espaços onde não é possível conviver, mas viver escondendo a realidade é pior ainda. —*Tim Gustafson*

A verdadeira religião exige honestidade conosco, de uns com os outros e com Deus.

10 de outubro

Parceiras de oração

Leitura:
1 Tessalonicenses 3:6-13

Irmãos, lembrem de nós nas suas orações.
—1 Tessalonicenses 5:25

Encontrei minha amiga Ângela para almoçar, depois de não nos vermos durante vários meses. Ao final do nosso encontro, ela puxou um pedaço de papel com anotações do nosso encontro anterior. Era uma lista dos meus pedidos de oração pelos quais ela viera orando desde então. Ela recapitulou cada um deles e perguntou-me se Deus já os tinha respondido ou se havia alguma atualização a fazer. Em seguida, conversamos sobre os pedidos de oração dela. Como é encorajador ter uma parceira de oração!

O apóstolo Paulo tinha um relacionamento de oração com as igrejas que ele servia, incluindo a de Tessalônica. Ele agradeceu a Deus pela fé, o amor e a esperança das pessoas (1 Tessalonicenses 1:2,3). Ele desejava revê-los e pedia a Deus "dia e noite" para que lhe fosse possível visitá-los novamente (3:10,11). Ele pediu ao Senhor para ajudá-los a crescer, "...cada vez mais o amor que vocês têm uns pelos outros e por todas as pessoas..." (3:12). Ele também orava para que os corações deles fossem isentos de culpa na presença de Deus (v.13). Eles devem ter se encorajado ao ler sobre as preocupações e orações de Paulo por eles. Paulo também conhecia sua própria necessidade da presença e do poder de Deus, e pediu: "Irmãos, lembrem de nós nas suas orações" (5:25).

Amoroso Pai, obrigado por desejar que falemos contigo. Ensina-nos a sermos parceiras de oração. *—Anne Cetas*

As melhores amigas também são parceiras de oração.

11 de outubro

Graça, cortesia e favor

Leitura:
Efésios 2:4-10

Que as suas conversas sejam sempre agradáveis e de bom gosto...
—COLOSSENSES 4:6

Há alguns anos, Peter Chiarelli, general-de-exército, foi confundido com um garçom por uma conselheira-presidencial sênior num jantar formal. O general estava em pé atrás dela, fardado, e ela lhe pediu que trouxesse uma bebida. Só então, ela percebeu o seu engano, mas o general graciosamente atenuou o constrangimento dela, servindo-lhe a bebida e até a convidou a sentar-se à mesa, em companhia da família dele.

A palavra "gracioso" vem da palavra graça e pode significar um ato de bondade, agradável, de bom gosto ou cortesia, como a atitude do general. Mas tem um significado ainda mais profundo para os seguidores de Cristo. Somos receptores do incrível favor, voluntário e imerecido — a graça — que Deus proveu por meio de seu Filho, Jesus (Efésios 2:8).

Por já termos recebido a graça, devemos demonstrá-la na forma como tratamos os outros — por exemplo, na maneira como lhes falamos: "Quem é sábio recebe elogios pelas coisas que diz..." (Eclesiastes 10:12). A graça em nosso coração se derrama em nossas palavras e atitudes (Colossenses 3:16,17).

Aprender a estender a graça que está em nosso coração para outros é um subproduto da vida de um seguidor de Cristo Jesus, cheio do Espírito — o maior doador da graça. *—Cindy Hess Kasper*

A graça de Deus no coração é evidenciada pelas boas obras.

12 de outubro

Passos de bebê

Leitura:
Salmo18:31-36

Ele não me deixa tropeçar e me põe a salvo nas montanhas.
—Salmo 18:33

Minha bebê está aprendendo a andar. Tenho de segurá-la, e ela se agarra aos meus dedos porque ainda não se mantém em pé sozinha. Ela tem medo de escorregar, mas estou lá para ampará-la e cuidar dela. Ao caminhar com minha ajuda, seus olhos brilham de gratidão, felicidade e segurança. Mas, às vezes, ela chora quando não a deixo ir por caminhos perigosos, não percebendo que a estou protegendo.

Tanto quanto a minha bebê, frequentemente precisamos de alguém para nos cuidar, orientar e amparar em nossa caminhada espiritual. E nós temos esse alguém — Deus, nosso Pai. Como Seus filhos, Ele nos ensina a andar, guia os nossos passos, segura as nossas mãos e nos mantém no caminho certo.

O rei Davi compreendia bem a necessidade dos cuidados atentos de Deus em sua vida. No Salmo 18, ele descreve como Deus nos dá força e direção quando estamos perdidos ou confusos (v.32). Ele mantém os nossos pés firmes como os da corça, que pode escalar sem tropeçar (v.33). E se escorregamos, a Sua mão está lá para nos suster (v.35).

Quer sejamos novos cristãos aprendendo a andar na fé ou estejamos mais adiante em nossa caminhada com Deus, todos nós precisamos de Sua mão, que nos orienta e nos ampara. *—Keila Ochoa*

Deus cuida de mim em todos os passos da jornada.

13 de outubro

Como é Deus

Leitura:
Colossenses 1:15-23

Ele, o primeiro Filho, é a revelação visível do Deus invisível...
—COLOSSENSES 1:15

Em março de 2012, os americanos ouviram com pesar e repulsa as notícias sobre um soldado trapaceiro que participou de uma matança de 16 civis num vilarejo rural afegão. As consequências desse horror absoluto se misturam à tristeza, pois estas serão, para alguns, os ideais americanos para os seus amigos afegãos. Por causa da ação de um homem violento, muitos acreditaram que todos os americanos são cheios de ódio e que devem ser temidos. Quem pode culpá-los? Quando alguém age em nosso nome, nos representa.

Deus representou-se a si mesmo em Jesus, o Seu Filho. "Pois, por meio dele, Deus criou tudo, no céu e na terra, tanto o que se vê como o que não se vê, inclusive todos os poderes espirituais, as forças, os governos e as autoridades. Por meio dele e para ele, Deus criou todo o Universo" (v.16). Em Jesus, vemos Deus em ação.

Cristo, porém, não só representa a Deus, mas o encarna. Cristo nos mostra como o Pai é. Ele é a parte visível de Deus, em carne e osso. Paulo escreveu: "o Filho tem em si mesmo a natureza completa de Deus" (v.19).

Para saber como Deus é, olhe primeiro para Jesus. Não compreendemos tudo a respeito de Deus. Ainda assim, entendemos muito. Sabemos que Ele é pleno de amor, que se importa com a justiça e repreende a hipocrisia. Sabemos que Ele ama os marginalizados e desajustados, cura os doentes, perdoa os pecadores e quer que tenhamos vida plena.

—Winn Collier

Sabemos que Deus faz todas estas coisas porque Jesus as faz também.

14 de outubro

Guerreiros octogenários

Leitura:
Josué 14:1-12

...e me sinto tão forte hoje [...]. Ainda tenho bastante força [...] para fazer o que for preciso. —Josué 14:11

Nem mesmo o capitão Jack Sparrow (do filme *Piratas do Caribe*) poderia prever o que os piratas somalianos encontrariam ao atacar um luxuoso transatlântico lotado de turistas aposentados. Eles iniciaram a abordagem disparando metralhadoras, mas os guerreiros octogenários resistiram jogando móveis contra eles.

Os idosos os obrigaram a recuar. Um deles, de 65 anos, ferido no ataque, disse em triunfo: "Tentaram nos assustar, mas nós nos defendemos atirando cadeiras". A idade não os impediu de lutar, assim como não impediu que Calebe, de 85 anos, usasse sua força para o combate.

Deus prometeu uma porção de terra pela devoção e confiança de Calebe, 45 anos antes. Após essa promessa, Calebe passou 5 décadas vagando no deserto com um povo insatisfeito e infiel —, combatendo. Porém, após as lutas, com olhos brilhantes e voz forte, declarou: "Estou com oitenta e cinco anos e me sinto tão forte hoje como no dia em que Moisés me mandou espionar a terra. Ainda tenho bastante força para combater na guerra e para fazer o que for preciso. Agora me dê essa região montanhosa que o Senhor me prometeu [...] Naquele tempo dissemos a você que os gigantes anaquins estavam lá, [...] Se o SENHOR estiver comigo, eu os expulsarei, como ele prometeu" (Josué 14:10-12).

Às vezes, nossa cultura negligencia os idosos. Porém, Deus os usa; são cristãos que confiam em Suas promessas, se recusam a deixar que a idade defina sua utilidade para Deus, abraçam novas experiências e escrevem novos capítulos para Ele. —*Marvin Williams*

Deus guardou a promessa para o homem, e guardou o homem para a promessa.

15 de outubro

Como ter paz

Leitura:
Colossenses 1:15-23

Agora que fomos aceitos por Deus pela nossa fé nele, temos paz com ele por meio do nosso Senhor Jesus Cristo. —ROMANOS 5:1

A Capela do Silêncio Kamppi em Helsinque, Finlândia, se destaca no ambiente urbano. A estrutura curva, recoberta com madeira, isola o barulho da cidade agitada. Os projetistas a criaram para ser um espaço silencioso e um "ambiente calmo para os visitantes se recomporem". Ela é um refúgio do burburinho da cidade.

Muitas pessoas anseiam por paz, e alguns minutos de silêncio podem acalmar nossa mente. Mas a Bíblia ensina que a verdadeira paz — a paz com Deus — vem de Seu Filho. O apóstolo Paulo disse: "Agora que fomos aceitos por Deus pela nossa fé nele, temos paz com ele por meio do nosso Senhor Jesus Cristo" (Romanos 5:1). Sem Cristo, somos inimigos do Senhor devido ao nosso pecado. Felizmente, aceitar o sacrifício de Jesus nos reconcilia com o Pai celestial e termina a hostilidade que existia entre nós (Colossenses 1:19-21). Agora Ele nos vê como Cristo nos apresenta — "...seus amigos, [...] não tendo mancha nem culpa" (v.22).

Ter paz com Deus não garante uma vida sem problemas, mas nos mantém firmes nos momentos difíceis. Jesus disse aos Seus seguidores: "...No mundo vocês vão sofrer...", mas também disse: "...tenham paz [...] mas tenham coragem. Eu venci o mundo" (João 16:33). Por causa de Cristo, a verdadeira paz de Deus pode preencher o nosso coração (Colossenses 3:15). —*Jennifer Benson Schuldt*

A paz inunda a alma daquele cujo coração é submisso a Cristo.

16 de outubro

Esplendor do cotidiano

Leitura:
1 Tessalonicenses 4:1-12

...procurem viver em paz, tratem dos seus próprios assuntos e vivam do seu próprio trabalho, como já dissemos antes...

—1 TESSALONICENSES 4:11

Às vezes a vida é entediante. Os livros de autoajuda prometem paixão ininterrupta pela vida e os místicos oferecem êxtase sem fim, mas na realidade, muitos dias são bem comuns. Há roupas para lavar, formulários para preencher, crianças para cuidar e ralos para desentupir. Onde estivermos, temos tarefas a cumprir e sentimos que a vida abundante está longe de nós (João 10:10).

Os discípulos tiveram seus momentos de êxtase. Paulo foi levado aos Céus (2 Coríntios 12:2). João teve visões (Apocalipse 1:10). Filipe foi arrebatado (Atos 8:39). Pedro viu Jesus transfigurado (Marcos 9:2).

Como nós, Jesus e Seus discípulos sentiram tédio caminhando em ruas poeirentas, preparando refeições, cuidando de familiares. Sim, Jesus transfigurou-se no alto do monte, mas também lavou pés sujos (João 13). Pedro caminhou sobre as águas (Mateus 14:29), mas também seguiu Jesus pela estrada poeirenta. Paulo viu o Céu, mas disse aos tessalonicenses que agradassem a Deus vivendo tranquilamente (1 Tessalonicenses 4:11). "Gostamos de falar e agir motivados pelos raros momentos de inspiração", diz o autor Os Guinness, "[mas Jesus] exige obediência na rotina, no que não é visto, nem agradecido por ninguém."

Há lugar para a espiritualidade no alto do monte. E, no vale podemos experimentar um esplendor especial, pois todas as coisas são para Ele (Colossenses 3:17). Jesus prometeu estar conosco em todo o lugar e em qualquer situação (Mateus 28:20). *—Sheridan Voysey*

A presença de Deus torna santas as coisas mais comuns.

17 de outubro

Poder do povo

Leitura:
Efésios 4:7-16

É ele quem faz com que o corpo todo fique bem ajustado [...] e o corpo todo cresce e se desenvolve por meio do amor. —EFÉSIOS 4:16

Um homem estava embarcando em um trem na Austrália, quando escorregou e a sua perna ficou presa no vão entre o vagão do trem e a plataforma da estação. Dezenas de passageiros foram rapidamente em seu socorro. Eles usaram sua pura força para mover o trem da plataforma, inclinando-o, e o homem preso foi libertado! David Hynes, o porta-voz do serviço de trens, disse numa entrevista: "Todo mundo meio que ajudou. Foi o poder do povo que salvou alguém de uma lesão possivelmente gravíssima."

Em Efésios 4, lemos que o poder do povo é o plano de Deus para a construção de Sua família. Ele deu a cada um de nós um dom especial de Sua graça (v.7) para o propósito específico de que "...o corpo [...] cresce e edifica-se a si mesmo em amor, na medida em que cada parte realiza a sua função" (v.16 NVI).

Toda pessoa tem um trabalho a fazer na família de Deus; não há espectadores. Na família de Deus, choramos e rimos juntos. Carregamos os fardos uns dos outros. Oramos e encorajamos uns aos outros. Desafiamos e ajudamos uns aos outros a abandonar o pecado. Você apenas assiste ou participa? Quais os seus dons? De que maneira Deus pode usá-lo para ajudar outros a se aproximarem dele? *—Poh Fang Chia*

Precisamos uns dos outros para ir aonde Deus nos direciona.

18 de outubro

Encolher-se

Leitura:
Jonas 1:1-17

Jonas se aprontou, mas fugiu do SENHOR, […] encontrou um navio que estava de saída […] para longe do SENHOR. —JONAS 1:3

Meus filhos gostam de brincar de pega-pega e um dos lugares favoritos é próximo de casa. É uma área coberta de grama e estreita nas extremidades. Eles correm para uma das pontas do campo. Pensam que estão ganhando distância de mim, mas na verdade, somente encurralando-se. Eu lhes dou espaço para correr à vontade, e quando pensam que estão a salvo eu os cerco. Em vez de escapar, percebem que o seu mundo encolheu.

Jonas era profeta, ou seja, alguém que falava por Deus. Porém, quando o Senhor lhe disse para ir a Nínive e anunciar o Seu julgamento, o profeta fugiu (Jonas 1:2,3), e foi a Jope, em direção oposta.

Quando Jonas fugiu, o seu mundo se encolheu. Ele embarcou no navio que seguia para Társis: ele "...Porém Jonas tinha descido ao porão e […] caído num sono profundo" (v.5). Jonas pensou que tinha escapado, mas se pudesse perceber, teria visto o mundo ao seu redor se encolher. Em breve estaria preso no ventre de um grande peixe. Quando isso aconteceu, seu mundo simplesmente se resumiu num círculo apertado.

Jonas fugia de Deus e de si mesmo. Ele era reconhecido como profeta, mas não queria fazer o que o Senhor lhe ordenara. Não queria levar a mensagem de Deus a um povo que detestava. Não era apenas o seu mundo que estava encolhendo, mas *ele mesmo*. Ele se tornava menos do que seu verdadeiro eu, menos do que a pessoa que Deus o tinha criado para ser. —*Winn Collier*

Quando fugimos do Senhor, não estamos simplesmente correndo, estamos nos diminuindo.

19 de outubro

O poder grisalho

Leitura:
Josué 14:6-12

...Ainda tenho bastante força para combater na guerra e para fazer o que for preciso. —JOSUÉ 14:11

A artista Yoni Lefevre criou o projeto "O poder grisalho" para mostrar a vitalidade dos idosos na Holanda. Ela pediu às crianças que desenhassem os seus avós. Yoni queria mostrar uma "visão honesta e pura" dos idosos e acreditava que as crianças poderiam ajudá-la. Os desenhos infantis refletiam uma perspectiva vivaz e divertida de seus anciãos; avós e avôs representados jogando tênis, jardinando, pintando etc...

Calebe foi importante em sua idade mais avançada. Ainda jovem, ele infiltrou-se na Terra Prometida antes que os israelitas a conquistassem. Ele cria que Deus ajudaria sua nação a derrotar os cananeus, mas os outros espiões discordaram (Josué 14:8). Por sua fé, Deus o sustentou, miraculosamente, por 45 anos para que ele sobrevivesse à perambulação no deserto e entrasse na Terra Prometida. Quando chegou o momento de entrar em Canaã, Calebe, 85 anos, disse: "...qual era a minha força naquele dia, tal ainda agora..." (v.11). Com a ajuda de Deus, Calebe pôde reivindicar com sucesso sua herança na terra (Números 14:24).

Deus não nos esquece à medida que envelhecemos. Embora o nosso corpo envelheça e a nossa saúde falhe, o Espírito Santo de Deus nos renova interiormente todos os dias (2 Coríntios 4:16). Ele possibilita que a nossa vida tenha sentido em todos os estágios e em todas as idades.

—Jennifer Benson Schuldt

Você pode enfrentar tudo o que estiver à sua frente, com a força e os braços de Deus a sustendo.

20 de outubro

Meia-volta

Leitura:
2 Coríntios 7:1-11

Pois a tristeza que é usada por Deus produz o arrependimento que leva à salvação... —2 CORÍNTIOS 7:10

Um jovem estava destruído interiormente pelo tráfico e adição às drogas. Liberto de tudo isso, seu coração se partia ao pensar em quantos levara ao vício. Viu muitos se autodestruírem e sentia-se horrível.

Conversamos sobre o perdão que só o Senhor concede. Estudamos em 2 Coríntios 7:10 que: "...a tristeza que é usada por Deus produz o arrependimento que leva à salvação..."; e em 1 João 1:9: "se confessarmos os nossos pecados a Deus, [...] ele perdoará os nossos pecados e nos limpará de toda maldade".

Esse jovem arrependeu-se de seus pecados cometidos contra outros e contra si mesmo, reconhecendo que queria se *afastar para sempre* do uso de drogas. Ele demonstrou o arrependimento para a salvação: verdadeiro e espiritual, que Paulo escreveu para a igreja de Corinto: "...Pois a tristeza que é usada por Deus produz o arrependimento que leva à salvação; e nisso não há motivo para alguém ficar triste. Mas as tristezas deste mundo produzem a morte..." (2 Coríntios 7:10).

Pela graça de Deus não temos que viver com a tristeza devastadora do mundo (Mateus 27:3-6). É um "remorso" que não nos leva ao arrependimento, mas à tentativa de agir por nossa força de vontade — algo inútil e prejudicial.

O verdadeiro arrependimento revela preocupação, indignação, alerta, zelo e boa vontade perante Deus. Esta *reviravolta* trata exatamente de fazer o que for necessário para agir corretamente (2 Coríntios 7:11). —*Tom Felten*

Deus nos convoca ao arrependimento e a nos afastarmos do pecado.

21 de outubro

Que te importa?

Leitura:
João 21:15-22

Jesus respondeu: —Se eu quiser que ele viva até que eu volte, o que é que você tem com isso? Venha comigo! —João 21:22

A mídia social é útil para muitas coisas, mas para o contentamento não. Ao menos para mim. Quando meus objetivos são bons, posso me desencorajar com os lembretes contínuos de que outros estão conquistando seus objetivos antes do que eu ou têm melhores resultados. Sou propensa ao desencorajamento, então relembro com frequência que Deus não falhou comigo. O Senhor já me deu tudo o que preciso para cumprir o trabalho que Ele quer que eu faça.

Não preciso de um orçamento maior nem da certeza do sucesso. Não preciso de ambiente de trabalho melhor nem de emprego diferente. Não preciso da aprovação nem da permissão de outros. Não preciso de boa saúde nem de mais tempo. Deus pode me conceder estas coisas, mas já tenho o que preciso, pois quando Ele nos dá trabalho, Ele provê os recursos. Devo usar o tempo e os talentos que me concedeu para abençoar outros e dar-lhe glória.

Jesus e Pedro conversaram sobre este assunto. Após o café da manhã à margem do mar da Galileia, Jesus disse a Pedro o que aconteceria no fim da vida dele. Apontando para outro discípulo, Pedro perguntou: "...O que diz, Senhor, a respeito deste aqui?" Jesus respondeu: "...o que é que você tem com isso?".

Esse é o meu questionamento quando me comparo aos outros, mas a resposta é: "Não é da minha conta". Minha tarefa é segui-lo e ser fiel com os dons e oportunidades que Ele me concede. *—Julie Ackerman Link*

Sentimos ressentimento ao olharmos para outros; e contentamento ao olharmos para Deus.

22 de outubro

O vovô fugiu

Leitura:
Salmo 16

Por isso o meu coração está feliz e alegre,
e eu, um ser mortal, me sinto bem seguro. —Salmo 16:9

Meu primo Cláudio lutou uma corajosa batalha contra o câncer durante 4 anos. No fim dos seus dias, sua esposa, seus três filhos e os vários netos entravam e saíam do quarto dele, aproveitando sua companhia e despedindo-se dele de maneira especial. No momento em que todos estavam fora do quarto por um instante, ele dormiu para a eternidade. Depois que a família percebeu que ele já havia partido, uma das netinhas comentou amavelmente: "o vovô fugiu". Em um momento o Senhor estava com Cláudio aqui na Terra; e no momento seguinte o espírito de Cláudio estava com o Senhor na eternidade.

O Salmo 16 era o salmo preferido de Cláudio e ele pediu que fosse lido em seu funeral. Ele concordava com o salmista Davi, que afirmou não existir tesouro mais valioso do que um relacionamento pessoal com Deus (vv.2,5). Com o Senhor como seu refúgio, Davi reconhecia que a sepultura não rouba a vida dos cristãos. Ele disse: "porque tu, ó Deus, me proteges do poder da morte. Eu tenho te servido fielmente, e por isso não deixarás que eu desça ao mundo dos mortos" (v.10). Nem Cláudio nem ninguém que conhece Jesus como Salvador será abandonado na morte.

Pela morte e ressurreição de Jesus, também ressuscitaremos um dia (Atos 2:25-28; 1 Coríntios 15:20-22). E descobriremos que a presença do Senhor: "…[nos] enche de alegria e [nos] traz felicidade para sempre" (Salmo 16:11). —*Anne Cetas*

Deus é o nosso tesouro nesta Terra, e com Ele na eternidade haverá delícias perpetuamente.

23 de outubro

Os benefícios de doar

Leitura:
Lucas 6:37,38

Deem aos outros, e Deus dará a vocês. [...] a mesma medida que vocês usarem para medir os outros Deus usará para medir vocês.

—LUCAS 6:38

Você sabia que o apóstolo Paulo nunca citou uma frase dita por Jesus em seus escritos do Novo Testamento? Ele menciona Jesus em todas as suas cartas. O Senhor era o seu assunto prioritário. Se você ler uma Bíblia com as "letras vermelhas" (onde o que Jesus falou é destacado em vermelho), você se surpreenderá ao descobrir que fora dos evangelhos, as palavras de Jesus aparecem poucas vezes.

Embora Paulo não o tenha citado, ele repetiu as palavras do Senhor durante o discurso de despedida aos anciãos da igreja de Éfeso. Ele convocou os anciãos a lembrarem-se do ensinamento de Jesus: "...É mais feliz quem dá do que quem recebe" (Atos 20:35).

É interessante perceber que esse discurso genuíno de Cristo não seja encontrado nos quatros evangelhos, mas ele reflete claramente o que Jesus ensinou sobre os benefícios do ato de doar: "Deem aos outros, e Deus dará a vocês..." (Lucas 6:38).

Não devemos dar esperando receber, mas Jesus e Paulo enfatizaram com clareza que o doador sempre ganha ao compartilhar com os necessitados. Trata-se do princípio: ceifamos o que semeamos (Gálatas 6:7). É o que Jesus disse: "Não julguem os outros, e Deus não julgará vocês. Não condenem os outros, e Deus não condenará vocês. Perdoem os outros, e Deus perdoará vocês" (Lucas 6:37).

"Quem é generoso progride na vida; quem ajuda será ajudado" (Provérbios 11:25). *—Jeff Olson*

Doar beneficia tanto o doador quanto aqueles que recebem.

24 de outubro

Pérolas aos porcos

Leitura:
Mateus 7:1-6

*Não deem para os cachorros o que é sagrado, […]
não joguem as suas pérolas para os porcos, pois eles as pisarão.*
—Mateus 7:6

Quais são essas "pérolas" e quem são os "porcos" para quem não devemos lançá-las? Talvez as pérolas sejam o reino de Deus (13:45) e a explicação seria: Há pessoas com quem não devemos compartilhar o evangelho. Elas pisarão as boas-novas, desvalorizando-as.

Esta explicação nunca me satisfez. Primeiro, Jesus está falando às "multidões" sobre a vida no reino (4:23–5:1; 7:24-29). Em Mateus 10, Ele ensina aos apóstolos a quem devem pregar. Segundo, Jesus já havia ensinado que Deus é misericordioso com os ímpios (5:43-48), e todos nós o somos, mesmo assim o Senhor continua a nos oferecer o evangelho. Terceiro, o Mestre disse essas palavras após ensinar-lhes a não condenar as pessoas (7:1-5). O que essas palavras querem dizer no contexto relacional?

Penso que Ele está falando sobre correção. Os cristãos podem discordar dos outros. Não condenamos as pessoas (vv.1,2), nem somos cegos às nossas próprias falhas (vv.3,4), mas devemos nos corrigir com humildade (v.5). Mas Jesus é realista. Haverá pessoas que não ouvirão a correção, mesmo que sejam palavras do próprio Deus. Em Mateus 7:1-6, vemos que essas pessoas retribuirão a correção com abuso, e nos dilacerarão (v.6). Cuidado com isso.

Enquanto escrevo este artigo, estou lidando com um comentarista difícil em meu blog. Essa pessoa tem escrito coisas inflamadas que tento repetidamente e com paciência responder. *—Sheridan Voysey*

Quando a hostilidade persiste, talvez seja essa a hora de parar e se afastar.

25 de outubro

Se meu povo

Leitura:
2 Crônicas 7:1-22

Se o meu povo, [...], se arrepender, [...] e orar a mim, eu os ouvirei do céu, perdoarei os seus pecados e farei o país progredir...
—2 Crônicas 7:14

Eu estava conversando com três amigos sobre a situação lamentável de nosso país. Eles mencionaram a prática continuada do aborto, o crescimento do casamento homossexual e a crise financeira. Um amigo citou 2 Crônicas 7:14 e disse que os problemas de nossa nação serão resolvidos quando o país se voltar para Deus. Falei que isso seria difícil, já que temos a separação entre igreja e estado. Não podemos obrigar muçulmanos, budistas ou ateus a adorar o Senhor.

Mas isso não significa que 2 Crônicas 7:14 não se aplique a nós. Pedro declara que o povo de Deus é a Igreja, uma nação completamente dedicada a Deus, um povo que pertence a Ele (1 Pedro 2:9). O problema não é o país não estar vivendo de forma cristã, mas a Igreja não estar vivendo como nação santa de Deus. Os cristãos têm os mesmos desafios e problemas que as pessoas que não declaram conhecer Jesus. Essa é uma mancha escandalosa na Noiva de Cristo.

Se seguirmos as instruções de Pedro para "anunciar os atos poderosos de Deus, que os chamou da escuridão para a sua maravilhosa luz" (v.9), podemos ser poucos, mas faremos a diferença.

A Igreja Primitiva fez tanto por tantos, que em 362 d.C., Juliano, o Apóstata, reclamou que o Império Romano não podia retornar ao paganismo. Como persuadir um cidadão romano de que os cristãos eram ruins, quando eles "ajudavam não só os pobres deles, mas também os nossos"? *—Mike Wittmer*

Que o reavivamento chegue a minha nação, e que possa começar comigo.

26 de outubro

Levado

Leitura:
Deuteronômio 1:19-31

...o nosso Deus nos levou pelo deserto, como um pai leva o seu filho... —DEUTERONÔMIO 1:31

Quando meus filhos eram menores, gostavam de ser levados como "um saco de batatas" para a cama. Eu os segurava pelas pernas, lançava-os sobre os ombros e subia e os "jogava" na cama, como um fazendeiro joga uma saca de 23 kg de batatas na caçamba de um caminhão. Eles amavam isso.

Eles cresceram e o ritual acabou. No entanto, ainda os carrego de outras formas: em provações e dificuldades, nas alegrias e dores.

Enquanto Moisés preparava Israel para a última parte da viagem pelo deserto, ele avaliou os caminhos por onde Israel trilhou, as muitas voltas e reviravoltas que tinham feito até o momento. Moisés lembrou-lhes da voz de Deus no monte Sinai e do crescimento de Sua florescente nação. Recontou como enviaram olheiros para espionar a terra que Deus havia prometido e como o povo hesitou em obedecer às Suas instruções para entrar no novo território (vv.6,8,9-18,26-33).

Era assustador para Israel enfrentar seus inimigos poderosos e tomar a terra que Deus tinha preparado para eles. Porém, o Senhor havia prometido estar com eles. "Pois o SENHOR, nosso Deus, vai adiante de nós e ele combaterá por nós", Moisés lembrou. "Ele fará a mesma coisa que vocês o viram fazer em nosso favor no Egito" (v.30).

Como um bom pai, Deus os carregaria como o "pai leva o seu filho" (v.31). Não importa o que acontecesse, estariam no lugar mais seguro possível: sendo levados pelos braços de Deus. *—Winn Collier*

Não há lugar melhor e mais seguro do que os braços do Pai.

27 de outubro

Alegre-se nos espinhos

Leitura:
2 Coríntios 12:1-10

...alegro também com as fraquezas, [...] por causa de Cristo. Porque, quando perco toda a minha força, então tenho a força de Cristo... —2 Coríntios 12:10

Amy McDonaugh tem três filhos. Cega do olho direito, ela enxerga pouco com o outro, no entanto, deixou para trás 1775 competidores e venceu uma corrida popular de rua. Nessa vitória, ela demonstrou que a sua dificuldade física não a impediu de realizar esse feito notável.

Há dois milênios, o apóstolo Paulo apresentou uma extraordinária perspectiva sobre o seu próprio "espinho na carne". Quando os falsos apóstolos se gabaram de seu conhecimento e visões para os validar, Paulo os confrontou usando as revelações recebidas de Deus (2 Coríntios 12:1-6). E para evitar que Paulo ficasse orgulhoso demais, Deus lhe enviou um espinho em sua carne (v.7). Que espinho era esse? Alguns sugerem ter sido uma doença nos olhos, um problema de fala, falsos apóstolos, inimigos na igreja ou até mesmo uma opressão demoníaca.

Paulo pediu três vezes a Deus que removesse esse espinho, mas Ele recusou. Isso lhe trouxe mais benefício e maior glória a Deus. Estando fraco, Paulo entendeu que Deus se agrada em demonstrar Seu poder onde a força humana é fraca. Quando Paulo se regozijou por seu espinho, as bênçãos de Deus lhe sobrevieram (vv.8-10).

E com você? Os espinhos e a recusa de Deus em removê-los a desanimam? Coragem! Podemos encontrar consolo e segurança no fato de a graça de Deus ser suficiente para nos sustentar e fortalecer em nossas fraquezas. Sua graça nos basta! —*Marvin Williams*

Podemos nos alegrar com os espinhos, permanecer firmes em Seu poder e experimentar a Sua glória em nossa vida.

28 de outubro

Ajuda com uma carga pesada

Leitura:
Números 11:4-17

...para que o ajudem no pesado trabalho de cuidar do povo. Assim, você não precisará fazer isso sozinho. —NÚMEROS 11:17

É incrível o que você pode rebocar com uma bicicleta. Um adulto de porte médio com um trailer e um pouco de determinação pode usar uma bicicleta para rebocar até 135 quilos numa velocidade de até 15 quilômetros por hora. Só há um problema: carregar uma carga mais pesada significa se mover mais lentamente. Uma pessoa carregando 270 quilos de equipamentos de trabalho ou bens pessoais só conseguiria se mover a uma velocidade de 12 quilômetros por hora.

Moisés carregou outro tipo de peso no deserto — o peso emocional que o paralisou. O intenso desejo por carne em vez de maná reduziu os israelitas às lágrimas. Ouvindo seu lamento contínuo, Moisés exasperado disse a Deus: "Eu sozinho não posso cuidar de todo este povo; isso é demais para mim" (Números 11:14).

Sozinho, Moisés não tinha os recursos necessários para resolver o problema. Deus lhe disse para selecionar 70 homens para estar com ele e partilhar seu fardo. Deus disse a Moisés que eles o ajudariam: "...no pesado trabalho de cuidar do povo. Assim, [ele] não [precisaria] fazer isso sozinho" (v.17).

Como seguidores de Jesus, não temos que lidar com nossos fardos sozinhos. Temos o próprio Jesus, que está sempre disposto a nos ajudar. E Ele nos deu irmãos em Cristo com quem partilhar o fardo. Quando lhe entregamos o que para nós é pesado, Ele nos concede sabedoria e amparo. —*Jennifer Benson Schuldt*

Em todo o tempo, Deus está com os ouvidos atentos ao clamor de Suas servas.

29 de outubro

O principal acontecimento

Leitura:
Lucas 10:38-42

...mas apenas uma é necessária! Maria escolheu a melhor de todas, e esta ninguém vai tomar dela. —LUCAS 10:42

Enquanto assistia a uma exibição de fogos de artifício durante uma festa em minha cidade, distraí-me. À direita e à esquerda do evento principal, fogos de artifício menores apareciam ocasionalmente no céu. Eles eram bonitos, mas observá-los me fez perder partes da exibição mais espetacular diretamente acima de mim.

Às vezes, as coisas boas nos afastam de algo ainda melhor. Isso aconteceu na vida de Marta, cuja história está registrada em Lucas 10:38-42. Quando Jesus e os discípulos chegaram à aldeia de Betânia, Marta os recebeu em sua casa. Ser uma boa anfitriã significava que alguém tinha de preparar a refeição para os convidados, por isso não queremos ser muito duros com ela.

Quando Marta reclamou que a sua irmã Maria não a estava ajudando, Jesus defendeu a escolha de Maria — de sentar-se aos Seus pés. Mas o Senhor não estava dizendo que Maria era mais espiritual do que a sua irmã. Houve ocasiões em que Marta pareceu demonstrar mais confiança em Jesus do que a sua irmã Maria (João 11:19,20). Jesus não estava criticando o desejo de Marta de cuidar das necessidades físicas deles. Ao contrário, o que o Senhor desejava que Marta ouvisse e soubesse, era o fato de que em nossas lidas diárias, ouvir a Sua voz, deve ser o principal acontecimento, pois a comunhão com Ele é insubstituível. —*Anne Cetas*

Jesus anseia por nossa comunhão com Ele.

30 de outubro

Ore por eles

Leitura:
Número 14:1-19

...perdoes o pecado deste povo, de acordo com a tua grande misericórdia... —NÚMERO 14:19

Em seu livro *Vida em Comunhão* (Ed. Sinodal, 2009), Dietrich Bonhoeffer afirma: "A comunhão cristã vive e existe pela intercessão de seus membros uns pelos outros, ou ela ruirá. Não posso condenar ou odiar um irmão por quem eu oro, não importa quanto problema ele me cause. Seu rosto, que até agora podia parecer estranho ou intolerável para mim, será transformado em intercessão no semblante de um irmão por quem Cristo morreu, a face de um pecador perdoado."

O povo de Israel se tornou intolerável para Deus. Eles eram infiéis e o desprezaram (vv.11,12). Moisés, porém, amava seu povo e intercedeu por eles (v.13). Ele não os via apenas como reclamantes crônicos, mas como pessoas que precisavam da misericórdia divina. Assim, por amor a eles clamou que o Senhor os perdoasse. E argumentou que se Deus os destruísse, as outras nações zombariam da Sua visível falta de poder. Apelou ao amor fiel e divino para perdoá-los, porque Ele os amava (v.18). Deus honrou sua oração e perdoou-lhes.

Nossos relacionamentos progridem quando oramos uns pelos outros, e murcham quando não oramos. Não importa quantos problemas e reclamações minhas irmãs e irmãos em Cristo causem, ou quanto pareçam estranhos, eles são cristãos como eu por quem Cristo morreu. Devo comparecer diante de Deus por eles.

Que o amor que temos uns pelos outros seja expresso em intercessão poderosa por suas necessidades emocionais, físicas e espirituais!

—Marvin Williams

Amar uns aos outros é orar uns pelos outros.

31 de outubro

Correntes enganosas

Leitura:
Deuteronômio 8:11-20

Mas, quando entraram na boa terra, vocês tiveram comida de sobra e ficaram satisfeitos; então os corações de vocês se encheram de orgulho... —Oseias 13:6

Shankar Vedantam, autor do livro: *O cérebro oculto* (Ed. Guerra&Paz, 2011) descreve o dia em que foi nadar. A água estava calma e translúcida e ele se sentiu forte e orgulhoso por ter nadado a longa distância com facilidade. Decidiu então nadar até o mar aberto, e ao tentar voltar não conseguiu, pois tinha sido enganado pela corrente marítima. A tranquilidade do nado não se relacionava à sua força, mas ao movimento da água.

Em nosso relacionamento com Deus, pode acontecer algo semelhante. "Ir com a maré" pode nos fazer crer que somos mais fortes. Quando a vida está fácil, nossa mente nos diz que essa calmaria está relacionada à nossa força. Tornamo-nos orgulhosos e autoconfiantes. Quando a luta chega, percebemos como somos fracos e impotentes.

Aconteceu isto com os israelitas. Deus os abençoaria com sucesso militar, paz e prosperidade. Mas se pensassem que teriam tudo isso por si próprios, se tornariam orgulhosos e autossuficientes (Deuteronômio 8:11,12). Presumindo que não mais precisassem de Deus, continuariam sozinhos até serem atacados e perceberiam como eram fracos sem a ajuda do Senhor.

Quando a vida vai bem, precisamos estar cientes do autoengano. O orgulho nos levará aonde não queremos ir. Somente a humildade nos manterá onde devemos estar: gratos a Deus e dependentes de Sua força. *—Julie Ackerman Link*

A verdadeira humildade credita todo o sucesso a Deus.

1.º de novembro

Olhe para as borlas

Leitura:
Números 15:37-41

Quando vocês virem esses pingentes, lembrarão de todos os mandamentos do SENHOR*. E também praticarão esses mandamentos e não serão infiéis...* —NÚMEROS 15:39

O autor best-seller Chaim Potok começou seu romance *The Chosen* (O escolhido, inédito) descrevendo um jogo de beisebol entre dois times judaicos em Nova Iorque. Reuven Malter, o protagonista principal do livro, nota que os jogadores do outro time tinham um acessório singular — quatro longas borlas semelhantes a cordas que se estendiam abaixo das camisetas de cada jogador. Malter as reconheceu como sinais de severa obediência às leis de Deus no Antigo Testamento.

A história dessas franjas — conhecidas como *tzitzit* — começou com uma mensagem de Deus. Por meio de Moisés, Deus disse a Seu povo que criasse borlas com alguns filamentos de linha azul e as prendesse aos quatro cantos de suas vestes (Números 15:38). Deus disse: "Quando vocês virem esses pingentes, lembrarão de todos os mandamentos do SENHOR..." (v.39).

O artifício criado por Deus para ativar a memória dos antigos israelitas tem um paralelo para nós, nos dias atuais. Podemos olhar para Cristo que, consistentemente, guardou toda a Lei em nosso lugar e obedeceu ao Seu Pai celestial (João 8:29). Por termos recebido Sua obra em nosso favor nós agora nos revestimos com as "...qualidades que o Senhor Jesus Cristo tem..." (Romanos 13:14) e não procuramos satisfazer os maus desejos da nossa natureza humana. Manter os nossos olhos no Filho de Deus nos ajuda a honrar o nosso Pai celestial. —*Jennifer Benson Schuldt*

Se Cristo é o centro de sua vida,
Ele sempre será o seu alicerce.

2 de novembro

Cristo, o Redentor

Leitura:
Jó 19:23-29

Pois eu sei que o meu defensor vive...
—Jó 19:25

A famosa estátua do Cristo Redentor contempla do alto a cidade do Rio de Janeiro. A estátua é um modelo de Cristo com Seus braços estendidos de modo que o Seu corpo exibe o formato de uma cruz. O arquiteto brasileiro Heitor da Silva Costa projetou essa escultura. Ele imaginou que os moradores da cidade a veriam como a primeira imagem a emergir da escuridão ao alvorecer. No crepúsculo, ele esperava que os habitantes vissem o sol poente como uma auréola atrás da cabeça da estátua.

Há valor em manter os nossos olhos em nosso Redentor todos os dias, durante os momentos bons e os difíceis. Enquanto sofria, Jó disse: "Porque eu sei que o meu Redentor vive e por fim se levantará sobre a terra" (Jó 19:25 ARA).

O clamor do coração de Jó nos leva a Jesus, nosso Salvador vivo que um dia virá à Terra novamente (1 Tessalonicenses 4:16-18). Manter os nossos olhos em Jesus significa lembrar que fomos resgatados de nosso pecado. Jesus "...a si mesmo se deu por nós, a fim de remir-nos de toda iniquidade e purificar, para si mesmo, um povo exclusivamente seu..." (Tito 2:14).

Qualquer pessoa que já aceitou Jesus como Salvador tem motivos para se alegrar hoje. Não importa o que tenhamos que suportar neste mundo, podemos ter esperança hoje e esperar para usufruir a eternidade com Ele. *—Jennifer Benson Schuldt*

Por meio de Sua cruz e ressurreição,
Jesus resgata e redime.

3 de novembro

À margem

Leitura:
Filipenses 4:10-20

E o meu Deus, de acordo com as gloriosas riquezas [...] por meio de Cristo Jesus, lhes dará tudo o que vocês precisam.

—FILIPENSES 4:19

Quando as borboletas saem de seus casulos, no parque da cidade, elas têm um paraíso tropical preparado e perfeitamente adequado ao suprimento de todas as suas necessidades. A temperatura e a umidade são perfeitas. O alimento contém o perfeito equilíbrio de calorias e nutrientes para mantê-las saudáveis. Não há necessidade de irem a qualquer outro lugar. Contudo, algumas borboletas veem o céu azul brilhante fora do abrigo e passam seus dias voando junto ao teto de vidro, muito longe do abundante suprimento de alimentos.

Quero dizer a essas borboletas: "Vocês não sabem que tudo que necessitam está aí dentro? O lado de fora é frio e agressivo, e vocês morrerão em poucos minutos se conseguirem o que estão desejando."

Pergunto-me se essa é a mensagem que Deus tem para mim e questiono: Olho com desejo para coisas que me fariam mal? Uso minha energia para obter o que não necessito e não deveria ter? Ignoro a abundante provisão de Deus porque imagino que algo além do meu alcance é melhor? Invisto meu tempo à margem da fé?

Deus supre todas as nossas necessidades com Suas riquezas (Filipenses 4:19). Então, em vez de nos esforçarmos por obter o que não temos, vamos abrir os nossos corações para receber com gratidão tudo o que Ele já nos concedeu. *—Julie Ackerman Link*

As nossas necessidades jamais esgotarão os suprimentos divinos.

4 de novembro

Deus necessário

Leitura:
Gênesis 4:1-16

Eles trocam a verdade sobre Deus pela mentira [...] em vez de adorarem e servirem o próprio Criador... —Romanos 1:25

Aos 17 anos, o palestino Tass Saada se juntou ao movimento Fatah, na Cisjordânia. Ele odiava os judeus e como franco atirador se engajou na guerrilha contra eles. Porém mais tarde Saada entregou sua vida a Jesus, e hoje ele ama a Deus e os judeus. Com seu ministério *Sementes de Esperança*, Saada leva a modernidade aos que vivem na Cisjordânia, e constrói relacionamentos com os vizinhos judeus.

Como nós, Saada tem necessidade de Deus. O pastor Ray Stedman escreveu que os seres humanos são inadequados sem Deus e expôs como o livro de Gênesis revela a nossa profunda necessidade de Deus, como visto nas áreas a seguir:

- Ciência Natural (Gênesis 1:2)
- Relações Humanas (3–5)
- Relações Espirituais (6–50)

Ao considerarmos as Relações Humanas; lemos que Caim destruiu uma vida humana, como Saada quando jovem. Ao matar seu irmão Abel, Caim rejeitou o conselho de Deus (vv.4,6-8). Se nos recusamos a seguir a Deus e Suas instruções, estamos condenados à destruição dos relacionamentos e a seguir as mentiras deste mundo. O Senhor precisa se afastar de nós quando nos engajamos em atos vergonhosos e degradantes (Romanos 1:24,25).

Caim precisava de Deus e de Sua verdade, sabedoria e amor. Mas ao invés de ser aceito numa relação correta com o Senhor, recorrendo a Ele e rejeitando o pecado que está à porta, ele cometeu um pecado horrendo que o tornou "amaldiçoado" perante o seu Criador (Gênesis 4:7,11). —*Tom Felten*

Não negue sua necessidade de Deus.
Recorra a Ele hoje e encontre a verdadeira vida.

5 de novembro

Visão obscura

Leitura:
Jó 19:1-21

Antes eu te conhecia só por ouvir falar,
mas agora eu te vejo com os meus próprios olhos. —Jó 42:5

Minha amiga Mariza é uma amazona talentosa e ela me ensinou algumas coisas interessantes sobre os cavalos. Por exemplo, apesar de terem os maiores olhos de todos os mamíferos terrestres, os cavalos têm uma visão ruim e veem menos cores do que os seres humanos. Por causa disso, eles nem sempre conseguem identificar os objetos no chão. Quando veem uma trave, eles não sabem se é uma trave sobre a qual conseguem facilmente saltar ou uma enorme serpente que os poderá ferir. Por isto, até serem devidamente adestrados, os cavalos se assustam facilmente e são rápidos em fugir.

Nós também podemos querer fugir das circunstâncias alarmantes. Podemos nos sentir como Jó, que não compreendeu os seus problemas e desejou nunca ter nascido. Como não podia ver que era Satanás quem estava tentando derrubá-lo, ele temia que o Senhor, em quem ele havia confiado, estivesse tentando destruí-lo. Oprimido, Jó gritou: "Pois fiquem sabendo que Deus foi injusto comigo; foi ele que armou uma armadilha para me pegar" (Jó 19:6).

Como a visão de Jó, a nossa também é limitada. Queremos fugir das situações difíceis que nos assustam. Pela perspectiva de Deus, não estamos sozinhos. Ele entende o que nos confunde e amedronta e sabe que estamos seguros com Ele ao nosso lado. Esta é a nossa oportunidade de confiar em Seu entendimento em vez do nosso. —*Anne Cetas*

Confiar na fidelidade de Deus
dissipa o nosso medo.

6 de novembro

Pessoas comuns

Leitura:
Juízes 6:11-16

...somos como potes de barro para que fique claro que o poder supremo pertence a Deus e não a nós. —2 Coríntios 4:7

Gideão era uma pessoa comum. A história dele, registrada em Juízes 6, me inspira. Ele era fazendeiro e um homem bastante acanhado. Quando Deus o chamou para libertar Israel dos midianitas, a resposta inicial de Gideão foi: "...Com que livrarei Israel? Eis que a minha família é a mais pobre em Manassés, e eu, o menor na casa de meu pai" (Juízes 6:15). Deus prometeu que Ele estaria com Gideão e que este seria capaz de cumprir o que lhe havia sido pedido (v.16). A obediência de Gideão trouxe a vitória para Israel e ele faz parte da lista dos grandes heróis da fé (Hebreus 11:32).

Muitos outros indivíduos tiveram papel importante no plano para salvar os israelitas de uma forte força inimiga. Deus proveu a Gideão 300 homens, todos heróis valentes, para vencer a batalha. Não sabemos os seus nomes, mas a sua bravura e obediência estão registradas nas Escrituras (Juízes 7:5-23).

Hoje, Deus ainda está chamando pessoas comuns para executar a Sua obra, e Ele nos garante que estará conosco enquanto a executarmos. Por sermos pessoas comuns sendo usadas por Deus, é óbvio que o poder vem do Senhor e não de nós. *—Poh Fang Chia*

Deus usa pessoas comuns para executarem o Seu plano extraordinário.

7 de novembro

Graça transformadora

Leitura:
Gálatas 1:13-24

Elas somente tinham ouvido o que outros diziam: "Aquele que antes nos perseguia está anunciando agora a fé que no passado tentava destruir!" —GÁLATAS 1:23

No início do filme *Os Miseráveis*, de 1998, o recém-condenado Jean Valjean chega ao vilarejo, com frio e faminto. O bispo local o abriga. Entretanto, à noite Valjean retribui a bondade do bispo, fugindo com a cara prataria de seu benfeitor. Ele é pego na manhã seguinte, mas o bispo evita que ele volte para a prisão, declarando que a prataria roubada fora um "presente".

Antes de mandá-lo embora com mais objetos de prata, o bispo o encara e diz: "Meu irmão, você não pertence mais ao mal, mas ao bem. Com esta prata comprei sua alma e o resgatei do medo e do ódio. E agora, o devolvo a Deus". O filme revela como a bondade do bispo transforma o coração endurecido do condenado e, por sua vez, como Valjean devota sua vida a ajudar os necessitados.

A transformação dramática de Jean Valjean me lembra do apóstolo Paulo. Antes de receber a Jesus, ele era cruel e egoísta, cego para as coisas de Deus (vv.13,14). Porém a misericórdia e bondade de Jesus transformaram completamente a vida dele. Paulo parou de perseguir os cristãos, mudou o seu nome (Atos 8:3) e devotou a sua vida a compartilhar fielmente as boas-novas de Jesus Cristo (Gálatas 1:23).

O testemunho de Paulo ilustra que nada tem mais poder para transformar as pessoas egoístas do que reconhecer o objetivo para o qual Deus nos salvou — servir em Seu reino (Tito 3:4,5). —*Jeff Olson*

A vida transformada para o bem é a consequência natural de um encontro com a graça de Deus.

8 de novembro

Por que a Bíblia importa?

Leitura:
1 Tessalonicenses 2:1-13

Quando levamos a vocês a mensagem de Deus, vocês [...] a aceitaram [...] como a mensagem que vem de Deus.
—1 Tessalonicenses 2:13

O autor Vishal Mangalwadi enaltece o valor inestimável da Palavra de Deus ao observar que coisas ruins acontecem quando um país decide ignorar a sabedoria da Bíblia. Ele tem dito que alguns países foram edificados pela ética e pela espiritualidade que ensinou os cidadãos a trabalhar, ganhar, poupar, investir e usar a riqueza para servir ao próximo. Essa ética bíblica foi substituída pela cultura do mérito do secularismo, que ensina às pessoas que elas têm o direito a tudo isso, sem a correspondente obrigação de trabalhar, poupar e servir.

Isso reflete a cultura de muitos países. O apóstolo Paulo, porém, viu a igreja de Tessalônica abraçar uma visão muito elevada das Escrituras e da ética bíblica. As pessoas "a aceitaram [...] como a mensagem que vem de Deus" (v.13), e escolheram não "agradar as pessoas, mas a Deus" (v.4).

Abraçar uma visão elevada das Escrituras significa nadar contra a correnteza. Você terá de aceitar não ser elogiado (v.6). Mas, ao expressar o que a Palavra de Deus ensina e ordena, agradará a Deus (v.12).

Paulo escreve: "Toda a Escritura Sagrada é inspirada por Deus e é útil para ensinar a verdade, condenar o erro, corrigir as faltas e ensinar a maneira certa de viver. E isso para que o servo de Deus esteja completamente preparado e pronto para fazer todo tipo de boas ações" (2 Timóteo 3:16,17). É por isso que a Bíblia importa. *—Tom Felten*

A Bíblia é o alicerce da vida que glorifica a Deus e possui a sabedoria transformadora que necessitamos.

9 de novembro

A dádiva do sono

Leitura:
Salmo 121

Não adianta trabalhar demais [...] pois é Deus quem dá o sustento aos que ele ama, mesmo quando estão dormindo.
—Salmo 127:2

Dormir é essencial para uma boa saúde. Os cientistas não sabem exatamente por que precisamos do sono, mas eles sabem o que acontece quando não dormimos o suficiente. Arriscamo-nos a envelhecer precocemente, ganhar peso e doenças — de resfriados e gripes até câncer. O que Deus aperfeiçoa em nosso corpo enquanto sonhamos nada mais é do que miraculoso. Enquanto dormimos, Deus repõe as nossas energias, refaz e reconstitui as nossas células e reorganiza as informações em nosso cérebro.

São muitas as razões para dormirmos pouco, e algumas não podemos resolver, mas a Bíblia indica que o excesso de trabalho não deveria ser uma delas (Salmo 127:2). Dormir é uma dádiva de Deus que deveríamos receber com gratidão. Se não dormimos o suficiente, precisamos descobrir qual é o motivo. Levantamo-nos cedo e dormimos tarde para ganhar dinheiro para adquirir coisas que não precisamos? Estamos envolvidos em esforços ministeriais que pensamos que ninguém mais será capaz de realizar?

Às vezes sou propensa a acreditar que o meu trabalho quando estou acordada é mais importante do que o trabalho que Deus faz enquanto eu durmo. No entanto, recusar a dádiva do sono, dada por Deus, é como dizer-lhe que o meu trabalho é mais importante do que o dele.

Deus não deseja que sejamos escravos do trabalho. Ele quer que desfrutemos a Sua dádiva do sono. *—Julie Ackerman Link*

Podemos simplesmente desmoronar, se não sairmos de cena para descansar um pouco. —Havner

10 de novembro

Um novo gênesis

Leitura:
João 20:1-23

No primeiro dia da semana...
—JOÃO 20:1

Alguns anos atrás, quando levei meu filho à pré-escola, a conversa se voltou à ressurreição. Ele estava perplexo com o que ela significava e como funcionava. Finalmente, perguntou-me: "Papai, quando Deus nos ressuscitar, nós vamos estar realmente vivos? Ou só em nossa cabeça?"

Frequentemente, pensamos na ressurreição de Jesus como a maravilha da obra de Deus, cujo propósito primário é confirmar tudo que o Pai e o Filho fizeram. João, porém, mostra a ressurreição de Jesus não como a conclusão da ação de Deus, mas como o novo início de Sua ação para restaurar Seu mundo.

No início de João: "No primeiro dia da semana", ele parece estar reformulando a narrativa da criação (v.1). Seus temas de nova criação (água em vinho, morte em vida etc.) continuam até chegarmos a Jesus orando em um jardim — eliminando as memórias do Éden (19:41). Finalmente, após Jesus ser crucificado, os discípulos se dispersarem e tudo parecer perdido, ouvimos o refrão de João: "No primeiro dia da semana". Jesus saiu do túmulo (20:1). Deus iniciou o Seu mundo, no primeiro dia da semana. Agora, de novo, Jesus inicia uma nova criação, a segunda criação, refazendo Seu mundo em um novo primeiro dia.

A morte realmente se espalhou no mundo de Deus. Nós conhecemos a morte em casamentos, em nosso coração e nossas vizinhanças. Mas Jesus está recriando tudo, cada detalhe, destruindo a morte e trazendo vida. *—Winn Collier*

*Em cada canto escuro de seu coração,
Jesus destruiu as trevas e a morte. Levante-se e viva.*

11 de novembro

Promessas, promessas

Leitura:
João 14:1-6

...porque tinha toda a certeza de que Deus podia fazer o que havia prometido. —ROMANOS 4:21

Certa vez, envolvi-me numa discussão acirrada sobre o fracasso de certos políticos em manter suas promessas de campanha. A discussão tornou-se teológica quando alguém perguntou: "Quantas promessas Deus fez na Bíblia?" Durante muitos anos acreditava-se que eram 30 mil, e que cada versículo continha uma promessa. Em 1956, Everet Stor, professor canadense, tendo lido a Bíblia por 27 vezes, completou a tarefa de registrar as suas verdadeiras promessas. Ele totalizou 7.487 promessas feitas por Deus ao homem. Levaríamos 20 anos e meio para reivindicarmos apenas uma por dia.

Horas antes de ser crucificado, Jesus fez diversas promessas aos Seus discípulos, afirmando que:

- Ele estava preparando-lhes um lugar (João 14:2)
- Ele os levaria ao céu pessoalmente (v.3)
- Eles viveriam com Ele para sempre (v.3)
- Eles conheceriam o Pai (vv.4-12)
- Ele responderia as suas orações (vv.13,14).

Essas são cinco dentre as milhares de promessas que Deus nos concedeu.

Como Abraão (Romanos 4:21) e Josué (Josué 21:45; 23:14,15), e com plena confiança, o apóstolo Paulo declara: "...Deus é fiel [...] Jesus [...] não foi sim e não; mas sempre nele houve o sim. Porque quantas são as promessas de Deus, tantas têm nele o 'sim'" (2 Coríntios 1:18-20 ARA). Uma promessa é apenas tão boa quanto a habilidade e a integridade de quem a faz e cumpre (Números 23:19; 1 Reis 8:56; Salmo 146:6). Vamos crer em Suas promessas? *—K. T. Sim*

Jesus nos diz: "...creiam também em mim" (João 14:1). Você crê que Ele cumprirá cada promessa que fez?

12 de novembro

Simplesmente amor

Leitura:
Efésios 3:14-19

...peço que vocês venham a conhecê-lo, para que assim Deus encha completamente o ser de vocês com a sua natureza.

—Efésios 3:19

Sim, embora seja impossível conhecê-lo perfeitamente.

A esperança da mudança está no ar: a expectativa de um novo panorama, direção ou ainda a chance de agir diferente. No primeiro século, os judeus previam uma mudança. Eles ainda cambaleavam após terem sido capturados pelos babilônicos mais de 600 anos antes. Seus agressores tinham destruído Jerusalém e o Templo de Salomão, levando a maioria do povo à Babilônia. Foi devastador, parecia o Egito mais uma vez, ao serem escravizados em terra estrangeira (Salmo 137:1).

Quando a Babilônia caiu diante de outros impérios, muitos judeus tomaram o caminho de volta para casa, mas ainda não estavam livres. Na época do nascimento de Jesus, os romanos dominavam o cenário (Lucas 2:1), e o povo judeu sentiu o peso da opressão. Eles viviam com uma expectativa cada vez maior de que Deus derrubaria os romanos, como fizera com o Faraó e os egípcios. Esperavam que o Senhor os resgatasse de seus opressores e o restabelecimento de Seu reino.

Em meio à expectativa de outro êxodo, surge Jesus. Seus conterrâneos estavam prontos para que Deus derrubasse os romanos. Queriam uma revolta e pediram pela libertação de Barrabás, em vez de Jesus (João 18:40). Não viram que Cristo veio para resgatá-los (e ao mundo) e restabelecer Seu reino por amor, não força (3:16; Gálatas 1:4).

Jesus corporificou e exemplificou o amor em Sua vida para mudar o mundo. Isso culminou em Sua morte e ressurreição. *—Jeff Olson*

O amor sacrificial de Jesus busca o melhor de nós e para nós.

13 de novembro

Cadeados do amor

Leitura:
Efésios 4:29–5:2

Sejam sempre humildes, bem-educados e pacientes, suportando uns aos outros com amor. —Efésios 4:2

Os "cadeados do amor" são um fenômeno crescente. Milhares de pessoas apaixonadas prenderam esses cadeados do amor em pontes, portões e cercas do mundo todo, incluindo França, China, Áustria, República Checa, Sérvia, Espanha, México, Irlanda do Norte etc. Os casais gravam seus nomes em um cadeado e, depois, o prendem a um lugar público para simbolizar o seu amor eterno. As autoridades de alguns desses pontos turísticos não gostam disso, devido ao perigo que podem causar se um número excessivo for colocado. Alguns os consideram como atos de vandalismo, enquanto outros os veem como uma bela arte e uma representação de compromisso amoroso.

O Senhor nos mostrou Seu verdadeiro "amor eterno" em um lugar público. Ele demonstrou o Seu amor na cruz ao entregar a Sua vida para trazer perdão aos pecados. E continua a nos mostrar o Seu amor diariamente. A salvação não é apenas uma promessa de que teremos a eternidade com Deus, mas também uma experiência diária de perdão, garantia, provisão e graça em nosso relacionamento com Ele. O amor de Jesus por nós é a base do desafio de Paulo a "andarmos em amor" pelos outros (Efésios 5:2).

O amor de nosso Pai nos capacita a sermos pacientes e bondosos. Em Seu Filho, Ele nos deu o exemplo definitivo e os meios para amarmos uns aos outros — eternamente. *—Anne Cetas*

Ao amarmos Jesus, Ele nos ensinará a amar o próximo.

14 de novembro

Guarde seu coração

Leitura:
Provérbios 4:20-27

Tenha cuidado com o que você pensa,
pois a sua vida é dirigida pelos seus pensamentos.
—PROVÉRBIOS 4:23

O cristianismo é a religião do coração, e este pertence a Deus. Para Ele o coração é o centro. A Bíblia ensina que Deus não olha a aparência, mas o coração (1 Samuel 16:7). Despreza atos religiosos desprovidos da adoração de coração (Isaías 29:13). Ele sonda o nosso coração (Salmo 139:23) e quer que confiemos nele (Provérbios 3:5). A essência da Sua lei é amá-lo e ao próximo com todo o coração (Mateus 22:37-39).

Jesus censurou os fariseus por promoverem a religião das obras sem o essencial. Eles achavam que podiam odiar e ser lascivos, desde que não cometessem assassinato e adultério (Mateus 5:21-30,43-48). Disse-lhes também que nossas palavras e o que apreciamos revelam a nossa condição (Mateus 6:21; 12:34). E prometeu que rios de água viva fluiriam do interior dos que o convidassem a morar em seu coração (João 7:37,38).

O nosso coração é a parte mais profunda do que realmente somos. Dele surgem os nossos sonhos, desejos, paixões, motivações, pensamentos, emoções, decisões e ações. Não nos surpreende que as Escrituras peçam que o guardemos! Ele realmente determina o curso de nossa vida; aqui e na eternidade.

Guarde o seu coração. Guarde-o dos ídolos. Deus fala ao nosso coração. Deus nos chama aos atos de: "o amor, a alegria, a paz, a paciência, a delicadeza, a bondade, a fidelidade, a humildade e o domínio próprio" (Gálatas 5:22,23); os demais deuses: o dinheiro, sexo ou poder o farão desviar-se. *—Sheridan Voysey*

Não precisamos construir cercas, mas convidar o Deus verdadeiro para habitar em nós.

15 de novembro

O fracasso não é fatal

Leitura:
João 18:15-27

E nós cremos e sabemos que o senhor é o Santo que Deus enviou. —João 6:69

O primeiro-ministro Winston Churchill sabia como levantar os ânimos do povo britânico durante a Segunda Guerra Mundial. Em 18 de junho de 1940, ele disse a população amedrontada: "Hitler sabe que terá que nos destruir... ou perder a guerra... mantenhamo-nos, portanto, firmes... suportando uns aos outros para que, caso o Império Britânico [dure] por mais mil anos, os homens digam: 'Este foi seu momento mais admirável!'"

Todos nós gostaríamos de ser lembrados por nosso momento "mais admirável". Talvez o momento mais admirável do apóstolo Pedro tenha sido quando ele proclamou: "...o senhor é o Santo que Deus enviou" (João 6:69). Algumas vezes, entretanto, deixamos nossos fracassos nos definirem. Após Pedro negar repetidamente que conhecia Jesus, ele afastou-se e chorou amargamente (Mateus 26:75; João 18).

Como Pedro, todos nós falhamos — em nossos relacionamentos, em nossa luta com o pecado, em nossa fidelidade a Deus. Mas "o fracasso não é fatal" como Churchill também disse. Felizmente, isto é verdade em nossa vida espiritual. Jesus perdoou Pedro, que estava arrependido por sua falha (João 21) e o usou para pregar e levar muitos ao Salvador.

O fracasso não é fatal. Deus restaura amorosamente aqueles que se voltam para Ele. —*Cindy Hess Kasper*

Quando Deus perdoa, Ele remove o pecado e restaura a alma.

16 de novembro

Andando sobre as águas

Leitura:
Mateus 14:22-33

—Coragem! Sou eu! Não tenham medo!
—MATEUS 14:27

Quando aprendi a velejar, tinha que caminhar por uma plataforma flutuante muito oscilante para chegar até os pequenos barcos em que tínhamos as aulas. Era algo que eu odiava. Não tenho bom equilíbrio e tinha pavor de cair entre a plataforma e o barco na hora de subir. Quase desisti. "Mantenha os olhos fixos em mim", o instrutor dizia. "Estou aqui e a seguro caso você escorregue." Fiz o que ele disse e agora sou a orgulhosa proprietária de um certificado de proficiência em navegação básica!

Você evita correr riscos a todo custo? Muitas dentre nós relutamos em sair de nossas zonas de conforto pela possibilidade de nos machucarmos ou parecermos tolas. Mas se permitirmos que esse medo nos prenda, acabaremos com medo de fazer qualquer coisa.

A história de Pedro aventurando-se a andar por sobre as águas e o suposto motivo do seu fracasso é uma escolha popular entre os pregadores (Mateus 14:22-33). Mas acho que nunca ouvi nenhum deles discutir o comportamento do restante dos discípulos. Em minha opinião, Pedro foi um sucesso. Ele sentiu o medo, mas, mesmo assim, respondeu ao chamado de Jesus. Talvez aqueles que nunca tentaram são os que realmente falharam.

Jesus arriscou tudo por nós. Estamos preparados para arriscar algo por Ele? *—Marion Stroud*

A vida é: ou uma aventura intrépida ou nada.
—Helen Keller

17 de novembro

Só fique por perto

Leitura:
Salmo 34:4-18

Perto está o Senhor dos que têm o coração quebrantado...
—Salmo 34:18

Minha amiga estava passando por alguns desafios difíceis em sua vida e com sua família. Eu não sabia o que dizer ou fazer, e não neguei que não sabia. Ela me olhou e acrescentou: "Só fique por perto". Foi isso que fiz e depois começamos a falar sobre o amor de Deus.

Muitas vezes, não sabemos como reagir quando outros estão sofrendo e as palavras podem causar mais mal do que bem. Servir outros exige que os entendamos e descubramos o que eles precisam. Geralmente podemos ajudar suprindo as necessidades práticas. Mas uma das melhores maneiras de encorajar aqueles que estão sofrendo é estando perto — sentar-se ao seu lado e ouvir.

Deus se aproxima de nós quando o chamamos, afirma o salmista: "Clamam os justos, e o Senhor os escuta e os livra de todas as suas tribulações. Perto está o Senhor dos que têm o coração quebrantado e salva os de espírito oprimido" (Salmo 34:17,18).

Quando nos colocarmos na situação de outros e permitirmos que o nosso coração sinta compaixão, podemos ajudar aqueles que estão sofrendo. Podemos estar perto deles como Deus está de nós, e nos sentarmos ao seu lado. No momento certo, o Espírito Santo nos dará as palavras para serem ditas, se forem necessárias. —*Keila Ochoa*

A melhor forma de encorajar alguém pode ser apenas estar perto.

18 de novembro

Cínico

Leitura:
2 Reis 5:1-27

Esta não era ocasião para você aceitar dinheiro e roupas, plantações de oliveiras e de uvas, ovelhas e gado ou empregados e empregadas. —2 Reis 5:26

Folheei um livro que contava a história de um pastor de uma *megaigreja* que percebeu que havia construído o seu ministério com estratégias de marketing e não no chamado de Cristo. Ele decidiu que não mais atenderia à multidão, pregaria sobre o discipulado e deixaria por isso mesmo. Na última página, o editor, na esperança de lucrar com o sucesso do livro, oferecia camisetas com uma frase de efeito: "Não pode ser comprado". Quanto cinismo! Como eles podiam tentar lucrar com os artifícios de marketing contra os quais o livro alertava? Não se envergonhavam?

Eu estava tão indignado quando percebi que meus motivos também não eram totalmente puros. Eu gostava de ajudar os outros a se aproximarem de Deus, mas com frequência era levado, ao menos em parte, pelo que eu ganhava com a situação. Gosto quando me apreciam, e quando dizem que gostam do que eu compartilho. Se eu não me cuidar, posso usar o evangelho como disfarce para alimentar meu ego. Se eu fosse mais popular, ofereceria camisetas com minhas frases de efeito?

Geazi viu a cura de Naamã como uma oportunidade de lucrar. "O meu patrão deixou que Naamã fosse embora sem pagar nada", disse: "Vou correr atrás dele e receber alguma coisa" (2 Reis 5:20). Eliseu disse a Geazi que por ter usado seu ministério para ganhos egoístas, a lepra de Naamã seria transferida para ele. Devemos guardar essa história esclarecedora no coração. *—Mike Wittmer*

Jesus deu a Sua vida por você.
Não use o sacrifício do Senhor para se promover.

19 de novembro

Oferta gratuita

Leitura:
Efésios 1:1-11

...Como é maravilhosa a graça de Deus, que ele nos deu com tanta fartura. —EFÉSIOS 1:7

A frustração tomou conta de minha mente cansada ao ler um e-mail cheia de reclamações e de reivindicação de direitos de um estudante conhecido por sua imaturidade. Pensei em responder com reprovação, mas em vez disso, refleti sobre a resposta. Quando cheguei à raiz da minha frustração, decidi ignorar minhas primeiras inclinações e avaliei a chance de oferecer-lhe graça.

A graça, um valor fundamental de nossa teologia e experiência cristã, muitas vezes é algo abstrato em nossa caminhada, em vez de estar presente na vida prática. Quando frustrados, a nossa vontade de revidar cresce. Apressamo-nos em provar que os outros estão errados em suas percepções e a defender nossa causa. Se ultrajadas ou ofendidas, buscamos a oportunidade de triunfar, abertamente ou em nosso íntimo.

Paulo relembra os cristãos que somos abençoados "...por estarmos unidos com Cristo, dando-nos todos os dons espirituais do mundo celestial" (Efésios 1:3). Porém, às vezes esquecemos que este tesouro espiritual guarda a graça necessária para oferecer bondade onde exigiríamos "olho por olho" (Mateus 5:38-44).

Assim como Jesus escolheu nos amar quando nada tínhamos a oferecer, nossa habilidade de produzir graça não é medida pelos momentos em que cremos que alguém possa nos dar retorno. Sentimos a verdadeira graça quando oferecemos amor em momentos em que poderíamos oferecer vingança (2 Coríntios 8:9; Tito 2:11). —*Regina Franklin*

A graça se apresenta visível em nós por meio de Cristo.

20 de novembro

Spotify?

Leitura:
Mateus 5:17-20

Portanto, qualquer um que desobedecer ao menor mandamento e ensinar os outros a fazerem o mesmo será considerado o menor no Reino do Céu. —MATEUS 5:19

Spotify é uma das maravilhas musicais da internet. É um *app* que permite ouvir qualquer artista, banda ou música que goste. Você pode clicar no ícone "curtir" ou "não curtir". Ao "curtir", ele filtra músicas semelhantes às que você ouviu. Se você "não curtir", *Spotify* vai excluir aquele estilo e tocar uma diferente para você julgar.

Para evitar que Seus discípulos "curtissem ou não" as Escrituras, Jesus os ensinou a ter uma visão mais ampla da Palavra. No Sermão do Monte, o Mestre disse que o Seu propósito no ensino era completar a compreensão que Seus discípulos tinham dela (Mateus 5:17). Para mostrar Sua ampla visão da Palavra de Deus, sua natureza imutável e os princípios indistintos do que os rabinos chamavam de mandamentos leves e rígidos, Jesus disse que até que o céu e a terra desaparecessem, nem o menor traço de tinta seria tirado das Escrituras (vv.18,19).

Para Jesus, um mandamento leve (não ter raiva ou ódio no coração) é tão importante quanto um rígido (não matar). Jesus queria que Seus discípulos entendessem que Deus não havia lhes dado a liberdade para adaptar Sua Palavra ao seu gosto.

Como cristãos, vamos internalizar os Seus ensinamentos, não apenas os que gostamos. Quando aceitamos e obedecemos a Sua Palavra, Ele nos dá poder para gostar de obedecer ao que ela diz, mesmo com relação aos ensinamentos difíceis. *—Marvin Williams*

...quem obedecer à Lei e ensinar os outros [...] será considerado grande no Reino do Céu. —Mateus 5:19

21 de novembro

Vara verde mágica

Leitura:
Salmo 119:10-32

Mas apenas uma é necessária!
—Lucas 10:42

Quando o escritor russo Leo Tolstoy era criança, acreditava numa vara verde mágica que podia destruir o mal. O desejo de perfeição moral que sempre buscou pode ter surgido dessa crença infantil. Ele nunca achou a vara, mas seus escritos revelam uma compreensão profunda da depravação humana e da santidade de Deus.

Eu também estou ciente de minhas falhas, e tremo quando me atribuem qualidades espirituais que me faltam. Quando um amigo me perguntou se eu sou um guerreiro da oração, respondi: "Não, essa é uma das coisas pelas quais luto". Ele pareceu surpreso e eu me surpreendi pela surpresa dele.

Se você for como eu, bem-vindo ao grupo dos que precisam da graça. Sabemos que devemos orar, mas não o fazemos bem.

Parece que os autores dos Salmos tinham naturezas introspectivas. O Salmo 119 expressa o profundo desejo do autor pelos caminhos e atributos de Deus. "Eu procuro te servir de todo o coração; não deixes que eu me desvie dos teus mandamentos" (v.10). "Estou derrotado e caído no chão; de acordo com a tua promessa, dá-me novas forças" (v.25). Cinco vezes menciona como "medita" nas leis de Deus (vv.23,27,48,52,117).

Há barulho e demandas demais ao meu redor. Jesus alertou gentilmente certa pessoa ocupada que, erroneamente, assumiu que o serviço era a escolha certa. Ele disse à Marta: "mas apenas uma é necessária! Maria escolheu a melhor de todas, e esta ninguém vai tomar dela". *—Tim Gustafson*

Não há formas mágicas que nos guiem à perfeição. Jesus, que é Único e perfeito cuidou disso para nós e nos acolhe.

22 de novembro

Irrefreável

Leitura:
Números 22:10-34

Aí o Senhor Deus fez com que Balaão visse o Anjo, que estava no caminho... —Números 22:31

Abaixo. Acima. Em volta. Através. Nada irá me impedir de fazê-lo. Ouço com frequência as pessoas expressarem esse tipo de atitude quando elas têm uma ideia ou veem uma oportunidade que lhes pareça boa ou vantajosa. Dedicam todos os seus recursos para conquistá-la.

Como evidência de que esta maneira de pensar pode ser falha, chamo uma jumenta como minha testemunha — uma jumenta que pertence a um homem chamado Balaão.

Um rei vizinho ofereceu a Balaão uma tarefa vantajosa, e ele perguntou a Deus se lhe era permitido aceitá-la (Números 22). Quando Deus disse "não", os representantes do rei fizeram uma oferta melhor. Pensando que Deus poderia ter mudado de ideia, Balaão perguntou novamente. Deus permitiu a Balaão ir com os representantes, mas sob rigorosas condições. Deus conhecia o coração de Balaão e não estava contente com ele, portanto o Senhor colocou o Seu anjo no caminho. Balaão não podia ver o anjo, mas sua jumenta sim. Quando a jumenta se recusou a continuar, Balaão irritou-se com o animal por atrapalhar o seu caminho.

A história de Balaão nos ensina que nem todo obstáculo foi feito para ser superado. Alguns são colocados por Deus para nos proteger de fazer algo tolo. Quando nossos planos são dificultados, não deveríamos presumir que é Satanás tentando nos parar. Pode ser Deus buscando nos proteger. *—Julie Ackerman Link*

Deus está sempre nos protegendo – mesmo quando não percebemos que precisamos de proteção.

23 de novembro

O bom coração de Deus

Leitura:
Romanos 5:1-11

Meus irmãos, sintam-se felizes quando passarem por todo tipo de aflições. —TIAGO 1:2

Rogério passou por vários maus momentos. Ele foi submetido a chamada "cirurgia cardíaca a céu aberto" para reparar uma valva que vazava. Semanas depois, os médicos tiveram de refazê-la, devido a complicações. Pouco depois de começar a recuperação com fisioterapia, ele sofreu um acidente de bicicleta e fraturou a clavícula. Além disso, Rogério também sofreu a dor de perder a mãe neste período. Ele ficou muito desanimado. Quando um amigo lhe perguntou se havia visto Deus agir de alguma maneira, ainda que pequena, ele confessou realmente não ter sentido isso.

Aprecio a honestidade dele. Os sentimentos de desânimo ou dúvida fazem parte de minha vida também. Em Romanos, o apóstolo Paulo diz: "...nos alegramos nos sofrimentos, pois sabemos que os sofrimentos produzem a paciência, a paciência traz a aprovação de Deus, e essa aprovação cria a esperança" (5:3,4). Mas isso não significa que sempre sentimos alegria. Podemos precisar de alguém ao nosso lado para nos escutar ao expressarmos nossos sentimentos; e de conversar com Deus. Às vezes, é necessário rever a situação antes de vermos como a nossa fé amadureceu durante as provações e dúvidas.

Saber que Deus deseja usar as dificuldades para fortalecer a nossa fé pode nos ajudar a confiar que Ele quer o nosso bem. *—Anne Cetas*

Deus pode nos levar a águas turbulentas para aprofundar a nossa confiança nele.

24 de novembro

A maior de todas as coisas

Leitura:
Lucas 10:38-42

Maria, a sua irmã, sentou-se aos pés do Senhor e ficou ouvindo o que ele ensinava. —Lucas 10:39

Durante um culto na igreja notei uma criança pequena algumas filas à frente. Conforme o bebê espiava por cima do ombro do pai, seus olhos se abriam maravilhados ao olhar para os membros da congregação. Ele sorria para algumas pessoas, babava e mastigava seus dedos gordinhos, mas não conseguia encontrar o dedão. As palavras do pastor foram se distanciando à medida que meus olhos continuavam se voltando para olhar aquele meigo bebê.

As distrações vêm em todas as formas e tamanhos. Para Marta a distração tomou forma de limpeza e culinária, ela tentou servir a Cristo em vez de ouvi-lo e conversar com Ele. Maria se recusou a se afastar. "Maria [...] sentou-se aos pés do Senhor e ficou ouvindo o que ele ensinava" (Lucas 10:39). Quando Marta murmurou por que Maria não a estava ajudando, Jesus disse: "...Maria escolheu a melhor de todas, e esta ninguém vai tomar dela" (v.42).

As palavras de Jesus nos lembram de que nosso relacionamento com Ele é mais importante do que qualquer coisa boa que possa temporariamente capturar a nossa atenção. Já foi dito que coisas boas são inimigas das coisas ótimas. Para os seguidores de Jesus, o maior acontecimento nesta vida é conhecê-lo e caminhar com Ele. —*Jennifer Benson Schuldt*

Ensine-me, Senhor, a conhecê-lo, pois assim aprenderei a amá-lo acima de tudo.

25 de novembro

Venha a mim

Leitura:
João 6:30-40

—Eu sou o pão da vida. Quem vem a mim nunca mais terá fome... —JOÃO 6:35

Quando Jesus viveu neste mundo, Ele convidava pessoas para virem a Ele e ainda o faz hoje (João 6:35). Mas o que Ele e Seu Pai no Céu têm que nós precisamos?

Salvação. Jesus é o único caminho para recebermos o perdão do pecado e a promessa do Céu: "para que todos os que crerem nele tenham a vida eterna" (João 3:15).

Propósito. Devemos entregar todo o nosso coração, a alma, a mente e força para seguir a Jesus. "Se alguém quer ser meu seguidor, que esqueça os seus próprios interesses, esteja pronto para morrer como eu vou morrer e me acompanhe" (Marcos 8:34).

Consolo. Na luta ou na dor, "...Ele nos auxilia em todas as nossas aflições..." (2 Coríntios 1:4).

Sabedoria. Precisamos da sabedoria do alto para tomar decisões, "se alguém tem falta de sabedoria, peça a Deus, e ele a dará..." (Tiago 1:5).

Força. Quando estamos cansados, "O SENHOR dá força ao seu povo..." (Salmo 29:11).

Vida abundante. A plenitude de vida é encontrada no relacionamento com Jesus; "...eu vim para que as ovelhas tenham vida, a vida completa" (João 10:10).

Jesus disse: "...de modo nenhum jogarei fora aqueles que vierem a mim" (João 6:37). Venha! *—Anne Cetas*

Jesus nos convida a virmos a Ele para termos vida.

26 de novembro

Concessões perigosas

Leitura:
Gálatas 2

Quando Pedro veio para Antioquia da Síria, eu fiquei contra ele em público porque ele estava completamente errado.
—Gálatas 2:11

Em 1857, membros brancos da Igreja Reformada Holandesa, na África do Sul, pediram permissão para celebrar a Ceia do Senhor separado de seus irmãos negros. A Assembleia Geral considerou errado, mas cedeu "devido à fraqueza de alguns". E isso se tornou a norma, o que levou os cristãos negros indesejados a iniciarem suas próprias igrejas. Assim, dividida, a igreja apoiou a segregação. Em 1924, a IRH argumentou que as raças deviam permanecer separadas, pois a "competição entre negros e brancos leva à pobreza e amargura".

Como a história seria diferente se a igreja não tivesse cedido ao pedido pecaminoso de alguns irmãos mais fracos? Somos gratos por líderes como Nelson Mandela, que dedicaram sua vida para o fim da segregação. É vergonhoso para a igreja esse sacrifício ter sido necessário.

Pedro curvou-se aos "irmãos mais fracos", que estavam errados em insistir que os gentios vivessem como judeus. Recusou-se a comer com os gentios quando os judaizantes chegaram à cidade. Paulo reconheceu a importância disso, pois o motivo dos judeus para se separarem dos gentios punha em risco o evangelho (v.14). A história do cristianismo seria diferente se Paulo não confrontasse essa concessão de Pedro?

Não é certo errar para agradar os outros. Não podemos violar nossa consciência com a base fraca de que "Eles não compreenderiam", "É o que eles esperam" ou "Uma só vez, que mal faz?" *—Mike Wittmer*

Às vezes pode parecer mais fácil ceder, mas nossa concessão dificultará nossa vida em longo prazo.

27 de novembro

Aceitar a correção

Leitura:
Provérbios 9:7-9

Nunca repreenda uma pessoa vaidosa; ela o odiará por isso. Mas, se você corrigir uma pessoa sábia, ela o respeitará. —PROVÉRBIOS 9:8

"Os ateus são passivos porque não têm nada para lutar! #covardesfinais" "Ateus não têm moral. Podem abraçar uma árvore e matar um bebê no ventre materno! #confuso".

As sórdidas atualizações do *twitter* continuavam. Infelizmente, por detrás delas havia um pastor, e como irmão na fé, decidi escrever. "Lutando com seus tweets, não acho que eles demonstrem respeito aos ateus."

"Pois deveria!", ele respondeu. "A sua luta explica a situação atual da igreja!" E acusou-me de ser "pós-moderno e piegas". Supliquei que se ativesse às Escrituras; demonstrasse gentileza e respeito aos não cristãos (1 Pedro 3:15-17). "Vou lhe dizer uma coisa: 'Quando você tiver tantos ex-ateus em sua igreja quanto tenho na minha, poderá me mostrar algo melhor", concluiu. E parou de me seguir no *Twitter*.

Ironicamente o pastor já tinha twitado: "Quando sua primeira resposta à correção é revidar em vez de refletir, você perde a oportunidade de Deus lhe dar coração compreensivo e vida excelente". Infelizmente, ele não praticava suas próprias palavras.

Qual é sua primeira reação à correção: revidar ou refletir? Deus nos corrige por amor (Provérbios 3:12). O sábio aceita esta correção (15:5), os escarnecedores se revoltam (v.12) e o orgulhoso nos impede de ouvir (13:10). Se refletirmos e as aceitarmos, cresceremos em sabedoria (15:31,32).Às vezes, a correção não é aceita (9:7). Sejamos pessoas que refletem em vez de revidar, aceitemos a correção como o caminho para a sabedoria (vv.8,9), e dessa maneira imitamos o nosso humilde Salvador (Mateus 11:29). *—Sheridan Voysey*

"Sejam meus seguidores e aprendam comigo porque sou bondoso..." —Mateus 11:29

28 de novembro

Segunda escolha?

Leitura:
Gênesis 29:16-30

...Cristo morreu por nós quando ainda vivíamos no pecado.
—Romanos 5:8

Lia deve ter ficado acordada a noite toda pensando no momento em que seu novo marido acordaria. Ela sabia que não era o seu rosto que ele esperava ver, mas o de Raquel. Jacó fora enganado, e quando percebeu que tinha caído numa armadilha, imediatamente fez um novo acordo com Labão para reivindicar a mulher que lhe fora prometida (Gênesis 29:25-27).

Você já se sentiu insignificante ou uma segunda escolha? Lia se sentiu assim, e isto se percebe nos nomes escolhidos para os seus três primeiros filhos (vv.31-35). Rúben significa "Deus consolou minha aflição", Simeão significa "Deus me ouviu", e Levi "aquele que une". O nome de todos eles contém palavras que indicam a falta de amor que ela sentia da parte de Jacó. Com o nascimento de cada filho, ela esperava desesperadamente atrair a afeição de Jacó e merecer o seu amor. No entanto, a atitude de Lia mudou lentamente, e ela deu ao seu quarto filho o nome de Judá, que significa "louvor" (v.35). Embora sentisse a rejeição do marido, talvez neste momento compreendeu que era muito amada por Deus.

Jamais seremos merecedoras do amor de Deus, pois isto não depende do que fazemos. Na verdade, a Bíblia diz que "...Cristo morreu por nós, sendo nós ainda pecadores..." (Romanos 5:8). Aos olhos de Deus, valemos o melhor presente que os Céus poderiam oferecer — a dádiva do Seu precioso Filho. *—Cindy Hess Kasper*

Nada exprime o amor de Deus com mais clareza do que a cruz de Cristo.

29 de novembro

Sou eu

Leitura:
João 18:1-12

Quando Jesus disse: "Sou eu", eles recuaram e caíram no chão.
—João 18:6

A "Operação Beijo" havia começado! O alvo tinha sido visto cruzando o vale e entrando no olival. Essa informação de inteligência viera de um agente infiltrado no círculo íntimo, um homem que, agora, conduzia pessoalmente a força-tarefa (vv.1-3). Percebendo-os como perigosos, Pilatos ordenou que um grupo de soldados romanos, de até 600 homens bem treinados e equipados neutralizassem a ameaça. As autoridades judaicas também tinham enviado os seus guardiões do Templo. Esse grande contingente de captura estava armado e levava lanternas e tochas (v.3). Não tinha como o seu alvo escapar.

Jesus não planejava fugir, nem resistir à captura (vv.10,11). Ele se ofereceu voluntariamente (vv.8,11). Deu um passo à frente para identificar-se aos Seus captores, facilitou e assegurou a Sua própria prisão. Perguntou: "...Quem é que vocês estão procurando? Jesus de Nazaré! — eles responderam" (vv.4,5).

Jesus afirmou: "...Sou eu! [...] Sou eu!" Jesus disse duas vezes (vv.5,8).

"Eu Sou" é a linguagem da divindade. Ele é o nome de Deus na aliança: "EU SOU O QUE SOU" (Êxodo 3:14). Em um debate anterior com os fariseus, Jesus lhes disse corajosamente que era o "...EU SOU" (João 8:58).

Quando Ele declarou a Sua identidade, todos os captores recuaram e caíram (v.6). E os poderosos soldados romanos, treinados a não se submeter, curvaram-se diante dele. Jesus não era uma vítima indefesa. *—K. T. Sim*

Jesus se entregou aos Seus captores para beber o cálice do sofrimento, que deveria ter sido nosso.

30 de novembro

O caminho deserto

Leitura:
Atos 8:26-40

Um anjo do Senhor disse a Filipe: Apronte-se e vá para o Sul... (Pouca gente passava por aquele caminho). —Atos 8:26

Aparentemente, alguém ligado ao Google tem senso de humor. Na rota do Google Mapas entre Japão e China, entre as instruções aparecia "atravessar o Oceano Pacífico de caiaque". Segui-las seria uma longa viagem por águas revoltas!

Lemos em Atos que um homem fazia uma longa viagem distante de casa. O "tesoureiro [...] da Etiópia", poderoso membro da corte real, havia "ido a Jerusalém para adorar" (v.27). Ele começou sua jornada de retorno atravessando a vasta e acidentada região do deserto, quando o Espírito Santo tocou Filipe e lhe disse para encontrar esse etíope no caminho deserto (v.26).

No deserto, o etíope enfrentou muitos apuros: (1) Terreno extenso e rigoroso; (2) Distância de 800 ou mais km de sua casa; (3) Desejava comunhão com o Deus de Israel, mas era etíope, com barreiras geográficas e étnicas em relação a Israel; (4) Sendo eunuco, não podia participar totalmente da fé de Israel (Levítico 21:17-23; Deuteronômio 23:1). Estava distante de casa numa missão para adorar o Deus que ele desejava conhecer e amar.

Quando Filipe o encontrou no deserto, o eunuco lia a profecia de Isaías acerca do Messias e estava confuso sobre o seu significado (vv.30-34). Filipe subiu no carro do etíope e, "...anunciou-lhe a Jesus" (v.35). A boa notícia era que o amor de Deus se estendia ao mundo — até mesmo ao eunuco. O Senhor o encontrou no deserto. —*Winn Collier*

Deus nos encontra onde estivermos, mesmo que estejamos em meio ao deserto.

1.º de dezembro

Não se deixe enganar

Leitura:
Provérbios 26:1-12

Elogiar um tolo é o mesmo que amarrar a pedra no estilingue.
—PROVÉRBIOS 26:8

"É melhor manter a boca fechada e deixar que pensem que você é tolo do que abri-la e acabar com toda a dúvida." —MARK TWAIN

Twain, conhecido autor do século 19, usava sua sagacidade mordaz para expor os males da humanidade. Suas ideias ecoaram a verdade já revelada nas Escrituras. "Até um tolo pode passar por sábio e inteligente se ficar calado" (Provérbios 17:28). Obstinados e rebeldes, os tolos não se importam com a santidade de Deus ou com o coração de outras pessoas. Intencionalmente desobedientes, vivem para si mesmos e acreditam que podem escapar com seus pecados.

Os cristãos são chamados a andar em obediência e a posicionar-se ao lado da verdade. Não agir como tolo requer o entendimento do poder e da santidade de Deus, e isso envolve tomar decisoes alinhadas com Sua justiça.

Visto que o tolo vive como se Deus não existisse (Salmos 14:1; 53:1), nossa resposta deve ser amorosamente sábia. Por isso, não devemos:

- Envolver-nos em discussões tolas (Provérbios 23:9; 26:4).
- Nomear um tolo para um lugar de honra (26:1,8)
- Confiar tarefas importantes a um tolo (vv.6,10).

Não importa se uma pessoa é impressionante, diminuímos a grandiosidade de Deus ao aplaudirmos os que vivem em clara desobediência à Sua Palavra. Recusar-se a honrar o tolo não é falta de consideração, mas se trata de nomear os fatos como eles são, pois entendemos a glória de quem Deus é. *—Regina Franklin*

Jamais um grande talento ou dom pode justificar o pecado.

2 de dezembro

Novo nome, nova vida?

Leitura:
João 1:35-42

Jesus olhou para Simão e disse: —Você é Simão, filho de João, mas de agora em diante o seu nome será Cefas [...] é o mesmo que Pedro. —João 1:42

A cada ano milhares de pessoas mudam o seu nome. Algumas mudanças refletem o profundo desejo de vida nova. "Mudei meu nome e isso me mudou", escreveu a cantora Alina Simone. "Quando penso no meu velho ser, penso numa pessoa nada amável", ela reflete. A Alina Vilenkin, ficou de lado. Alina Simone formou uma banda, tentou novas coisas e colocou o seu "melhor" no novo nome.

Claramente a vida não está boa para muitas pessoas. Elas querem libertar-se do passado. A troca de nome aparentemente lhes oferece salvação. Isso pode, realmente, marcar uma mudança significativa na vida de alguém. Abrão e Sarai tiveram uma experiência incrível (Gênesis 17:5,15-21). Simão se tornou Pedro (João 1:42) e Saulo, o fariseu, mais tarde, tornou-se conhecido como o apóstolo Paulo (Atos 13:9).

Mas há uma diferença fundamental entre esses exemplos e uma troca oficial de identidade — o sobrenatural. Abrão e Sarai eram idosos e estéreis, mas como Abraão e Sara, miraculosamente conceberam um filho (Gênesis 21:1-7). Saulo era um assassino (Atos 9:1,2; Gálatas 1:13) e Simão Pedro, um covarde (João 18:15-18,25-27), mas Paulo se tornou o melhor missionário da história e Pedro foi crucificado pela coragem de seguir a Jesus. Para eles, não foram apenas seus nomes que mudaram, mas a alma, por meio de um encontro sobrenatural com Deus. Isso nos leva à nova vida que cada um de nós deseja (2 Coríntios 3:18). *—Sheridan Voysey*

E a cada um deles darei [...] um nome novo que ninguém conhece, a não ser quem o recebe. —Apocalipse 2:17

3 de dezembro

Resolva as pendências

Leitura:
Romanos 12:12-21

Não se vingue, nem guarde ódio de alguém do seu povo, mas ame os outros como você ama a você mesmo. Eu sou o SENHOR.

—LEVÍTICO 19:18

Durante um evento promocional, dois ex-desportistas, de 73 anos, brigaram no palco, por uma "pendência" que remontava a um controverso jogo de futebol americano em novembro de 1963. Depois de um deles ter jogado o outro para fora do palco, a multidão gritou "deixa *pra* lá, encerrem o assunto".

A Bíblia está repleta de exemplos de "reclamões". Caim tinha rancor de seu irmão Abel porque Deus aceitara a oferta de Abel e não a dele. O rancor foi tanto que chegou a motivar um assassinato (Gênesis 4:4-8). Esaú tinha rancor de Jacó porque este lhe roubara a primogenitura que era sua por direito (27:41). O rancor do irmão injustiçado era tão intenso que forçou Jacó a fugir de Esaú por toda a vida com medo.

Os irmãos de José guardavam rancor por ele ser o favorito e o mais amado pelo pai, Jacó. Esse sentimento gerou ódio tão intenso que quase os levou a matar o irmão, se isso não tivesse sido evitado por um deles (37:18-20). Esses irmãos foram tão controlados pelo medo e culpa que presumiram que José guardara rancor e vingança contra eles por vendê-lo como escravo (50:15). Essas pessoas tinham má vontade uns com os outros; consequências de dores ou insultos.

Deus ensina o Seu povo a amar (Levítico 19:18), orar e perdoar quem os insultou e feriu (Romanos 12:14), viver pacificamente com todos (v.18), deixar a vingança para Deus (v.19) e vencer o mal com o bem (v.21).

—Marvin Williams

A Bíblia é repleta de exemplos e instruções sobre como resolver nossas questões pendentes.

4 de dezembro

De novo, não!

Leitura:
2 Tessalonicenses 2:13-17

...Pois Deus os escolheu como os primeiros a serem salvos pelo poder do Espírito Santo e pela fé que vocês têm na verdade...
—2 TESSALONICENSES 2:13

À medida que eu lia a mensagem de texto em meu celular, minha temperatura começou a subir e o meu sangue começou a ferver. Eu estava em vias de responder com uma mensagem desagradável, quando uma voz interior me disse para me acalmar e responder no dia seguinte. Na manhã seguinte, após uma boa noite de sono, a questão que me perturbara tanto na véspera, parecia muito trivial. Eu havia reagido desproporcionalmente, porque não queria colocar o interesse de outra pessoa antes dos meus. Eu não estava disposta a me incomodar para poder ajudar alguém.

Infelizmente, tenho vontade de responder com raiva com mais frequência do que gostaria de admitir. Constantemente, tenho de colocar em prática verdades bíblicas comuns, como "não deixem que isso faça com que pequem..." (Efésios 4:26) e "Que ninguém procure somente os seus próprios interesses, mas também os dos outros" (Filipenses 2:4).

Felizmente, Deus nos deu o Seu Espírito, que nos ajudará em nossa batalha contra o nosso pecado. Os apóstolos Paulo e Pedro, a denominaram: "santificação do Espírito" (2 Tessalonicenses 2:13; 1 Pedro 1:2). Sem o Seu poder, somos impotentes e derrotados; mas com o Seu poder, podemos ter vitória. *—Poh Fang Chia*

O crescimento espiritual é uma obra para a vida inteira.

5 de dezembro

Não perca a confiança

Leitura:
Gálatas 6:1-10

...se não desanimarmos, chegará o tempo certo em que faremos a colheita. —Gálatas 6:9

Cozinhar pode se tornar uma tarefa tediosa quando é exercida três vezes ao dia, semana após semana. Canso-me de descascar, cortar, fatiar, misturar e em seguida, esperar a comida assar, grelhar ou cozinhar. Mas comer nunca é tedioso! É na verdade algo que realmente apreciamos, mesmo que o façamos todos os dias.

Paulo usou a ilustração de semear e colher porque sabia que fazer o bem pode ser cansativo (Gálatas 6:7-10). Ele escreveu: "Não nos cansemos de fazer o bem. Pois, se não desanimarmos, chegará o tempo certo em que faremos a colheita" (v.9). É difícil amar os nossos inimigos, disciplinar os nossos filhos ou orar sem cessar. Entretanto, colher o bem que semeamos não é tedioso! Que alegria quando vemos o amor vencendo a discórdia, os nossos filhos seguindo os caminhos de Deus, ou respostas às nossas orações.

Ainda que o processo de preparação do alimento possa durar horas, minha família geralmente termina uma refeição em 20 minutos ou menos. Mas a colheita de que Paulo fala, será eterna. Sempre que surgirem as oportunidades, façamos o que é bom e esperemos pelas bênçãos que, no tempo de Deus, seguem essas atitudes. Hoje, não desanime ao seguir os caminhos de Deus. Lembre-se de que a alegria está garantida até estarmos além desta vida, pela eternidade. *—Keila Ochoa*

Continue servindo a Deus com a eternidade em vista.

6 de dezembro

O que é que você tem com isso?

Leitura:
João 21:15-22

Jesus respondeu: —Se eu quiser que ele viva até que eu volte, o que é que você tem com isso? Venha comigo! —João 21:22

Quando você assiste ao concerto de um coral infantil, não se surpreende quando as crianças olham para qualquer lugar menos para o maestro. Elas se mexem, contorcem e cutucam umas às outras. Ficam na ponta dos pés para procurar seus pais na plateia, e levantam suas mãos para acenar quando os veem. Eventualmente cantam. Nós sorrimos das suas excentricidades. Esse comportamento é engraçado em crianças; não é igualmente engraçado quando membros de um coro adulto não observam o maestro. A música de Deus depende dos cantores que prestam atenção no regente, assim eles podem permanecer juntos enquanto cantam.

Os cristãos, às vezes, são como cantores num coral infantil. Em vez de olharem para Jesus, o grande maestro da sinfonia da vida, ocupam-se contorcendo e olhando uns para os outros ou observando a plateia.

Jesus admoestou Pedro por tal comportamento, e lhe disse o que seria exigido dele, Pedro apontou para João e perguntou, "E ele?" Jesus respondeu com uma pergunta: "...o que é que você tem com isso? Venha comigo!" (João 21:22).

Às vezes nos distraímos com o que os outros estão fazendo. Pensamos que o plano de Deus para a vidas deles é melhor do que Seu plano para a nossa.

Porém, o plano de Deus para cada um de nós é o mesmo: Seguir a Jesus. Quando o observamos atentamente, não nos distrairemos pelos planos que Deus tem para outras pessoas. *—Julie Ackerman Link*

Cada filho de Deus tem um lugar especial em Seu Reino. Seu chamado a eles é o de seguir a Jesus.

7 de dezembro

Deus onipresente

Leitura:
Gênesis 39:19-23

Mas o SENHOR estava com ele e o abençoou, de modo que ele conquistou a simpatia do carcereiro. —GÊNESIS 39:21

Certa viagem de ônibus costuma levar apenas 6 horas — a menos que o seu motorista o abandone no posto de gasolina. Foi o que aconteceu a 45 passageiros a bordo de um ônibus; eles esperaram 8 horas durante a noite pela reposição do motorista após o original tê-los abandonado. Eles devem ter ficado frustrados com o atraso, ansiosos pelos resultados do incidente e impacientes pelo resgate.

José provavelmente partilhou esses sentimentos quando foi lançado à prisão por um crime que não cometera (Gênesis 39). Abandonado e esquecido por alguém que pudesse resgatá-lo, ele estava preso. Ainda assim, "...o SENHOR estava com ele e o abençoou, de modo que ele conquistou a simpatia do carcereiro" (v.21). Com o tempo, o carcereiro promoveu José a vigia de seus colegas prisioneiros, e tudo o que José fazia, o Senhor "o abençoava em tudo..." (v.23). Todavia, apesar da presença e da bênção de Deus, José permaneceu encarcerado por anos.

Você pode ser abandonada numa sala de hospital, numa cela, num país estrangeiro ou em sua própria prisão interior. Não importa onde você estiver, ou quanto tempo tiver estado lá, as misericórdias e bênçãos divinas podem alcançá-lo. Porque Ele é o Deus Todo-poderoso (Êxodo 6:3) presente em todos os lugares (Jeremias 23:23,24), Ele pode proteger, encorajar e suprir suas necessidades quando parece que ninguém mais pode ajudá-la. —*Jennifer Benson Schuldt*

Deus está presente – mesmo quando sentimos que Ele está ausente.

8 de dezembro

Uma ovelha perdida

Leitura:
Lucas 15:1-10

Lembrem que o SENHOR é Deus. Ele nos fez, e nós somos dele; somos o seu povo, o seu rebanho. —SALMO 100:3

Laura colocou no trailer uma cabra e uma ovelha emprestadas para o ensaio de um presépio vivo. Elas se cabecearam e depois se acalmaram. Laura iniciou o trajeto até a igreja, mas antes precisou abastecer.

Enquanto enchia o tanque, percebeu que a cabra estava parada no estacionamento! E a ovelha havia desaparecido! Na agitação de tentar acalmá-las ela se esquecera de fechar um dos trincos. Laura ligou para um serviço de apoio e para alguns amigos que procuraram pelos comércios, milharais e bosques durante as últimas horas do dia. Muitos oravam para que ela encontrasse o animal emprestado.

Na manhã seguinte, Laura e um amigo saíram para fixar cartazes com o anúncio de "Ovelha perdida" em comércios locais. Sua primeira parada foi no posto de gasolina. Um cliente ouviu eles pedirem permissão para afixar o cartaz e lhes disse: "Acho que sei onde a sua ovelha está!" Ela tinha ido até a fazenda de seu vizinho que a colocou no celeiro para passar a noite.

O Senhor se importa com as ovelhas perdidas — incluindo você e eu. Jesus veio do Céu à Terra para nos mostrar Seu amor e prover a salvação (João 3:16). Ele se esforça grandemente nos procurando para nos encontrar (Lucas 19:10).

Quando a ovelha foi encontrada, Laura a apelidou de "Milagre". A salvação de Deus para nós também é um milagre de Sua graça. *—Anne Cetas*

O bom pastor dá a vida pelas ovelhas.

—João 10:11

9 de dezembro

Devorado

Leitura:
Salmo 55:1-23

Entregue os seus problemas ao SENHOR, e ele o ajudará; ele nunca deixa que fracasse a pessoa que lhe obedece. —SALMO 55:22

Anos atrás, algumas pessoas de Hong Kong recorreram a um plano radical para perder peso. Recorreram aos parasitas. Os vermes lhes permitiam comer o que quisessem e ainda perder peso. Mas as lombrigas gigantes, que podem atingir até 38 centímetros de comprimento, punham 200 mil ovos por dia, causavam dor abdominal, sintomas semelhantes aos de gripe e até morte. Era um modo perigoso de tentar vencer a batalha contra o peso!

Ser literalmente devorado por dentro me lembra o que Davi vivenciou ao ser desgastado por aflições (v.2). A origem de sua dor era alguém de seu círculo mais estrito, um amigo íntimo (vv.12,13). Ao enfrentar a amargura de sua traição, Davi sentiu efeitos físicos: coração acelerado, tremores e medo (vv.4,5 NVI). Sua mente o perturbava e ele estava atordoado e apavorado (vv.2,4 NVI), sendo devorado de dentro para fora.

Quando enfrentamos dificuldades, tentamos manter tudo dentro de nós e demonstrar calma. Mas Deus tem um plano diferente para os nossos fardos: clamar a Ele e lançá-los fora. Ele inspirou Davi a escrever: "Mas eu chamo a Deus, o SENHOR, pedindo ajuda, e ele me salva" (v.16). Davi nos diz para orarmos, entregarmos os nossos problemas ao Senhor e Ele nos ajudará (v.22).

Qual fardo lhe está pesado demais hoje? O que o devora de dentro para fora? Siga as palavras inspiradas de Davi: clame a Deus e lance os seus fardos sobre Ele (v.22). *—Tom Felten*

Se clamarmos a Ele, o Senhor promete nos ouvir e estar conosco.

10 de dezembro

Desgastados pelo dinheiro

Leitura:
1 Timóteo 6:8-19

Não se mate de trabalhar, tentando ficar rico, nem pense demais nisso. —Provérbios 23:4

A internet tem muitos anúncios que prometem muito dinheiro com pouco esforço. Basta aplicar as técnicas do material de treinamento e você conquistará a independência financeira, no conforto do seu lar! Humm…

Os curiosos, desesperados e ingênuos são presas fáceis para tais ofertas. Os cautelosos, porém, enxergam esses embustes e sabem que não existe "dinheiro fácil". Mas, se não forem cuidadosos, poderão cair na armadilha de se desgastarem correndo avidamente atrás de riquezas.

Lemos em Provérbios: "Não se mate de trabalhar, tentando ficar rico, nem pense demais nisso. Pois o seu dinheiro pode sumir de repente, como se tivesse criado asas e voado para longe como uma águia" (vv.4,5).

Quanto ao ganhar dinheiro, o apóstolo Paulo alertou: "os que querem ficar ricos caem em pecado, ao serem tentados, e ficam presos na armadilha de muitos desejos tolos, que fazem mal e levam as pessoas a se afundarem na desgraça e na destruição" (1 Timóteo 6:9). Paulo diz que alguns que têm "amor ao dinheiro" "se desviaram da fé e encheram a sua vida de sofrimentos" (v.10). Jesus ensinou na parábola do semeador — que a atração e ilusão das riquezas nos impedem de produzir frutos no reino de Deus (Mateus 13:22).

Precisamos ganhar dinheiro para as necessidades básicas da vida e também usá-lo para ajudar os necessitados e trazer um pouco do Céu à Terra e ao "mais humilde" (25:40). —*Jeff Olson*

Amar o enriquecimento só nos desgastará e arruinará o nosso testemunho de Jesus.

11 de dezembro

A lição

Leitura:
Romanos 12:14-21

Não deixem que o mal vença vocês,
mas vençam o mal com o bem. —Romanos 12:21

Certo verão eu estava num encontro de amigos do Ensino Médio quando alguém por detrás bateu em meus ombros. Assim que meus olhos bateram no crachá com o nome daquela mulher, minha mente voltou no tempo. Lembrei-me de um bilhete firmemente dobrado que tinha sido empurrado pela fresta na minha gaveta. Nele estavam escritas palavras cruéis de rejeição que me envergonharam e abateram meu espírito. Lembro-me de ter pensado: "alguém precisa lhe dar uma lição sobre como tratar as pessoas!" Embora me sentisse como se estivesse revivendo minha dor da adolescência, me recompus com o mais falso de meus sorrisos; e comecei a falar palavras insinceras.

Começamos a conversar, e ela foi colocando para fora a triste história do seu crescimento e do casamento infeliz. À medida que falava, a expressão "planta amarga" do livro de Hebreus 12:15 surgiu em minha mente. É o que estou sentindo, pensei. Após todos esses anos, eu ainda tinha uma profunda raiz de amargura escondida em mim, entrelaçando e estrangulando o meu coração.

Em seguida, estas palavras vieram à minha mente: "Não deixem que o mal vença vocês, mas vençam o mal com o bem" (Romanos 12:21).

Conversamos, e até compartilhamos algumas lágrimas. Nenhuma de nós mencionou o incidente do passado. Naquela tarde, Deus ensinou uma lição a alguém — uma lição de perdão e desprendimento da amargura. Ele me ensinou. *—Cindy Hess Kasper*

A vingança nos aprisiona; o perdão nos liberta.

12 de dezembro

Resgatados das trevas

Leitura:
Colossenses 2:6-15

Foi na cruz que Cristo se livrou do poder dos governos e das autoridades espirituais... —Colossenses 2:15

No filme *Gran Torino*, de Clint Eastwood, Walt Kowalski é um irritadiço veterano de guerra desgostoso com as gangues que dominam seu bairro. Ele conheceu Thao, seu vizinho adolescente, tentando roubar seu carro Gran Torino, forçado por uma gangue local.

Thao não tinha futuro. Fora coagido a unir-se as gangues ou o destruiriam. Kowalski decidiu enfrentá-las e reduzir o seu líder ao pó. A estratégia deu errado, pois a irmã de Thao foi estuprada em retaliação.

Após refletir, Kowalski percebeu a necessidade de outra abordagem. Certa noite, foi até a casa da gangue. Os bandidos lhe apontaram as armas enquanto ele, lentamente, buscava algo em seu casaco. Ao tirar sua mão da jaqueta, houve uma saraivada de tiros. Seu corpo crivado de balas caiu ao chão, com os braços estendidos em cruz, com um isqueiro na mão em vez de uma arma. A gangue foi presa e Thao foi salvo de sua tirania.

Gran Torino retrata um dos aspectos da cruz. Como Thao, estávamos à mercê de forças malignas (Efésios 6:12). Mas quando Jesus se sacrificou por nós, esses poderes foram desarmados e presos, libertando-nos de seu jugo (Colossenses 1:13; 2:15). Jesus não nos libertou retaliando contra o mal, mas submetendo-se a ele em nosso lugar e, depois, ressuscitando em triunfo (Atos 3:15).

Kowalski necessitava da sua própria redenção da culpa. Seu ato reflete o que Jesus, que não tinha pecado, fez por nós na cruz. —*Sheridan Voysey*

Jesus, com a Sua morte nos resgatou do domínio das trevas.

13 de dezembro

O evangelho de celebração

Leitura:
Filipenses 3:1-11

...Nós adoramos a Deus por meio do seu Espírito e nos alegramos na vida que temos em união com Cristo Jesus... —FILIPENSES 3:3,4

Enquanto minha família saía do parque temático, após um dia de diversão, os alto-falantes tocavam uma alegre canção com o refrão "Em tudo que você fizer, celebre-se a si mesmo!". Meu filho de 12 anos declarou, com ironia, que seu sonho era conquistar o mundo. Isso devia ser celebrado? O meu era refrigerante grátis!

Muitas canções hoje parecem vender sorrisos e autoestima. Isso faz sentido comercial, pois ninguém quer ser repreendido por suas falhas. Os parques de diversão são incríveis, e a maneira mais rápida de entreter as pessoas é tocar canções cativantes que digam que elas são ótimas.

Compreendo bem isso, mas ainda é importante analisar essa mensagem à luz do evangelho. Quem cantarola as canções do mundo sem refletir tem maior probabilidade de ser influenciado por elas. Muitas incentivam o narcisismo. E sugerem que não nos celebramos o suficiente, daí os outros não percebem quão especiais somos. Essa mensagem positiva é cruel, pois quem se celebrar em tudo que fizer logo ficará só.

O apóstolo Paulo apresentou um evangelho muito melhor. Ele confessou ser pecador; assim, apesar de suas fortes razões para sentir-se superior, todas as suas realizações eram "perda, comparado com aquilo que tem muito mais valor, isto é, conhecer completamente Cristo Jesus, o meu Senhor" (v.8). A verdade é que somos muito mais valiosos do que uma canção pode expressar, porque pertencemos a Jesus. *—Mike Wittmer*

*Em tudo o que você fizer,
celebre o Senhor Jesus.*

14 de dezembro

Traído

Leitura:
Mateus 26:46-50

...As palavras dele eram mais macias do que a manteiga, mas no seu coração havia ódio... —SALMO 55:20,21

Qual nome você daria ao seu filho recém-nascido? Tiago, João ou Judas? Talvez Tiago ou João, mas, sem dúvida, não o chamaria de Judas.

Judas significa louvor, mas se tornou um ícone de condenação, sinônimo da perfídia e traição. Imagine perguntar a Judas: "Por que você traiu Jesus, e com um beijo? (Lc 22:48). Você desiludiu-se por Jesus não ser o tipo de Messias que derrubaria os romanos e reinaria no trono de Davi" (Zacarias 9:9; Mateus 21:4-10)? Em vez de reinar, Jesus falava em submeter-se a César (Mateus 22:21), em tornar-se escravo (Mateus 20:25-28). Ao entrar em Jerusalém, Jesus foi humilhado e morreu na cruz (20:18,19; Lc 18:32-34)!

Judas o traiu por dinheiro. Os fundos do ministério que Judas defraudou foram insuficientes para satisfazer sua ganância (João 12:6)? Ele entregou o seu Mestre aos principais sacerdotes, esperando recompensa (Marcos 14:10,11). Desapontou-se pelo pouco que recebeu (Mateus 26:14,15). Certamente, Judas ficou chocado, pois o seu Rei valeu o preço de um escravo (Êxodo 21:32). No entanto, Judas traiu a sua própria consciência por poucas moedas.

O beijo é um símbolo de confiança, intimidade, amor e afeição. Por que Judas o usou como uma ferramenta de traição e perfídia para trair Jesus? Aproximando-se, abraçando e beijando o seu Mestre, Amigo e Irmão, Judas aumentou a mesquinhez, a abominação e a deslealdade da sua traição! (Mateus 26:24,49). *—K. T. Sim*

Mas tudo isso está acontecendo para se cumprir o que os profetas escreveram nas Escrituras Sagradas. —Mateus 26:56

15 de dezembro

Uma canção

Leitura:
Deuteronômio 31:16-22

Eu louvarei o nome do SENHOR. […] O SENHOR é a nossa rocha; ele é perfeito e justo em tudo o que faz. —DEUTERONÔMIO 32:3,4

Alegrei-me quando recebi um presente gratuito na correspondência — um CD de versículos musicados. Após ouvi-lo muitas vezes, algumas melodias aninharam-se em minha mente. Em pouco tempo, eu pude cantar as palavras de alguns versículos no livro de Salmos sem a ajuda da gravação.

A música pode nos ajudar a lembrar de palavras e ideias que de outra maneira poderíamos esquecer. Deus sabia que os israelitas se esqueceriam dele quando entrassem na Terra Prometida (Deuteronômio 31:20). Eles o abandonariam, se curvariam aos ídolos, e os problemas surgiriam (vv.16-18). Por causa disto, Deus pediu a Moisés para compor uma canção e ensiná-la aos israelitas para que pudessem lembrar-se da proximidade que tiveram com Deus no passado e, do pecado que havia interferido em seu relacionamento com o Pai (31:19-22). Talvez o mais importante tenha sido que Deus queria que Sua nação se lembrasse do Seu caráter; Deus é a rocha, "…Suas obras são perfeitas, porque todos os seus caminhos são juízo, Deus é fidelidade, e não há nele injustiça; é justo e reto" (32:4).

Pense no que Deus pode querer que você lembre sobre Ele hoje. Seu poder, Sua santidade, Seu amor ou Sua fidelidade? Você consegue lembrar-se de uma canção que exalte o caráter de Deus? Em seu coração, cante-a para o Senhor (Efésios 5:19). —*Jennifer Benson Schuldt*

Lembrar-se da bondade de Deus traz uma canção ao nosso coração.

16 de dezembro

Fé vitoriosa

Leitura:
1 Pedro 1:5-7

...a fé que vocês têm é verdadeira. [...] E assim vocês receberão aprovação, glória e honra, no dia em que Jesus Cristo for revelado. —1 PEDRO 1:7

Tukutana, a organização sem fins lucrativos que dirijo na África Oriental financia a educação de uma jovem que sobreviveu a uma das mais longas guerras da África, mas não sem marcas. Quando tinha apenas 13 anos, rebeldes do LRA, Exército de Resistência do Senhor atacaram sua vila na Uganda, mataram os seus pais diante dela e a sequestraram, estupraram e a engravidaram. Pouco antes do nascimento de seu filho, a jovem conseguiu escapar de seus captores e fugir para a aldeia de seu tio.

Como a conheci após os horrores que a despojaram de sua família e da inocência, desenvolvi profundo respeito por esta adolescente. Sua alegria e determinação em completar os estudos — para poder dedicar seu futuro a ajudar outros — proclama a essência de 1 Pedro 1:5-7.

• Sua fé será visível a todos (v.5).

• Maravilhosas alegrias a esperam, embora tenha que suportar muitas provações por pouco tempo (v.6).

• Suas provações a levarão à fé genuína (v.7).

• Sua firme fé, em meio às provações, lhe trará honra, glória e louvor no dia em que Jesus Cristo for revelado para todo o mundo (v.7).

Quando as provações atravessarem nosso caminho, tenhamos o cuidado de não lançar fora a nossa fé confiante no Senhor. *—Roxanne Robbins*

Peçamos a Deus a perseverança que necessitamos para enfrentar os tempos difíceis pelos quais passamos.

17 de dezembro

Problema

Leitura:
João 16:25-33

...No mundo vocês vão sofrer; mas tenham coragem. Eu venci o mundo. —João 16:33

Estava contente por ver os últimos dias do ano se aproximarem. O ano tinha sido de muito pesar, doenças e tristezas. Sentia-me pronta para acolher o mês de janeiro com toda a pompa que tinha direito!

Mas ao chegar o primeiro mês do novo ano, vieram também as más notícias, uma após outra. Diversos amigos perderam seus pais. O irmão do meu pai morreu enquanto dormia. Outros amigos descobriram que tinham câncer. O irmão de um colega e o filho de um amigo morreram, ambos, trágica e abruptamente. Ao invés de os tempos tristes cessarem, o novo ano parecia trazer um novo tsunami de tristezas.

O evangelho de João 16:33 nos diz: "...No mundo, passais por aflições...". Nem mesmo aos filhos de Deus foi prometida uma vida de facilidades, prosperidade ou boa saúde. No entanto, nunca estamos sozinhos em nossas tribulações. Em Isaías 43:2 somos lembrados de que mesmo que atravessemos águas profundas, Deus está conosco. Embora nem sempre entendamos os propósitos de Deus nas provações que enfrentamos, podemos confiar em Seu coração porque nós o conhecemos.

Nosso Deus é o Deus de amor abundante e "...nem a morte, nem a vida [...] nem o presente, nem o futuro [...]. Em todo o Universo não há nada que possa nos separar do amor de Deus, que é nosso por meio de Cristo Jesus..." (Romanos 8:38,39). Quando a aflição vier, a promessa de Deus é estar presente. —*Cindy Hess Kasper*

Fé é acreditar que Deus está presente mesmo quando ouvimos apenas o silêncio.

18 de dezembro

Como ser perfeito

Leitura:
Romanos 3:20-26

Assim, com um sacrifício só, ele aperfeiçoou para sempre os que são purificados do pecado. —Hebreus 10:14

No Natal nos sentimos pressionados em busca da perfeição. Imaginamos a festa perfeita e nos esforçamos para que isso aconteça. Compramos os presentes perfeitos, e planejamos o almoço que achamos ideal. Escolhemos os cartões mais perfeitos, mas desanimamos e sentimos decepção quando a nossa capacidade de imaginar a perfeição excede a de implementá-la. O presente escolhido, cuidadosamente, recebe apenas um agradecimento parcialmente sincero. Parte da comida fica cozida demais. Encontramos um erro de digitação em nossas saudações natalinas após tê-las enviado. As crianças brigam por causa dos brinquedos. Os adultos ressuscitam antigas questões.

Porém, em vez de desanimar, podemos usar a nossa decepção para nos lembrar do motivo de o Natal ser tão importante. Precisamos do Natal porque nenhum de nós é e nem será capaz de ser tudo o que deseja — nem mesmo por um mês, uma semana ou sequer um dia.

Como seriam as nossas celebrações do nascimento de Cristo se eliminássemos o nosso conceito de perfeição extremamente falho e, em vez disso, nos concentrássemos na perfeição de nosso Salvador, em quem somos feitos justos (Romanos 3:22)?

Se, este ano, a sua festa de Natal for menos do que o ideal, relaxe e permita que ela seja um lembrete de que a única maneira de ser aperfeiçoada para sempre (Hebreus 10:14) é viver pela fé na justiça de Cristo.

—Julie Ackerman Link

Natal é Cristo nascendo em nosso mundo para nos trazer o presente perfeito e eterno: a salvação.

19 de dezembro

Competição de presentes

Leitura:
2 Coríntios 9: 6-15

Agradeçamos a Deus o presente que ele nos dá, um presente que palavras não podem descrever. —2 CORÍNTIOS 9:15

Um comercial de Natal que gosto na TV mostra dois vizinhos em uma competição amigável para ver quem consegue espalhar mais a alegria do Natal. Um fica de olho no outro enquanto decora sua casa e árvores com luzes. Depois, cada um aperfeiçoa a sua propriedade para ficar melhor do que a do outro. Eles, em seguida, começam a competir para ver quem consegue ser mais extravagante com os outros vizinhos, correndo e distribuindo presentes alegremente.

O povo de Deus não está em uma competição para ver quem consegue doar mais, entretanto, somos chamadas a estar prontas para repartir com os outros aquilo que temos (1 Timóteo 6:18). O apóstolo Paulo instruiu a igreja em Corinto: "Que cada um dê a sua oferta conforme resolveu no seu coração, não com tristeza nem por obrigação, pois Deus ama quem dá com alegria" (2 Coríntios 9:7).

Na época de Natal, conforme compartilhamos presentes, nos lembramos da generosidade de Deus conosco — Ele deu o Seu Filho. O escritor Ray Stedman disse: "Jesus deixou Suas riquezas de lado e entrou em Sua criação num estado de pobreza para enriquecer a todos nós por Sua graça".

Nenhum presente jamais poderia competir com a abundância do Senhor. —*Anne Cetas*

Agradeçamos a Deus por Seu indescritível presente – Seu Filho Jesus!

20 de dezembro

Presente frágil

Leitura:
Lucas 2:1-7

Agradeçamos a Deus o presente que ele nos dá, um presente que palavras não podem descrever. —2 Coríntios 9:15

Quando damos um presente frágil, nos certificamos de que na caixa isso esteja escrito e bem visível. A palavra FRÁGIL é escrita com letras grandes, porque não queremos que alguém danifique o que está dentro da embalagem.

O dom de Deus para nós veio no pacote mais frágil: um bebê. Às vezes, imaginamos o dia de Natal como uma bela cena num cartão postal, mas qualquer mãe pode lhe dizer que não foi assim. Maria estava cansada, provavelmente insegura. Era seu primeiro filho e Ele nasceu nas condições mais insalubres. Ela "...Enrolou o menino em panos e o deitou numa manjedoura, pois não havia lugar para eles na pensão" (Lucas 2:7).

Um bebê precisa de cuidados constantes. Os bebês choram, comem, dormem e dependem dos seus cuidadores. Eles não podem tomar decisões. Nos tempos de Maria, a mortalidade infantil era alta e, com muita frequência, as mães morriam no parto.

Por que Deus escolheu uma maneira tão frágil para enviar Seu Filho a este mundo? Porque Jesus tinha de ser como nós para nos salvar. O maior presente de Deus foi embalado no corpo frágil de um bebê, mas Deus assumiu o risco porque Ele nos ama. Sejamos gratos hoje por um presente como esse — o nosso Senhor e Salvador Jesus! *—Keila Ochoa*

Que você possa conhecer a paz do Natal todos os dias do ano.

21 de dezembro

Esteja presente

Leitura:
Jó 2:3-13

...sentaram-se no chão ao lado dele e ficaram ali sete dias e sete noites; e não disseram nada, pois viam que Jó estava sofrendo...
—Jó 2:13

Após 20 crianças e seis funcionários terem sido assassinados numa escola em Connecticut, EUA, toda a nação americana ficou chocada por algo tão horrível ter acontecido. Todos se concentraram na tragédia e nas perguntas que a cercavam: Que tipo de pessoa faria tal coisa e por quê? Como podemos impedir que isso aconteça novamente? Como podemos ajudar os sobreviventes? Em meio ao caos, um grupo improvável se movimentou e fez a diferença.

De Chicago vieram alguns cachorros — especialmente *golden retrievers* treinados, que nada ofereciam além de afeto. Os cachorros não falam; eles simplesmente oferecem a sua presença. Crianças traumatizadas pela violência abriram-se para eles, expressando medos e emoções sobre os quais não haviam falado com os adultos. Tim Hetzner da instituição de ação social da Igreja Luterana disse: "A maior parte do treinamento deles é simplesmente aprender a ficar quieto".

Conforme aprendemos no livro de Jó, pessoas enlutadas nem sempre precisam de palavras. Algumas vezes precisam de alguém para se sentar silenciosamente ao seu lado, ouvir-lhes quando precisam falar e os abraçar quando a sua tristeza se transforma em choro.

Deus pode não intervir para mudar circunstâncias e Ele pode não explicar o sofrimento, mas Ele nos consola por meio da presença de outros cristãos (Colossenses 4:8). *—Julie Ackerman Link*

Ouvir pode ser a coisa mais amável e semelhante a Cristo para se fazer por alguém hoje.

22 de dezembro

Noite de paz

Leitura:
Lucas 2:1-14

...mas o anjo disse: —Não tenham medo! Estou aqui a fim de trazer uma boa notícia para vocês, e ela será motivo de grande alegria também para todo o povo! —Lucas 2:10

Simão imigrou da Holanda para os Estados Unidos. Sua esposa, Kátia e os três filhos nasceram nos Estados Unidos. Depois, a filha Jenny casou-se com Roberto, do Panamá. O filho Bill casou--se com Vânia de Portugal. E o terceiro filho, Lucas, casou-se com Bora, da Coreia do Sul.

Na noite de Natal, quando a família se reuniu para a celebração, começaram a cantar "Noite de paz" em suas línguas nativas — um doce som para o Senhor da Terra ouvir conforme era celebrado o nascimento de Seu Filho.

Há mais de 2.000 anos, o silêncio de uma calma noite foi subitamente interrompido quando um anjo disse aos pastores que um bebê tinha nascido: "...Não tenham medo! Estou aqui a fim de trazer uma boa notícia para vocês" (Lucas 2:10). E então uma multidão de anjos começou a louvar a Deus, dizendo: "Glória a Deus nas maiores alturas do céu! E paz na terra para as pessoas a quem ele quer bem" (v.14)! Cristo o Senhor, o Salvador do mundo tinha nascido!

O presente misericordioso de Deus, Seu Filho, que foi anunciado há tanto tempo, em uma noite silenciosa ainda está disponível para todos — "...as tribos, línguas, nações e raças" (Tito 2:11-14; Apocalipse 5:9-10). "Porque Deus amou o mundo tanto, que deu o seu único Filho, para que todo aquele que nele crer não morra, mas tenha a vida eterna" (João 3:16). —*Cindy Hess Kasper*

O coral do Céu apareceu para cantar quando o Rei do Céu desceu para salvar.

23 de dezembro

Nascido para morrer

Leitura:
Romanos 5:6-21

...nos alegramos por causa daquilo que Deus fez por meio do nosso Senhor Jesus Cristo, que agora nos tornou amigos de Deus.
—Romanos 5:11

A nossa atenção volta-se para a celebração do nascimento de Jesus (Lucas 2:1-20), pois desde aquela noite em Belém, o mundo jamais foi o mesmo.

Os fatos que se estendem além do nascimento de Jesus em Belém, o registro de seus anos de ministério, e os relatos dos evangelhos deixam claro que Jesus sabia que tinha nascido para morrer. Ele falava desde o começo sobre A Sua morte (Marcos 8:31; João 2:19-21).

Por que Jesus teve de morrer, e tão jovem, aos 33 anos? Ele não teria realizado muito mais se tivesse vivido algumas décadas a mais e morrido de causas naturais? Imagine todas as doenças que Jesus poderia ter curado! Visualize os milagres que Ele poderia ter realizado. Pense nos ensinamentos adicionais que Ele poderia ter deixado e nos problemas do mundo que Ele poderia ter resolvido se não tivesse morrido no "auge" da Sua vida.

Porém Deus tinha algo mais em mente. Jesus morreu no momento em que morreu para que nós não precisássemos morrer. Ele precisou morrer para que pudesse ressuscitar e vencer a morte, entregando a própria vida de boa vontade para que fôssemos amigos de Deus (Romanos 5:8-11).

Precisávamos desesperadamente que Jesus entregasse a própria vida para que pudéssemos viver (6:4). O apóstolo Paulo resumiu assim: "Portanto, assim como um só pecado condenou todos os seres humanos, assim também um só ato de salvação liberta todos e lhes dá vida" (5:18). *—Jeff Olson*

Ao relembrar o Seu nascimento, lembremo-nos do motivo pelo qual Ele morreu e ressuscitou.

24 de dezembro

Emanuel

Leitura:
Isaías 7:10-14

Pois o SENHOR *mesmo lhes dará um sinal: a jovem que está grávida dará à luz um filho e porá nele o nome de Emanuel.*
—ISAÍAS 7:14

Conversei com um casal de amigos que não veem a hora de ser pais. Ele e a sua esposa planejam e oram por um bebê, já escolheram os nomes, sem ela sequer estar grávida.

Em 735 a.C., Isaías profetizou para a nação de Judá, que passava por lutas espirituais: "...a jovem que está grávida dará à luz um filho e porá nele o nome de Emanuel" (v.14). Jesus recebeu o Seu nome cerca de 730 anos antes do Seu nascimento!

Certa vez, um professor de estudo bíblico afirmou que todas as verdades do Natal podem ser condensadas em duas palavras: "Deus conosco". No período natalino concentramos a nossa atenção no nascimento humano de Cristo, mas o foco maior deveria estar em Sua deidade — quem Ele realmente é: "Deus conosco". Emanuel significa que não estamos isolados do Deus que se assenta em algum trono distante. Deus não está nos observando "à distância" — Ele está conosco. Emanuel significa que Deus viveu entre nós. Ele era humano e vestia-se como tal.

Quando José e Maria chamaram o seu filho pelo nome, provavelmente sentiram-se atemorizados. Toda vez que Seus pais diziam "Emanuel", era um lembrete de que Deus estava na casa — literalmente vivendo sob o mesmo teto.

Você está solitária? Receosa? Sente que Deus está muito longe, obscuramente observando-a à distância? Se for assim, reconheça que a mensagem do Natal é a de que você não está mais sozinha. *—K. T. Sim*

*Por Jesus – o Emanuel ter vindo,
Deus está com você.*

25 de dezembro

Generoso

Leitura:
Deuteronômio 15:1-11

Sejam generosos... —Deuteronômio 15:8

Certo Natal, doadores anônimos surpreenderam com generosidade os clientes de uma rede de lojas de departamentos. Um gerente contou que quando os compradores iam buscar seus itens no caixa, descobriam que alguém já havia pago por eles. Noutra loja, o gerente contou como um pai, com as roupas sujas e três crianças a tiracolo, se dirigiu ao caixa, com a esperança de conseguir arcar com toda a conta e descobriu que toda sua compra já tinha sido paga. Além disso, a mesma mulher que pagou a compra dele, distribuiu dinheiro na saída da loja.

Amamos essas histórias de generosidade radical e a Bíblia está cheia delas. Nosso Deus é genuinamente generoso, assim Seu livro e Seu povo estão imersos em generosidade.

Quando Deus instruiu os israelitas a conduzir suas vidas, a generosidade era o tópico primordial e central. Deus deixou claro as Suas intenções: "...Portanto, não haverá nenhum israelita pobre" (Dt 15:4). Ele planejou abençoar "ricamente" Seu povo, e quis que esta bênção fosse compartilhada com todos (vv.4,6).

Embora soubesse como os homens agem e que as desigualdades certamente surgiriam, o Senhor deu ao povo de Israel princípios para encorajá-los a serem generosos. A cada 7 anos deveriam cancelar os débitos dos devedores (v.1). Deveriam emprestar aos pobres o que necessitassem. Caso ainda não estivesse claro, Deus disse: "...seja generoso com [o necessitado]" (vv.8,10). *—Winn Collier*

Quando o povo de Deus vive à maneira do Senhor, a generosidade transborda.

26 de dezembro

Rápido

Leitura:
João 10:6-18

Vocês são como uma neblina passageira, que aparece por algum tempo e logo depois desaparece. —TIAGO 4:14

Minha amiga tem 65 anos e sorriu ao compartilhar lembranças do último ano de seu avô, nascido em 1890. Aos 94 anos, ele disse: "Passei do tempo dos cavalos para o carro, e daí para o homem andando na lua, nunca pensei que a vida passasse tão rápido."

Essa observação me lembrou de Jacó. Quando seu filho José, governador do Egito, o levou para encontrar o Faraó, Jacó falou: "...estou com 130 anos e sempre tenho andado de um lado para outro. [...] E eu não tenho conseguido viver tanto quanto os meus antepassados" (Gênesis 47:9).

A vida passa rápido enquanto nos ocupamos fazendo planos. Com frequência nos contorcemos impacientemente pela vida. Ansiamos pelo início das férias, por algo melhor, por concluir o Ensino Médio ou a faculdade. Se eu tivesse um namorado(a). Se estivesse casado(a). Se meu emprego fosse melhor. Se pudesse me aposentar. Se... E então um dia, captamos o eco da voz de nossos avós, quando nos perguntamos: "Para onde foi o tempo?" É tudo tão rápido!

É uma grande mentira a de que precisamos estar em outro lugar, fazendo outra coisa, com outra pessoa, antes de realmente começarmos a viver. Nós que viemos a Cristo buscamos a vida eterna e Jesus nos oferece vida agora. No mesmo contexto em que prometeu aos Seus seguidores a vida eterna (João 10:28), Ele disse: "...eu vim para que as ovelhas tenham vida, a vida completa" (v.10). —*Tim Gustafson*

Quando encontramos a vida em Jesus, trocamos os pesares pela alegria eterna.

27 de dezembro

Cuidado, vendedor

Leitura:
1 Reis 21:1-28

Elias respondeu: Achei, sim, porque você se entregou completamente a fazer o que o SENHOR Deus considera errado.
—1 REIS 21:20

Todo comprador é também vendedor. Se compro algo seu, você "compra" o meu dinheiro, então eu "vendo" o meu dinheiro para comprar de você. É necessário abrir mão de algo para efetuar a transação. Se você não tem o que vender, não pode comprar.

Acabe se achava um comprador. Ele queria transformar a vinha de Nabote num jardim e ofereceu dinheiro ou uma vinha melhor caso ele a vendesse (v.2). Nabote não quis vender a herança de sua família. Mas, Jezabel, mulher de Acabe, disse ao marido que conseguiria a terra para ele. Cruelmente, ela fez Nabote ser apedrejado sob falsas acusações. Em seguida, disse a Acabe: "Nabote morreu. Agora vá e tome posse da plantação de uvas que ele não quis vender a você" (v.15). Feliz, Acabe reivindicou a vinha a qual estivera disposto a pagar mais do que valia, e agora a recebia de graça.

Acabe estava tão focado em comprar, que não percebeu que isso lhe custou mais do que o valor da terra. Elias lhe disse que isso lhe custara a alma. Ele se vendera ao mal, pois roubara e assassinara um inocente para plantar vinhas. Espero que você goste delas, Acabe, porque "no mesmo lugar onde os cachorros lamberam o sangue de Nabote, eles lamberão o seu próprio sangue" (v.19).

Sempre que tomamos algo, damos algo em troca. Visite sites indecentes e você deixará para trás uma parte de sua alma. Engane os outros e o dinheiro que você poupar custará o seu caráter. *—Mike Wittmer*

Você pertence a Deus, que a comprou com o sangue de Seu Filho.

28 de dezembro

Agradecendo

Leitura:
João 11:32-44

...Jesus olhou para o céu e disse:
—Pai, eu te agradeço porque me ouviste. —João 11:41

Uma tragédia deixou uma família com um vazio que nada podia preencher. Um bebê, perseguindo um gato que vagueava pela estrada, foi atropelado por um caminhão de entrega. Uma criança de 4 anos assistiu chocada, e em silêncio, seus pais colocarem no berço o corpo sem vida de sua irmãzinha. Durante anos o frio vazio daquele momento cobriu aquela família de tristeza. Os sentimentos ficaram congelados, o único conforto era o entorpecimento. O alívio era inimaginável.

A escritora Ann Voskamp era a criança de 4 anos, e o sofrimento em torno da morte de sua irmã formou a sua visão da vida e de Deus. O mundo em que cresceu não considerava a graça. A alegria era uma ideia que não correspondia à realidade.

Como jovem mãe, Ann pôs-se a descobrir sobre o indescritível sentimento que a Bíblia chama de alegria. As palavras para a alegria e a graça vêm da palavra grega *chairo*, que ela descobriu fazer parte da palavra grega para "gratidão". E questionou-se: "Poderia ser tão simples assim?". Para testar sua descoberta, Ann decidiu agradecer por milhares de dádivas que já tinha recebido. Ela começou devagar, mas logo a gratidão fluía livremente de seu coração.

Assim como Jesus agradeceu antes de ressuscitar Lázaro dentre os mortos (João 11:41), Ann descobriu que a gratidão fez ressurgir a alegria que tinha morrido com a sua irmã. A alegria é fruto da gratidão.

—Julie Ackerman Link

O coração grato traz a alegria para o viver.

29 de dezembro

Meu Pai está comigo

Leitura:
Marcos 14:32-50

Pois chegou a hora de vocês [...] me deixar sozinho. Mas eu não estou só, pois o Pai está comigo. —João 16:32

Uma amiga que estava lutando com a solidão postou as seguintes palavras em sua página no *Facebook*: "Não me sinto sozinha por não ter amigos. Tenho muitos amigos. Sei que tenho pessoas na minha vida que podem me apoiar e acalmar, conversar, se importar comigo e pensar em mim. Mas elas não podem estar comigo o tempo todo — para sempre."

Jesus compreende esse tipo de solidão. Imagino que durante o Seu ministério entre nós, Ele via a solidão nos olhos dos leprosos e a ouvia nas vozes dos cegos. Mas acima de tudo, Ele deve tê-la experimentado quando os Seus amigos próximos o abandonaram (Marcos 14:50).

Contudo, ao profetizar o abandono dos discípulos, Ele também confessou a Sua inabalável confiança na presença de Seu Pai. Ele disse aos Seus discípulos: "Pois chegou a hora de vocês todos serem espalhados, cada um para a sua casa; e assim vão me deixar sozinho. Mas eu não estou só, pois o Pai está comigo" (João 16:32). Pouco depois de dizer estas palavras, Jesus tomou a cruz por nós. Ele tornou possível que eu e você tenhamos um relacionamento restaurado com Deus e façamos parte de Sua família.

Por sermos humanos, todos nós experimentaremos momentos de solidão. Mas Jesus nos ajuda a compreender que sempre temos a presença do Pai conosco. Deus é onipresente e eterno. Somente Ele pode estar conosco o tempo todo, para sempre. *—Poh Fang Chia*

*Se você já conhece Jesus,
jamais caminhará sozinha.*

30 de dezembro

Verdadeira humildade

Leitura:
Filipenses 2:1-4

Não façam nada por interesse pessoal [...] mas sejam humildes e considerem os outros superiores... —Filipenses 2:3

Conta-se a história de um homem tão humilde que a cidade decidiu honrá-lo com uma medalha. Uma semana após a cerimônia, porém, foi retirada. Para constrangimento do conselho, o homem portava a medalha por onde fosse. Isso me lembra-me do que Helen Nielsen, autora de livros de mistério, escreveu: "a humildade é como a roupa íntima: essencial, mas quando aparece é indecente". Para o teólogo John Stott, a humildade é "a mais rara e a mais bela de todas as virtudes cristãs". Ela também é a mais importante porque é o exato oposto do pior dos pecados: o orgulho.

A verdadeira humildade existe? Como é? Paulo nos fornece o retrato de uma pessoa humilde em Filipenses 2, e nos apresenta quatro atitudes que nos ajudam a entender a verdadeira humildade: duas a se evitar e duas para seguir. Os humildes...

- Nada fazem por vanglória ou partidarismo, não são egocêntricos. São humildes (v.3).
- Não tentam impressionar os outros (v.3). Eles nada fazem por "desejos tolos de receber elogios", não buscam glória para si.
- Pensam mais nos outros do que em si mesmos (v.3), considerando os outros "superiores a [si] mesmos".
- Procuram não só "seus próprios interesses, mas também os dos outros" (v.4). Equilibram as suas necessidades com as necessidades dos outros.

Para sermos humildes precisamos nos afastar do eu e irmos em direção aos outros, sem soberba e prontos para ajudar. *—K. T. Sim*

A pessoa humilde não é aquela que pensa mal de si mesma, ela simplesmente não pensa em si. —Warren Wiersbe

31 de dezembro

A melhor vida

Leitura:
João 1:35-42

A primeira coisa que André fez foi procurar o seu irmão Simão e dizer a ele: – Achamos o Messias. ("Messias" quer dizer "Cristo".)
—JOÃO 1:41

Alguns meses atrás, tive que viajar à Flórida a trabalho. Em meu voo de retorno, tive a agradável surpresa de perceber que o meu banco tinha bastante espaço para as pernas. Senti-me muito bem por não estar acomodada numa área muito pequena. Somado a isso, havia um assento vazio ao meu lado! Todos os ingredientes para uma boa soneca.

Em seguida, lembrei-me daqueles à minha volta em seus assentos não tão confortáveis. Convidei algumas pessoas que eu conhecia que poderiam juntar-se a mim num lugar melhor, mas para minha surpresa, todas quiseram ficar em seus próprios assentos por vários motivos: Elas não queriam ser incomodadas com o deslocamento ou sentiam-se bem onde estavam.

Como cristãos, temos um convite muito mais significativo: Recebemos uma nova vida de fé em Jesus e queremos que outros a experimentem também. Alguns a desejarão, e outros não. No livro de João 1:40 lemos que André tinha começado a seguir Jesus. A primeira coisa que André fez foi encontrar o seu irmão Simão e convidá-lo a conhecer Jesus, o Messias (v.41), como ele havia feito. Jesus lhes ofereceu um novo e maravilhoso modo de viver, de conhecê-lo e desfrutar das Suas promessas: Seu perdão (Romanos 3:24), presença contínua (Hebreus 13:5), esperança (Romanos 15:13), paz (João14:27), e um futuro eterno em Sua presença (1 Tessalonicenses 4:17).

Você gostaria de participar? Jesus oferece a melhor vida. *—Anne Cetas*

Se você deseja que alguém saiba o que Cristo fará por ele, permita-lhe ver o que Cristo fez por você.

